D1003942

Comment mener
les discussions difficiles

Ouvrages de Bruce Patton

AUX MÊMES ÉDITIONS

Comment réussir une négociation
(en collaboration avec Roger Fisher et William Ury)
1994

DOUGLAS STONE, BRUCE PATTON,
SHEILA HEEN

Comment mener les discussions difficiles

Avant-propos de Roger Fisher

TRADUIT DE L'AMÉRICAIN
PAR DOMINIQUE TAFFIN-JOUHAUD

ÉDITIONS DU SEUIL

OUVRAGE PUBLIÉ SOUS LA DIRECTION ÉDITORIALE
DE JACQUES GÉNÉREUX

Note des auteurs

Les recherches menées à l'université Harvard sont destinées à la publication. Toutefois, les jugements, opinions, conclusions et recommandations exprimés n'engagent que leurs auteurs. La publication n'implique en aucune manière une quelconque adhésion, approbation ou sanction de l'université Harvard, de ses divers départements, de son président ni des membres de la direction collégiale.

Titre original : *Difficult Conversations*
Éditeur original : Viking Penguin, New York

ISBN original 0-670-88339-5

ISBN 2-02-039952-0

www.seuil.com

À nos familles, à qui nous témoignons tout notre amour et notre reconnaissance.

À notre ami et mentor Roger Fisher, pour son esprit visionnaire et la force de ses engagements.

Préface

Le Harvard Negotiation Project est surtout connu pour son ouvrage intitulé *Comment réussir une négociation*, qui s'est vendu à plus de trois millions d'exemplaires. Depuis sa publication en 1981, de nombreux lecteurs, dans le monde entier, savent que les négociateurs sont plus efficaces lorsqu'ils se démarquent de tout antagonisme et proposent une collaboration respectant les intérêts mutuels des parties en présence.

Ce que l'on appelle parfois la « méthode de Harvard » vise à faciliter la communication. Cependant, dans les négociations comme dans la vie de tous les jours, il est fréquent que nous ne *parlions pas* aux autres, et que nous *ne voulions pas le faire*, pour de bonnes ou de mauvaises raisons. Parfois, quand nous *parlons*, les choses vont de mal en pis. Les sentiments – de colère, de culpabilité, de frustration – se bousculent. Nous acquérons la certitude que nous avons raison, tout comme ceux avec qui nous sommes en désaccord.

Dans ce contexte, cet ouvrage répond à un besoin aussi crucial que réel. *Comment mener les discussions difficiles* explore les écueils de nos échanges, ce qui nous pousse à les contourner ou à nous y heurter. Bien que cette étude soit née d'un désir d'aider les négociateurs, elle pousse ses ramifications dans d'autres directions. Parce qu'elle touche un point sensible de l'interaction humaine, elle s'avère précieuse dans nos rapports avec nos enfants, nos parents, nos propriétaires, nos locataires, nos fournisseurs, nos clients, nos banquiers, nos prestataires de services, nos voisins, nos collaborateurs, nos patients, nos employés et nos collègues en général.

Dans ce livre, mes collègues Doug, Bruce et Sheila nous prennent par la main pour nous aider à enrichir nos relations. Ils décrivent toutes les dispositions d'esprit et les techniques nécessaires pour ouvrir le dialogue, pour combler le fossé qui peut se creuser entre nos expériences, nos convictions et nos émotions, que ce soit dans le cadre de nos relations personnelles, professionnelles ou des affaires internationales.

Ces méthodes permettent de faire face à un désaccord grave dans une entreprise et de le transformer en outil innovateur ou en atout concurrentiel. Nous pouvons tous les utiliser pour bonifier et consolider notre vie conjugale, pour pacifier les liens entre parents et adolescents. Ces procédés cicatrisent les plaies qui nous éloignent les uns des autres. Ils nous promettent un avenir plus riant.

Après avoir passé plusieurs années dans l'US Air Force pendant la Seconde Guerre mondiale, j'ai découvert que mon compagnon de chambrée, deux de mes meilleurs amis, et plusieurs dizaines de mes copains de promotion avaient été tués. Depuis, je travaille pour améliorer notre aptitude à gérer nos différences, pour éclairer l'horizon de nos enfants, et pour convertir un vaste public à cette cause. Ce livre magistral, signé par mes jeunes collègues du Harvard Negotiation Project, me permet de croire que ces trois projets sont en bonne voie.

ROGER FISHER
Cambridge, Massachusetts

Remerciements

Les sources d'inspiration de cet ouvrage sont innombrables.

Les récits et les conversations que nous présentons au fil des pages ont été tirés de notre vie et de notre travail avec de nombreux étudiants, collègues et clients. Dans un souci de diversité et de protection de la confidentialité, les scénarios choisis amalgament souvent les expériences de plusieurs personnes ayant été confrontées aux mêmes dynamiques essentielles, et, de manière générale, les faits permettant d'identifier les actants ont été modifiés. Nous remercions chaleureusement tous ceux qui ont travaillé avec nous et ont généreusement partagé leurs discussions difficiles. Leur ouverture d'esprit et leur détermination à changer nous ont beaucoup appris.

Par-delà nos recherches et nos réflexions, cet ouvrage s'appuie sur des concepts développés dans d'autres disciplines. Au départ, nous étions formés aux techniques de la négociation, de la médiation et du droit, mais nous nous sommes au moins autant inspirés des études du comportement en entreprise, des thérapies cognitives, professionnelles et familiales, de la psychologie sociale, de la théorie de la communication, et du corpus de plus en plus riche qui s'est constitué autour de l'idée de « dialogue ».

Ce travail a débuté en collaboration avec les professeurs du Family Institute de Cambridge, qui nous ont épaulés à bien des titres. Le Dr Richard Chasin et le Dr Richard Lee ont œuvré avec Bruce Patton et Roger Fisher au développement de ce que nous appelons l'exercice d'enrichissement interpersonnel (lui-même inspiré par une démonstration présentée par les Dr Carl et Sharon Hollander, spécialistes du psychodrame) au cours duquel les participants sont guidés au travers de discussions particulièrement difficiles. Depuis plus de dix ans, cet exercice constitue la base du Negotiation Workshop, organisé dans les locaux de la Harvard School of Law, et de notre enseignement. En appliquant cet exercice avec nous, Dick, Rick, Sallyann Roth, Jody Scheier et leurs associés du Family Institute nous ont initiés aux dynamiques familiales, à leur influence, aux raisons les plus courantes des « blocages », et à la manière d'aborder la souffrance.

Nous sommes également reconnaissants à Chris Agyris et aux partenaires de l'Action Design : Diana McLain Smith, Bob Putnam et Phil McArthur. Leur connaissance des structures interpersonnelles et des conflits qui surgissent au sein des organisations internationales nous a aidés dans notre approche de la discussion, pour comprendre ses aléas et la façon de la remettre sur les rails. De nombreux concepts illustrés dans ce livre, notamment celui des responsabilités partagées, de la distinction entre impact et intentions, et des interférences personnelles, sont dérivés de leur travail. Ils nous ont également inspiré l'usage du tableau à deux colonnes, les métaphores de l'échelle et de l'empreinte émotionnelle, ainsi que les méthodes d'analyse. Nos conseils sur le compte rendu des faits et sur les préambules de la conversation reflètent les travaux de Don Schön et Diana Smith sur le recadrage, ainsi que les indications fournies par John Richardson sur la répartition des rôles. Diana et nos collègues de Vantage Partners ont fourni de nombreux exemples d'application de ces idées aux défis de la vie dans une grande organisation.

Dans le domaine de la thérapie cognitive, nous avons tiré parti des recherches et des écrits d'Aaron Beck et de David Burns. Nous nous sommes particulièrement attachés à leur analyse de l'impact des distorsions cognitives sur notre image personnelle et nos émotions. David Kantor, fondateur de la thérapie familiale et du Family Institute, nous a aidés à décrypter le paysage de ce que nous appelons la *discussion identitaire* et le rôle qu'elle joue dans la dynamique de groupe.

Les apports de la psychologie sociale et de la théorie de la communication sont trop nombreux pour être cités. Le pouvoir de ces idées est probablement attesté par le fait que la plupart d'entre elles n'appartiennent plus aux spécialistes. Cependant, nous devons beaucoup au regretté Jeff Rubin, qui nous a inspiré nombre de nouvelles idées, nous a inlassablement soutenus et stimulés. Notre travail sur l'écoute et sur la puissance de l'authenticité a été influencé par Carl Rogers, Sheila Reindl et Suzanne Repetto. John Grinder nous a initiés au concept des trois points de vue, ou « positions » qui correspondent à notre vision du monde, à celle de l'autre et à la perspective de l'observateur.

Dans le domaine du dialogue, nous sommes redevables à Laura Chasin et à ses collaborateurs du Public Conversations Project, à nos amis du Conflict Management Group, et à Erica Fox. Ils ont souligné la vertu transformatrice du récit personnel et de l'authenticité, sujet auquel Bill Isaacs, Louise Diamond, Richard Moon et d'autres contribuent de façon substantielle.

Nous tenons à remercier tous ceux qui nous ont encouragés dès la première heure et nous ont fourni diverses occasions d'enseigner notre matière : Roger Fisher, Bob Mnookin et David Herwitz de la Harvard Law School ; Rob Ricigliano, Joe Stanford et Don Thompson du Conflict Management Group ; Eric Kornhauser du Conflict Management Australasia ; Shirley Knight de la CIBC Bank au Canada ; Archie Epps, doyen du Harvard College ; les colonels Denny Carpenter et Joe Trez de la Citadel en Caroline du Sud ; Gary Jusela et Nancy Ann Stebbins de la société Boeing (ainsi que Carolyn Gellerman, qui nous a permis de les rencontrer) ; Deborah Kolb du Programme d'études sur la négociation ; ainsi que nos collègues de Conflict Management, Inc. Notre ami et associé Stephen Smith nous a aidés à développer notre travail au sein des entreprises familiales et de nombreuses fondations. Il nous a présentés à notre agent, Esther Newberg, qui a formidablement soutenu notre cause avec son équipe chez ICM. Nous les remercions de leur confiance et de l'appui qu'ils nous ont apporté pendant toutes ces années.

Tant de nos amis et collaborateurs, fidèles et talentueux, ont délaissé leurs activités pour relire nos textes, faire des suggestions et nous seconder. Roger Fisher, Erica Fox, Michael Moffit,

Scott Peppet, John Richardson, Rob Ricigliano et Diana Smith ont vécu avec ce projet, peut-être plus longtemps qu'ils ne l'auraient souhaité. En apportant leurs critiques, leurs suggestions stylistiques, en restructurant des paragraphes ou des chapitres entiers, ils ont tous laissé une marque décisive et durable sur ce livre. Nous remercions Denis Achacoso, Lisle Baker, Bob Bordone, Bill Breslin, Scott Brown, Stevenson Carlbach, Toni Chayes, Diana Chigas, Amy Edmonson et George Daley, Elizabeth England, Danny Ertel, Keith Fitzgerald, Ron Fortgang, Brian Ganson, Lori Goldenthal, Mark Gordon, Sherlock Graham-Haynes, Eric Hall, Terry Hill, Ed Hillis, Ted Johnson, Helen Kim, Stu Kliman, Linda Kluz, Diane Koskinas, Jim Lawrence, Susan McCafferty, Charlotte McCormick, Patrick McWhinney, Jamie Moffitt, Monica Parker, Rober et Susan Richardson, Don Rubenstein et Sylvie Carr, Carol Rubin, Jeff Seul, Drew Tulumello, Robin Weatherill, Jeff Weiss, Jim Young et Louisa Hackett, ainsi que beaucoup d'autres, qui nous ont apporté leurs témoignages, leurs réactions et leur soutien.

Nos familles respectives se sont demandé, pendant de longues années, si ce livre finirait par voir le jour. Leurs membres ont lu et critiqué le manuscrit, apporté des conseils précieux et très appréciés, ainsi qu'un grand secours moral, sans se rebeller contre nos interprétations d'événements les concernant. Nous ne les en aimons que mieux et leur témoignons notre profonde gratitude : Robbie et David Blackett, Jack et Joyce Heen, Jil et Jasan Grennan, Stacy Heen, Bill et Caroll Patton, Bryan Patton et Devra Sisitsky, John Richardson, Diana Smith, Don et Ann Stone, Julie Stone et Dennis Doherty, Randy Stone.

Nous ne pouvions trouver meilleurs interlocuteurs que chez Viking Penguin. Notre directrice de collection, Jane von Mehren, intelligente et perspicace, s'est également montrée chaleureuse et conciliante. Jane, Susan Petersen, Barbara Grossman, Ivan Held, Patti Kelly et son équipe ont immédiatement discerné nos objectifs, et nous avons apprécié qu'ils aient cherché pour nous de nombreux lecteurs. Beena Kamlani et Janet Renard, qui ont travaillé aux questions de syntaxe, ont collaboré avec nous trois et le manuscrit s'en est trouvé enrichi. Nous avons largement débattu avec elles de l'usage des pronoms « they » et « them » pour désigner « l'autre, l'interlocuteur[trice] et l'autre partie » sans insister sur un genre masculin ou féminin (cet usage, peu répandu il y a quelques années, est devenu courant en anglais, et les jeunes lecteurs ne s'en étonneront pas. Cependant, nous nous excusons par avance auprès de ceux qui en seraient choqués*). En dernier lieu, Maggie Payette et Francesca Belanger, nos maquettistes, nous ont offert une couverture et un texte magnifiquement présentés, clairs et concis.

Comme d'habitude, nous sommes tributaires de nombreuses personnes pour les bons éléments de ce livre, mais revendiquons l'entière responsabilité de ses erreurs et de ses lacunes.

DOUG, BRUCE & SHEILA
Cambridge, Massachusetts

* Il n'existe malheureusement pas de forme équivalente qui soit grammaticalement correcte en français. *[NdT]*

Introduction

Demander une augmentation. Annoncer une rupture. Critiquer une prestation. Opposer une fin de non-recevoir à quelqu'un qui vous sollicite. Réagir à une insulte ou à un comportement blessant. S'élever contre l'avis général. Présenter des excuses.

Au travail, chez vous et avec vos voisins, vous engagez ou vous évitez tous les jours des discussions difficiles.

Les sujets qui fâchent

Certains viennent immédiatement à l'esprit : la sexualité, le racisme, l'égalité hommes-femmes, la politique et la religion. Mais le malaise ne surgit pas seulement des questions qui font la une des journaux. Dès que nous nous sentons vulnérables ou que notre estime de nous-mêmes nous semble menacée, que les enjeux paraissent importants et l'issue incertaine, que nous sommes sensibles au sujet abordé ou à nos interlocuteurs, la discussion peut devenir pénible.

Nous redoutons tous d'aborder certains problèmes, que nous esquivons ou que nous affrontons à contrecœur.

> L'un des cadres de votre société, qui est un vieil ami, est devenu un poids mort pour l'entreprise. La direction vous a chargé de lui signifier son renvoi.
>
> Vous avez surpris une conversation entre votre belle-mère et son voisin. Selon elle, vos fils sont gâtés et désobéissants. Comme vous vous apprêtez à passer des vacances chez elle, il vous paraît difficile d'éviter une confrontation au cours de ce séjour.

> Le projet sur lequel vous êtes en train de travailler s'est étalé sur une durée deux fois plus longue que celle que vous aviez annoncée au client. Vous êtes forcé de facturer le temps supplémentaire, mais vous ne savez comment en informer votre interlocuteur[trice].
>
> Vous voulez dire à votre père combien vous l'aimez, mais vous craignez que ce moment d'intimité ne vous mette tous deux mal à l'aise.
>
> Vous venez d'apprendre que plusieurs collègues policiers, immigrés comme vous, vous trouvaient servile avec vos supérieurs hiérarchiques. Vous êtes furieux, mais vous doutez qu'une discussion soit utile.

Et, bien sûr, il y a la vie quotidienne, les conversations plus banales qui suscitent néanmoins votre angoisse : des marchandises renvoyées à l'expéditeur sans explication, la secrétaire à qui il faut demander des photocopies, la perspective d'annoncer aux peintres qu'ils ne peuvent pas fumer dans la maison. Ce sont des litiges que nous esquivons volontiers, et sur lesquels nous trébuchons quand il n'est plus permis de reculer. Nous les ressassons sans fin en réfléchissant à ce que nous devrions dire, et en nous demandant, après coup, comment il aurait fallu réagir.

Qu'est-ce qui rend ces situations si pénibles ? Ce sont nos craintes des conséquences à assumer, en cas d'intervention ou d'absence de réaction.

Le dilemme : évitement ou confrontation, aucun choix ne semble adéquat

Nous connaissons tous ce dilemme. Les mêmes questions tournent sans arrêt dans votre esprit : Faut-il en parler ? Faut-il se taire ?

Le chien des voisins vous empêche probablement de dormir. Devriez-vous leur en faire la remarque ? D'abord, vous préférez ne pas vous interposer : « Les aboiements vont peut-être s'arrêter, ou bien je m'habituerai. » Mais, à ce moment précis, l'animal redonne de la voix, et vous décidez de régler la question dès le lendemain.

Maintenant, c'est autre chose qui vous tient en éveil. La perspective d'affronter les voisins à propos de leur chien vous rend nerveux. Vous voulez vous faire apprécier. Après tout, votre réaction est probablement exagérée. Finalement, vous revenez à l'idée qu'il vaut mieux vous taire, et cela vous calme. Mais à l'instant où vous allez vous endormir, ce maudit cabot recommence, et la valse-hésitation reprend.

Apparemment, aucune décision ne vous rend le sommeil.

Pourquoi est-il douloureux d'opter pour l'évitement ou la confrontation ? Parce que nous connaissons obscurément la vérité : si nous essayons d'échapper au problème, nous aurons l'impression d'avoir été dupés, nous remâcherons notre rancœur, nous nous interrogerons sur les raisons qui nous poussent à nous trahir, et nous priverons l'autre d'une occasion d'arranger les choses. Mais si nous faisons front, ce peut être pire. Nous risquons de nous sentir rejetés ou attaqués, de blesser involontairement la partie adverse, et la relation s'en ressentira.

Les grenades diplomatiques n'existent pas

Parce que vous désespérez de sortir de ce dilemme, vous envisagez de faire preuve de tact, d'une gentillesse telle que tout finira par rentrer dans l'ordre.

Le tact possède bien des vertus, mais il ne peut simplifier les discussions difficiles. La délicatesse ne crée pas d'intimité avec votre père, n'efface pas la colère du client devant l'augmentation du tarif. Il n'existe aucun moyen diplomatique de licencier votre ami, d'informer votre belle-mère qu'elle vous énerve, d'essuyer les préjugés blessants de vos collègues.

En transmettant un message litigieux, vous lancez une grenade. Que vous l'enrobiez de sucre, que vous la jetiez doucement ou violemment, elle provoquera des dégâts. Malgré vos vœux pieux, il est impossible de lâcher un explosif en douceur ou d'en devancer les effets. Et le silence ne sera pas plus bénéfique. Choisir de ne pas faire passer un message difficile, c'est garder la grenade dégoupillée entre vos mains.

Vous vous trouvez donc coincé. Vous ne pouvez vous contenter de conseils vous exhortant à « faire preuve de diplomatie » ou « à positiver ». Les difficultés sont plus profondes. Les réponses doivent l'être aussi.

Ce livre peut vous aider

L'espoir existe. En étudiant, sur le terrain, des milliers de discussions difficiles, dans le cadre du Harvard Negotiation Project, nous avons trouvé un moyen d'atténuer le stress et de rendre ces échanges plus productifs. Une manière, pour vous, de faire preuve de créativité dans la gestion de certains problèmes subtils, tout en traitant vos interlocuteurs avec humanité et respect. Une approche propice à *votre* paix d'esprit, indépendante des réactions des tierces parties.

Nous allons vous aider à sortir de ce lancer de grenades en vous guidant dans la transmission (et la réception) des messages. Nous vous montrerons comment transformer la douloureuse bataille des sentences guerrières en une approche plus constructive que nous appelons : la *discussion didactique*.

Le jeu en vaut la chandelle

Évidemment, il faut travailler pour modifier votre approche des discussions difficiles. C'est un peu comme si vous décidiez, au golf, de changer votre swing, de vous mettre à conduire votre voiture à gauche, ou d'apprendre une langue étrangère : au départ, vous vous sentirez peut-être mal à l'aise. Et menacé. Il est rarement facile de sortir d'une zone de sécurité, et les risques existent. Vous devrez porter un regard sans complaisance sur vous-même, et parfois évoluer. Pourtant, mieux vaut meurtrir quelques muscles à la suite d'un entraînement inaccoutumé que souffrir des blessures d'un combat inutile.

D'ailleurs, les récompenses potentielles ne manquent pas. Si vous suivez les étapes présentées dans ce livre, vous noterez que vos discussions difficiles se dérouleront mieux et susciteront moins d'angoisse. Vous serez plus efficace et plus heureux des résultats obtenus. Et au fur et à mesure que votre anxiété décroîtra et que vos satisfactions augmenteront, vous constaterez que vous vous engagerez plus volontiers dans des conversations que vous redoutiez.

En fait, les personnes avec qui nous avons travaillé, qui ont appris à gérer autrement leurs discussions difficiles, signalent qu'elles sont moins angoissées et plus efficaces dans *tous* leurs échanges verbaux. Elles remarquent qu'elles ont moins peur de ce que peuvent dire les autres, éprouvent une plus grande sensation de liberté malgré les tensions, ont plus d'assurance, de respect et d'estime pour elles-mêmes. Elles apprennent aussi que, le plus souvent, la gestion constructive de situations et de sujets délicats consolide les relations sociales. Il serait dommage de rater une telle occasion.

Vous restez sceptique ?
Voici quelques éléments de réflexion

Vous vous montrez incrédule, et cela se comprend. Il y a des semaines, des mois, ou des années que vous êtes confronté à ces dilemmes. Les problèmes sont complexes, et il n'est pas aisé de communiquer avec les individus concernés. Comment la lecture de quelques pages pourrait-elle tout changer ?

Certes, un livre ne peut vous renseigner *au-delà d'un certain point* sur les échanges humains. Nous ne connaissons ni votre cas spécifique, ni les enjeux qui vous concernent, ni vos atouts, ni vos points faibles. Mais comme nous l'avons découvert, indépendamment du contexte, ce sont les mêmes aspects qui compliquent les discussions difficiles, les mêmes jugements et réactions erronés qui les sous-tendent. Nos peurs se ressemblent et nous tombons toujours dans des pièges identiques, peu nombreux au demeurant. Quel que soit le scénario – quel[le] que soit l'interlocuteur[trice] – que vous affrontiez, vous trouverez une aide dans ce livre.

Il est vrai que certaines situations ont peu de chance de s'améliorer, même si vous devenez très adroit. Les participants sont probablement trop perturbés sur le plan émotionnel, les enjeux peuvent être démesurés, ou le conflit trop intense pour qu'un livre – voire l'intervention d'un professionnel – puisse être utile. Cependant, pour un seul cas vraiment désespéré, il existe des milliers d'impasses apparentes. Souvent, on vient nous dire : « Je voudrais être conseillé, mais je dois vous prévenir, ce problème est ingérable. » Et l'on se trompe. Ensemble, nous sommes capables de trouver des pistes de transformation qui finissent par avoir d'*importantes* répercussions positives sur le dialogue.

Bien sûr, vous n'êtes pas toujours prêt à vous engager ou à vous réinvestir complètement dans une situation ou une relation litigieuse. Peut-être en avez-vous fait votre deuil, avez-vous besoin de panser vos plaies, ou simplement de passer un peu de temps à l'écart. Vous êtes probablement en colère ou vous n'avez pas décidé ce que vous voulez. Mais même si vous n'êtes pas encore prêt à entamer une véritable discussion, ce livre peut vous conduire à faire le tri entre vos sentiments et vous guider vers un contexte plus sain.

Regardons autour de nous

Que pouvons-nous suggérer que vous n'ayez pas encore envisagé ? Plusieurs points. En effet, il ne s'agit pas de savoir si vous avez assez bien cherché la « réponse » aux discussions difficiles, mais si vous avez cherché au bon endroit. Fondamentalement, le problème ne réside pas dans vos réactions, mais dans votre manière de penser. Tant que vous vous focalisez seulement sur ce que vous devez *faire* différemment, vous ne pouvez découvrir de nouveau territoire.

Cet ouvrage vous donnera de nombreux conseils sur la manière de gérer une discussion difficile. Mais, avant tout, il vous aidera à mieux cerner vos résistances et à assimiler pourquoi il est utile de passer d'un « processus d'annonce » à un

« processus d'apprentissage ». C'est alors seulement que vous serez capable de comprendre et d'appliquer les étapes d'un échange constructif.

Les discussions difficiles font partie de la vie

Quelle que soit votre valeur, vous serez toujours confronté à certaines discussions difficiles. Les auteurs de ce livre le savent d'expérience. La crainte de heurter les autres ou d'être blessé soi-même ne s'évanouit jamais. Nous sommes parfois dévorés de culpabilité en pensant à la manière dont nos actes ont affecté ceux qui nous entourent, ou à l'idée de ne pas avoir été fidèles à nous-mêmes. Nous ne l'ignorons pas, malgré les meilleures intentions du monde : les relations humaines peuvent se déliter ou se compliquer, et, si nous sommes honnêtes, nous avons conscience de ne pas être toujours animés des meilleures intentions. Nous connaissons l'instabilité du cœur et de l'âme.

Il vaut donc mieux faire preuve de réalisme dans nos objectifs. Nous ne pouvons espérer supprimer la peur et l'angoisse. Il est plus raisonnable d'apprendre à les atténuer. On ne peut obtenir des résultats parfaits sans prendre le moindre risque. Ce qui est possible, c'est de glaner de meilleurs résultats en réunissant certaines conditions minimales.

Et, pour la plupart d'entre nous, cela est suffisant. Car si nous sommes fragiles, nous sommes aussi remarquablement résistants.

Le problème

I

Opérer une distinction entre trois types de discussions

Jack s'engage dans une conversation délicate :

Il explique : « Un soir, j'ai reçu un coup de fil de Michael, qui est à la fois un excellent ami et un client occasionnel. Michael était très embêté. Il m'a dit : "J'ai besoin que tu conçoives et que tu imprimes une brochure financière d'ici demain après-midi." Son maquettiste habituel était absent et il était soumis à une grande pression de la part de ses clients. »

« Je m'étais engagé dans un autre projet, mais au nom de l'amitié, j'ai tout laissé tomber et j'ai travaillé tard cette nuit-là pour préparer sa brochure. »

« Le lendemain matin tôt, Michael est venu contrôler le prototype et a donné le feu vert pour l'impression. À midi, les dépliants étaient sur son bureau. J'étais épuisé, mais content de l'avoir aidé. »

« Puis je suis rentré à mon bureau et j'ai trouvé le message suivant sur mon répondeur » :

> On peut dire que tu t'es bien planté ! Écoute, Jack, je sais que tu as été pressé par le temps, mais... (soupir). Le tableau des bénéfices n'est pas présenté assez clairement et il comporte une petite erreur. C'est une vraie catastrophe. Nous avons affaire à un très gros client. Je suis certain que tu vas tout arranger au plus tôt. Appelle-moi dès que tu rentres.

« Vous imaginez ce que j'ai ressenti en écoutant ce message. Il y avait effectivement une erreur dans le tableau, mais c'était une broutille. J'ai immédiatement rappelé Michael. »

La conversation s'est déroulée ainsi :

> JACK : Salut, Michael. Je viens de trouver ton message…
> MICHAEL : Bon. Écoute, Jack, il faut revoir le boulot.
> JACK : Attends une minute. Je veux bien croire que ça n'est pas parfait, mais le tableau est clairement présenté. Personne ne va s'apercevoir que…
> MICHAEL : Allons, Jack. Tu sais aussi bien que moi que nous ne pouvons pas envoyer cette brochure en l'état.
> JACK : Je crois que…
> MICHAEL : Il n'y a même pas à en discuter. Écoute, on s'est plantés. Arrange-moi ça et n'en parlons plus.
> JACK : Mais pourquoi est-ce que tu ne m'as rien dit quand tu as regardé le travail ce matin ?
> MICHAEL : Je ne suis pas correcteur. Jack, on me met une pression terrible pour que ce truc soit fait, et *bien* fait. Soit tu t'y mets, soit tu jettes l'éponge. J'ai besoin d'une réponse claire. Vas-tu refaire la brochure ?
> JACK (après un silence) : Bon, bon. Je vais la refaire.

L'échange présente toutes les caractéristiques d'une conversation épineuse qui tourne mal. Plusieurs mois après, Jack s'en souvient avec amertume et sa relation avec Michael s'en ressent. Il se demande ce qu'il aurait dû faire pour changer la donne, et s'il peut encore intervenir.

Mais avant d'en arriver là, voyons ce que le dialogue de Jack et Michael peut nous apprendre sur le déroulement des discussions difficiles.

Décoder la structure des discussions difficiles

Paradoxalement, en dépit de variations qui paraissent innombrables, toutes les discussions difficiles présentent une structure commune. Quand vous êtes angoissé et empêtré dans les détails d'un échange précis, il est difficile de percevoir cette structure. Mais il est essentiel de la comprendre pour améliorer la gestion des confrontations qui vous menacent le plus.

Ne vous fiez pas aux apparences

Dans l'entretien que nous avons consigné, les mots ne révèlent que la surface des choses. Pour mettre au jour la structure d'une discussion difficile, il nous faut saisir non seulement ce qui est dit, mais aussi *ce qui ne l'est pas*. Nous devons capter les pensées et les sentiments que les deux interlocuteurs n'ont pas exprimés. Dans un affrontement verbal, ces éléments se situent généralement au cœur du problème.

Lisez ce que Jack pense et ressent sans le dire, au fil de ce dialogue.

Ce que Jack a pensé et senti sans le dire	*Ce que Jack et Michael ont dit*
Comment a-t-il pu laisser un message pareil ? J'ai tout laissé tomber, j'ai annulé un dîner avec ma femme, je suis resté debout toute la nuit, et voilà les remerciements que je récolte ?!	JACK : Salut, Michael, je viens de trouver ton message... MICHAEL : Bon. Écoute, Jack, il faut revoir le boulot.
Il exagère. Même un spécialiste ne verrait pas l'erreur dans le tableau. En plus, je suis furieux contre moi-même d'avoir commis une bourde aussi stupide.	JACK : Attends une minute. Je veux bien croire que ça n'est pas parfait, mais le tableau est clairement présenté. Personne ne va s'apercevoir que... MICHAEL : Allons, Jack, tu sais aussi bien que moi que nous ne pouvons pas envoyer cette brochure en l'état.

Michael essaie d'intimider ses collègues en imposant son point de vue. Mais il ne devrait pas en faire autant avec *moi*. Je suis un ami ! Je veux me défendre, mais je n'ai pas envie d'avoir des histoires à propos de ce dépliant. Je ne peux pas me permettre de perdre l'amitié ou les commandes de Michael. Je me sens coincé.

JACK : Je crois que...
MICHAEL : Il n'y a même pas à en discuter. Écoute, on s'est plantés. Arrange-moi ça et n'en parlons plus.

Plantés ? Ce n'est pas ma faute. Tu as approuvé le prototype, non ?

JACK : Mais pourquoi est-ce que tu n'as rien dit quand tu as regardé le travail ce matin ?
MICHAEL : Je ne suis pas correcteur. Jack, on me met une pression terrible pour que ce truc soit fait, et *bien* fait. Soit tu t'y mets, soit tu jettes l'éponge. J'ai besoin d'une réponse claire. Vas-tu refaire la brochure ?

Tu me prends pour un correcteur ?

Je suis fatigué de toute cette affaire. C'est mesquin, je ne veux pas m'abaisser à discuter. Ce que j'ai de mieux à faire, c'est de me montrer généreux et de tout recommencer.

JACK (après un silence) : Bon, bon, je vais la refaire.

Pendant la discussion, Michael a été confronté à toutes sortes de pensées et de sentiments qu'il n'a pas énoncés. Il s'est demandé s'il n'avait pas eu tort de confier le travail à Jack. Il y a quelque temps qu'il n'est pas totalement satisfait de ses prestations, mais il avait décidé de donner une autre chance à son ami, au risque de se mettre en porte à faux avec ses partenaires. Maintenant, il le regrette et se demande s'il a eu raison de refaire confiance à Jack, sur le plan professionnel comme sur le plan personnel.

La première remarque est donc toute simple : il y a beaucoup de non-dits entre Jack et Michael.

Cette situation présente un profil caractéristique. En réalité, le fossé entre les paroles et les pensées est l'un des aspects qui compliquent la discussion. Vous êtes distrait par tout ce qui se passe en vous. Vous vous demandez ce que vous avez le droit de dire, et ce qu'il vaut mieux passer sous silence. Par ailleurs, vous savez qu'en faisant connaître votre opinion vous ne faciliterez *probablement pas* le dialogue.

Toutes les discussions difficiles comportent trois éléments

En étudiant des centaines de conversations en tous genres, nous avons découvert l'existence d'une armature sous-jacente dont la compréhension permet de franchir une étape importante pour améliorer nos réactions. Quel que soit le sujet abordé, nos pensées et nos sentiments se répartissent en trois catégories ou « discussions ». Dans le cadre de chacune de ces discussions, nous commettons des erreurs prévisibles qui déforment nos pensées ou nos émotions, et nous portent préjudice.

Tous les problèmes qui flottent entre Michael et Jack relèvent de l'une de ces trois « discussions ». Et tout ce qui surgit dans les échanges douloureux aussi.

1. La discussion circonstancielle. Les dialogues les plus houleux portent sur un désaccord relatif à ce qui s'est passé ou à ce qui devrait se passer. Qui a dit telle chose et qui a fait telle autre ? Qui a raison, quelles ont été les intentions de chacun, et à qui la faute ? Jack et Michael ressassent ces questions, à la fois en pensées et en paroles. *Faut-il* ou non refaire le tableau ? Michael essaie-t-il d'intimider Jack ? Qui aurait *dû* repérer l'erreur ?

2. La discussion émotionnelle. Tous les échanges litigieux provoquent aussi une délibération sur les sentiments et apportent des réponses. Mes émotions sont-elles recevables ? Adéquates ? Devrais-je les reconnaître ou les nier, les mettre sur la table ou sous le tapis ? Comment dois-je réagir face aux états d'âme de l'autre ? Que se passera-t-il s'il est furieux ou blessé ? Les pensées de Jack et Michael sont truffées d'émotions. Par exemple, la phrase « et voilà les remerciements que je récolte ? ! » signale l'offense et la colère, tandis que « on me met une pression terrible » révèle l'anxiété. Ces sentiments ne sont pas traités directement dans la discussion, mais ils viennent s'y immiscer.

3. La discussion identitaire. C'est le débat intérieur que nous entamons pour décider quels sont les enjeux de la situation. Notre réflexion nous permet de conclure si nous sommes compétents ou incompétents, bien ou mal intentionnés, dignes d'amour ou non. Quelles en seront les répercussions sur notre image et sur notre estime de nous-mêmes, sur notre avenir et notre bien-être ? Nos réponses à ces questions déterminent largement si nous nous sentons « en équilibre » pendant la discussion, ou déstabilisés et angoissés. Au cours de l'entretien entre Jack et Michael, Jack lutte avec l'impression qu'il est incapable, ce qui le déséquilibre. Et Michael se demande s'il s'est fourvoyé en faisant appel à Jack.

Toute discussion difficile fait intervenir ces trois types d'échanges. Pour vous en sortir avec succès, vous devez donc apprendre à les mener efficacement. Il peut sembler difficile de gérer simultanément les trois dialogues, mais, dans la réalité, il est plus aisé d'y parvenir que d'affronter les conséquences d'un manque de prévoyance.

Ce qui peut changer, et ce qui ne changera pas

Quel que soit notre niveau de compétence, nous sommes confrontés à certains défis incontournables dans chacune de ces trois discussions. Nous devrons forcément nous lancer dans des entretiens où il sera plus compliqué que prévu d'expliquer « ce qui s'est passé ». Chacun dispose d'informations qui manquent à l'autre, et il n'est pas facile de mettre ces éléments en circulation. Par ailleurs, nous nous heurtons à de nombreuses situations lourdes d'enjeux affectifs qui paraissent menaçantes parce qu'elles remettent en cause d'importants aspects de notre identité.

Ce que nous *pouvons* changer, c'est la manière dont nous relevons ces défis. Généralement, au lieu d'explorer les renseignements inédits qui nous sont fournis par l'autre, nous supposons que nous savons déjà ce qui est nécessaire pour comprendre et décrire la réalité. Au lieu de gérer positivement nos sentiments, nous essayons de les cacher ou nous les laissons s'exprimer par des biais que nous regrettons ensuite. Au lieu d'explorer les questions d'identité, qui sont probablement brûlantes pour nous (ou pour l'autre), nous traitons la discussion comme si elle ne révélait rien de nous – et nous ne nous coltinons jamais avec ce qui est au cœur de notre angoisse.

En comprenant nos erreurs et leurs conséquences désastreuses, nous pouvons commencer à esquisser une meilleure approche. Explorons chaque type d'entretien.

La discussion circonstancielle : quelle version des faits ?

La discussion circonstancielle est celle qui exige le plus de temps dans les échanges difficiles, au moment où nous brandissons nos versions contradictoires, afin de déterminer qui a raison, quelles ont été les intentions de chacun, et qui est à blâmer. Sur chacun de ces fronts – vérité, intentions et torts – nous partons de présupposés courants mais gênants. Il est essentiel d'examiner chacune de ces suppositions pour améliorer notre gestion des conversations litigieuses.

La vérité supposée

Au moment où nous discutons âprement pour défendre notre point de vue, nous évitons souvent de remettre en cause une hypothèse fondamentale sur laquelle repose notre approche de la discussion : j'ai raison et tu as tort. Ce simple préjugé provoque des difficultés infinies.

En quoi ai-je raison ? J'ai raison de croire que tu conduis trop vite. J'ai raison d'estimer que tu es incapable d'encadrer des collègues plus jeunes. J'ai raison d'être persuadé que tu as fait des commentaires déplacés lors de la dernière fête de famille. J'ai raison de trouver que le patient aurait dû recevoir davantage de calmants après une opération aussi douloureuse. J'ai raison de juger que l'entrepreneur m'a fait payer trop cher. J'ai raison de considérer que je mérite une augmentation. J'ai raison de penser que la brochure est parfaite telle qu'elle est. Mes bonnes raisons pourraient remplir un livre.

Mais il y a un hic : je n'ai pas raison.

Comment est-ce possible ? J'ai sûrement *raison de temps en temps !*

Eh bien, non. Sachez que les discussions difficiles ne reposent presque jamais sur la véracité des faits. Elles portent sur des perceptions, des interprétations et des valeurs conflictuelles. Elles ne parlent pas de ce qu'énonce un contrat, mais de ce que *signifie* un contrat. Elles n'indiquent pas quel est le manuel le plus populaire pour l'éducation des enfants, mais cherchent à désigner le guide auquel *nous* devrions nous conformer.

Elles n'évoquent pas la vérité, mais ce qui doit être considéré comme essentiel.

Revenons à Jack et à Michael. Aucune controverse ne surgit à propos de l'erreur dans le tableau. Les protagonistes s'accordent à dire que celui-ci n'est pas exact. Ils s'affrontent pour déterminer si cette imprécision doit être prise en compte ou non, et ce qu'il convient de faire. Peu importe qui a tort ou raison, il est avant tout question d'interprétations et de jugements dont l'exploration paraît fondamentale. Par contre, il ne sert à rien de déterminer qui a raison et qui a tort.

Dans la discussion circonstancielle, la prise de distance avec la notion de vérité nous libère et nous permet de déplacer notre objectif : nous ne cherchons plus à prouver que nous avons raison, et nous essayons de concevoir les perceptions, les opinions et les valeurs défendues par les deux parties. Nous cessons de transmettre des messages pour poser des questions, et pour nous demander quel sens l'autre personne donne à son univers. Nous apprenons à présenter nos points de vue comme des impressions, des interprétations et des valeurs, et non comme « la vérité ».

L'invention de l'intention

Le second différend qui se manifeste dans la discussion circonstancielle porte sur les intentions – les vôtres et celles de votre interlocuteur[trice]. L'autre m'a-t-il agressé pour me blesser ou simplement pour souligner son opinion ? A-t-il jeté mes cigarettes à la poubelle parce qu'il essaie de contrôler ma conduite ou parce qu'il veut m'aider dans ma décision de m'arrêter de fumer ? La manière dont j'interprète ses intentions agira sur ce que je pense de lui et, au bout du compte, sur la suite de la discussion.

L'erreur que nous commettons au chapitre des intentions est simple, mais profonde : nous partons du principe que nous connaissons les intentions des autres alors que nous les ignorons. Pire, quand nous ignorons leurs motivations, nous décidons trop souvent qu'elles sont mauvaises.

À la vérité, les intentions sont invisibles. Nous les déduisons des comportements. En d'autres termes, nous les fabriquons, nous les inventons. Mais, souvent, nous nous trompons. Pourquoi ? Parce que les motivations, comme beaucoup d'autres éléments des discussions difficiles, sont complexes. Et parfois multiples. Nos interlocuteurs peuvent agir spontanément, ou pour des raisons qui ne nous concernent en rien. En d'autres occasions, leurs bonnes intentions nous blessent.

Parce que nos jugements (et ceux d'autrui) jouent un rôle essentiel dans les discussions difficiles, la validation de suppositions infondées peut être désastreuse.

La logique de la culpabilité

La troisième erreur que nous commettons au cours de la discussion circonstancielle est liée à la culpabilité. La plupart des affrontements verbaux se concentrent sur la désignation de la personne fautive. Lorsque la société perd son plus gros client, par exemple, nous savons que le jeu cruel de la roulette désignera le coupable. Peu importe de savoir dans quelle case atterrira la bille, pourvu qu'elle ne tombe pas sur nous. Il en va de même dans les relations personnelles. Vos rapports avec la nouvelle épouse de votre père sont-ils tendus ? Elle est la seule à blâmer. Cette femme devrait cesser de vous reprocher le désordre de votre chambre et de critiquer les gens que vous fréquentez.

Dans le conflit entre Jack et Michael, Jack est persuadé que le problème provient de Michael : c'était avant, pas après l'impression de la brochure qu'il était temps d'émettre des critiques. Bien sûr, Michael pense que Jack est à blâmer : c'est lui qui a conçu la maquette, les erreurs lui sont imputables.

Mais le débat sur la culpabilité ressemble à la controverse autour de la vérité – il produit un désaccord, du déni, et apporte peu d'éléments nouveaux. Il appelle la crainte de la punition et définit la réalité en termes d'alternative. Personne ne veut endosser le blâme, surtout s'il est injuste, et toute notre énergie s'investit dans notre défense.

Si vous avez de jeunes enfants, vous le savez bien : lorsque vos jumelles s'empaillent sur la banquette arrière de la voiture, il suffit de désigner la coupable pour déclencher une tempête de protestations. « Mais c'est elle qui a commencé ! » ou « je lui ai donné des coups parce qu'elle m'a traitée de bébé ». Chacune rejette la faute sur l'autre, non seulement pour éviter d'être privée de dessert, mais aussi pour préserver un certain sens de la justice. Elle pense qu'elle n'est pas la seule responsable, et elle a raison.

Vu de l'avant de la voiture, il est facile de constater que chaque enfant a contribué à l'empoignade. Dans d'autres cas, il est bien moins aisé d'admettre que nous avons aggravé les conflits dans lesquels nous sommes impliqués. Mais lorsque le problème débouche sur une conversation pénible, il s'avère presque toujours que le résultat provient d'actes commis ou omis par les *deux* parties. Et la punition est rarement adéquate ou appropriée. Quand deux adultes compétents et sensés agissent de manière stupide, la réaction la plus intelligente consiste à essayer de comprendre d'abord ce qui les a empêchés de voir l'obstacle, puis à faire en sorte qu'il ne se représente plus.

Le débat sur la faute empêche de réfléchir à l'enchaînement des faits et à la façon d'en sortir. Quand on se concentre plutôt sur la manière dont on a contribué à la situation, on se donne les moyens de découvrir les véritables causes du problème, et de travailler à les corriger. La distinction entre la culpabilité et la co-responsabilité peut paraître subtile. Mais elle est utile, parce qu'elle interviendra de manière significative dans votre capacité à réagir aux entretiens difficiles.

La discussion émotionnelle : que faire de nos sentiments ?

Les discussions difficiles ne portent pas seulement sur les événements, mais font aussi intervenir les affects. Il ne s'agit pas de se demander si certaines émotions vont surgir, mais de savoir comment y réagir lorsqu'elles surviendront. Devez-vous dire à votre employeur ce que vous pensez *vraiment* de son mode de gestion, ou exprimer sincèrement votre opinion du collègue qui vous a volé votre idée ? Devez-vous révéler à votre sœur que vous êtes blessée par le fait qu'elle soit restée en relation avec votre ex ? Et que faire de la colère que vous ressentirez probablement si vous décidez de reprocher à ce vendeur les remarques sexistes qu'il vient de proférer ?

En présence d'émotions fortes, nous essayons généralement de garder raison. Les sentiments compliquent tout, obscurcissent le jugement, et dans certains contextes – par exemple au travail – ils paraissent carrément déplacés. Il peut également être effrayant ou malaisé de décrire ce que l'on ressent, et cela nous rendra probablement vulnérables. Après tout, que se passera-t-il si l'autre rejette nos émotions ou réagit sans vraiment comprendre ? À moins qu'il ne les interprète d'une manière qui le heurte ou qui endommage irrévocablement la relation. Et lorsque nous aurons dit ce que nous avons sur le cœur, ce sera le tour de l'autre. Avons-nous envie d'affronter sa colère et sa souffrance ?

Ce type de raisonnement suggère de bannir complètement toute conversation à enjeux affectifs. Il laisse penser que Jack ferait mieux de ne pas exprimer sa révolte et sa frustration, et que Michael doit s'abstenir de dire qu'il est déçu. Il vaut mieux parler de la brochure. En s'en tenir aux « faits ».

Le croyez-vous ?

Un opéra sans musique

Mais ce raisonnement omet de prendre en compte un fait tout simple : les discussions difficiles ne se contentent pas de *faire intervenir* les sentiments, elles parlent *surtout* de sentiments. Il ne s'agit pas d'un à-côté intempestif qui se manifeste dans tout échange douloureux, mais d'une partie intégrante du conflit. S'engager dans un affrontement verbal sans parler d'émotions revient à mettre en scène un opéra sans musique. Vous comprenez l'intrigue, mais vous ratez le plus important. Dans le dialogue entre Jack et Michael, par exemple, Jack ne mentionne jamais explicitement qu'il se sent maltraité ou mésestimé, et pourtant, plusieurs mois après, il remâche sa colère et sa rancune envers Michael.

Étudiez vos propres discussions difficiles. Quelles sont les émotions en jeu ? La frustration ou la colère ? La déception, la honte, la confusion ? Trouvez-vous que l'on vous traite injustement ou que l'on vous méprise ? Pour certains d'entre nous, le seul fait de dire « je t'aime » ou « je suis fier de toi » paraît dangereux.

À court terme, il peut être pertinent de s'engager dans une discussion difficile sans parler de sentiments, si cela vous fait gagner du temps et réduit votre anxiété. Cela vous permet parfois d'éviter certains risques sérieux – pour vous, pour les autres, et pour la relation. Mais la question demeure entière : si l'essentiel porte sur les sentiments, qu'avez-vous accompli en les esquivant ?

La compréhension, l'expression, la gestion des émotions : ce sont quelques-uns des plus grands défis que l'humanité ait à relever. Rien ne nous permet d'y faire face aisément et sans risques. Cependant, la plupart d'entre nous peuvent accomplir des progrès dans la discussion à enjeux émotionnels. Cela paraît sans doute ardu, mais certaines techniques permettent de mieux évoquer les affects.

Évidemment, il n'est pas toujours utile de discuter de ses sentiments. Il vaut mieux, parfois, que certaines choses soient passées sous silence. Malheureusement, un procédé défaillant peut vous conduire à tout laisser sous le tapis, même ce qui risque de vous empoisonner la vie.

La discussion à enjeux identitaires et ce qu'elle révèle sur vous

Des trois discussions, celle qui porte sur les enjeux identitaires est peut-être la plus subtile et la plus stimulante. Elle constitue un véritable atout qui nous permet de réduire notre angoisse et d'améliorer notre gestion des deux autres types d'échanges.

La discussion à enjeux identitaires est introspective : elle me dit qui je suis et comment je me vois. Comment ce qui est arrivé affecte mon estime de moi, mon image, mon être-au-monde.

Quelles répercussions cet événement entraînera sur mon avenir. Quels doutes je suis en train de masquer. En bref, avant, pendant et après l'affrontement verbal, la discussion identitaire porte sur ce que je me raconte à mon propos.

Vous pensez peut-être : « J'essaie seulement de demander une augmentation à mon employeur. Que vient faire ici la conscience de mon être-au-monde ? » Jack peut songer : « Il s'agit de la brochure, pas de moi. » En fait, chaque fois qu'un échange verbal devient pénible, c'est, en partie, précisément parce qu'il parle de Vous, avec un *v* majuscule. À vos yeux, il existe un enjeu qui dépasse le sujet apparent du débat.

Ce peut être quelque chose de simple. Que montrez-vous de vous-même quand vous parlez à vos voisins de leur chien ? Par exemple, que vous vous considérez comme une personne amicale et comme un bon voisin, parce que vous avez grandi dans une petite ville, et que, de ce fait, vous redoutez qu'ils vous trouvent agressif et pénible.

Vous demandez une augmentation ? Que se passera-t-il si on vous la refuse ? En fait, qu'adviendra-t-il si votre employeur vous indique de bonnes raisons de ne pas vous l'accorder ? Cela affectera-t-il votre image d'employé compétent et respecté ? De toute évidence, l'argent réside au cœur du problème, mais c'est votre image personnelle qui se trouve sur la sellette.

Même lorsque vous apportez une mauvaise nouvelle, la discussion identitaire entre en ligne de compte. Imaginez que vous ayez à refuser un séduisant projet de la société Créative. La perspective de l'annoncer aux personnes concernées vous rend nerveux, même si cette décision ne vient pas de vous. C'est en partie parce que vous craignez les effets de la conversation sur vous-même : « Je ne suis pas du genre à laisser tomber les autres et à casser leur enthousiasme. Je suis respecté parce que je trouve un moyen de concrétiser les projets, et non parce que je ferme la porte. » Vous vous considérez comme une personne qui agit positivement pour aider les autres et cette idée bute contre la réalité de votre refus. Si vous n'êtes plus un héros, les gens vous verront-ils comme le méchant ?

Garder l'équilibre

En mesurant les effets de la discussion sur votre image, vous commencez probablement à perdre l'équilibre. Le jeune PDG de Créative, qui vous rappelle tant ce que vous étiez à son âge, paraît perplexe et se sent trahi. Vous êtes déstabilisé et votre angoisse monte. Vous vous demandez s'il est vraiment nécessaire d'abandonner l'idée aux premiers stades du projet. Sans que vous sachiez comment, vous vous entendez prononcer que le refus sera peut-être remis en question, même si vous n'avez aucune raison de croire que cela est vraisemblable.

Sous sa forme la plus légère, cette rupture d'équilibre peut vous conduire à perdre confiance en vous, à vous déconcentrer ou à oublier ce que vous alliez dire. Dans des cas extrêmes, elle risque d'entraîner de lourdes conséquences. Vous pouvez être paralysé, pris de panique, saisi d'un désir de fuite ou même avoir du mal à respirer.

Il est utile de savoir que le débat identitaire est l'un des éléments des discussions difficiles. Et, comme pour les deux autres types d'échanges, il est possible de faire mieux que d'en prendre simplement conscience. Lorsque vous avez affaire aux émotions, vous pouvez vous sortir plus facilement d'une discussion à enjeux identitaires si vous apprenez certaines techniques. De fait, lorsque vous sentirez que vous vous engagez sur ce terrain, vous pourrez transformer une source fréquente d'anxiété en force.

Vers une discussion didactique

En dépit de ce que nous prétendons parfois, nous engageons souvent un affrontement verbal pour prouver un point, pour révéler nos pensées à l'autre partie ou pour la convaincre d'agir selon nos vœux. En d'autres termes, pour faire passer un message.

Lorsqu'on a compris quels sont les défis inhérents aux trois discussions et les erreurs que l'on commet, on constate généralement que le but poursuivi commence à évoluer. On en vient à mesurer la complexité des perceptions et des intentions en jeu, la manière dont les deux partenaires contribuent à créer le malaise, le rôle essentiel qui doit être joué par les sentiments, et ce que signifient les problèmes abordés pour l'estime et l'identité des personnes impliquées. Nous nous rendons compte alors que notre façon d'apporter l'information n'est plus adaptée. En fait, nous comprenons parfois que nous n'avons plus de message à faire passer, mais des renseignements à partager ainsi que des questions à poser.

Au lieu de chercher à persuader votre interlocuteur[trice] de reconnaître votre opinion, vous souhaitez appréhender ce qui s'est passé de son point de vue, expliquer votre version des faits, partager et comprendre des émotions, étudier avec lui/elle un moyen de gérer cette difficulté à l'avenir. Ce faisant, vous vous placez dans une situation favorable pour que l'autre se laisse persuader, et vous apprenez quelque chose qui changera substantiellement votre vision du problème.

La modification de votre approche signifie que vous invitez l'autre personne à éclairer votre lanterne. Si vous voulez concrétiser des objectifs, vous avez énormément à apprendre de ce tiers et il a beaucoup à apprendre de vous. Vous avez besoin d'une discussion didactique.

Les différences entre une bataille classique de messages et une discussion didactique sont résumées dans le tableau suivant, pages 44-45.

Ce livre vous aidera à transformer les discussions difficiles en dialogues didactiques en vous indiquant comment réagir plus efficacement aux trois types d'échanges, pour mieux les gérer simultanément.

Les cinq chapitres suivants explorent en détail les erreurs courantes dans chacune des trois discussions. Cela vous permettra de passer à une approche didactique lorsque vous serez impliqué dans une controverse et que vous n'aurez pas très envie de faire preuve d'ouverture. Les chapitres 2, 3 et 4 étudient les trois présupposés de la discussion circonstancielle. Le chapitre 5 passe à la discussion émotionnelle, et le chapitre 6 est consacré à la discussion identitaire. Ces chapitres vous encourageront à trier vos pensées et à faire la part de vos sentiments. Une telle préparation est essentielle avant toute discussion difficile.

Dans les six derniers chapitres, nous entrons dans le vif de la conversation, en commençant par évoquer le moment où il faut lâcher prise ou soulever un problème. Dans ce dernier cas, que pouvez-vous obtenir, quels sont les objectifs raisonnables ? Puis nous vous indiquons les mécanismes d'un échange efficace : trouver la meilleure entrée en matière, poser des questions et apprendre à écouter, vous exprimer avec force et clarté, et résoudre conjointement les problèmes, notamment pour remettre la conversation sur les rails lorsqu'elle dérive. En conclusion, nous revenons à Jack et Michael pour leur faire partager une discussion didactique et montrer, par l'exemple, comment la pratiquer.

	Bataille de messages	*Discussion didactique*
DISCUSSION CIRCONSTANCIELLE CONSTAT : La situation est plus complexe qu'elle y paraît aux deux parties.	PRÉSUPPOSÉ : Je sais tout ce qui est nécessaire pour comprendre ce qui s'est passé.	PRÉSUPPOSÉ : Chacun d'entre nous apporte des informations et des perceptions différentes ; certaines choses importantes sont vraisemblablement ignorées par les deux parties.
	OBJECTIF : Persuader l'autre que j'ai raison.	OBJECTIF : Explorer l'histoire de chacun, savoir comment nous comprenons la situation et pourquoi.
	PRÉSUPPOSÉ : Je sais ce que l'autre a voulu faire.	PRÉSUPPOSÉ : Je sais ce que je voulais, et quel est l'impact de l'action de l'autre sur moi. Je ne sais pas et je ne peux pas savoir ce qu'il/elle pense.
	OBJECTIF : Faire savoir à l'autre qu'il a mal agi.	OBJECTIF : Faire connaître les répercussions que cette action a eues sur moi, et apprendre ce qu'a pensé l'autre. M'informer de l'impact que j'ai sur lui/elle.
	PRÉSUPPOSÉ : Tout est sa faute (ou tout est ma faute).	PRÉSUPPOSÉ : Nous avons probablement contribué *tous les deux* à ce problème.

	OBJECTIF : Amener l'autre à endosser le blâme pour qu'il engage sa responsabilité dans un projet d'amendement.	OBJECTIF : Comprendre comment nos actions se conjuguent pour créer ce problème.
DISCUSSION ÉMOTIONNELLE CONSTAT : La situation possède une importante dimension émotionnelle.	PRÉSUPPOSÉ : Les sentiments ne sont pas de mise et il est inutile de les partager (ou bien l'autre a provoqué ces sentiments et il n'a pas besoin d'en entendre parler). OBJECTIF : Éviter d'évoquer mes sentiments (ou au contraire : les exprimer avec excès).	PRÉSUPPOSÉ : Les sentiments sont au cœur de la situation. Ils sont généralement complexes. Je dois réfléchir pour les comprendre. OBJECTIF : Aborder les sentiments (les siens et les miens sans a priori et sans préjugés. Les reconnaître avant de régler le problème.
DISCUSSION IDENTITAIRE CONSTAT : La situation menace notre identité.	PRÉSUPPOSÉ : Je suis compétent ou incompétent, bon ou mauvais, aimable ou odieux. Il n'y a pas d'entre-deux. OBJECTIF : Protéger mon image en noir ou blanc.	PRÉSUPPOSÉ : Les enjeux psychologiques peuvent être importants pour les deux parties. Chacun de nous est animé d'intentions complexes, personne n'est parfait. OBJECTIF : Comprendre les enjeux personnels pour chaque partie. Construire une image plus nuancée de moi-même afin de mieux préserver mon équilibre.

Le passage
à l'approche didactique

2

Cessez de vous disputer pour savoir qui a raison : explorez le récit de l'autre

La version de Michael diffère de celle de Jack :

> Ces dernières années, j'ai vraiment fait de mon mieux pour aider Jack, et il me semble que rien n'a jamais été parfait. Au lieu de comprendre que le client a toujours raison, il pinaille ! Je ne vois pas comment je peux continuer à faire appel à ses services.
> Mais ce qui m'a mis hors de moi, c'est la manière dont Jack a cherché à faire approuver son tableau au lieu de le corriger. Il savait bien que les normes professionnelles n'étaient pas respectées. Et tout l'argument financier reposait sur ce tableau des bénéfices.

De manière générale, la discussion circonstancielle est marquée par le désaccord des deux parties. Quel est le meilleur moyen d'économiser en vue de la retraite ? Quelle somme d'argent faut-il investir dans la campagne publicitaire ? Les gamins du quartier devraient-ils jouer au ballon avec votre fille ? Cette brochure est-elle conforme à la norme professionnelle ?

Le désaccord n'est pas mauvais en soi, et ne conduit pas nécessairement à une controverse. Nous passons notre vie à défendre des avis différents, et, souvent, cela ne porte pas vraiment à conséquence.

Mais parfois, si. La mésentente semble être au cœur de nos problèmes. Les autres refusent de se laisser convaincre par nos bonnes raisons et de se conformer aux actions que nous voulons leur imposer. Que nous finissions ou non par obtenir gain de cause, nous nous sentons frustrés, blessés ou incompris.

Souvent, le dissentiment se prolonge, provoquant des ravages chaque fois qu'il se manifeste.

Quand le désaccord surgit, il peut sembler naturel et même raisonnable de discuter. Mais cela ne vous aide pas.

Pourquoi nous discutons, et pourquoi cela ne sert à rien

Nous pensons que le problème vient de l'autre

Quand vous voulez vous montrer charitable, vous pensez probablement : « Tout le monde a le droit de défendre son opinion » ou « la réalité présente toujours deux facettes ». Mais généralement, vous n'êtes pas de cet avis. Au fond de vous-mêmes, vous pensez que le problème vient *des autres.*

> • ILS SONT ÉGOÏSTES. « Ma petite amie refuse de voir un conseiller conjugal avec moi. Elle prétend que c'est une dépense inutile. Je crois que c'est important pour moi, mais elle s'en fiche. »
>
> • ILS SONT NAÏFS. « Ma fille ne rêve que d'aller à New York pour "faire carrière" dans le théâtre. Elle ne se rend pas compte de ce qu'elle devra affronter. »
>
> • ILS CHERCHENT À NOUS MANIPULER. « Nous nous conformons toujours aux directives du patron. Cela me rend fou, parce qu'il agit comme si ses idées étaient supérieures à toutes les autres, même lorsqu'il ne sait pas de quoi il parle. »
>
> • ILS SONT IRRATIONNELS. « Ma grand-tante Bertha dort sur un vieux matelas fatigué. Elle a de terribles problèmes de dos, mais, quoi que je dise, elle refuse de me laisser lui acheter une nouvelle literie. Dans la famille, tout le monde me répète : "Rory, Tante Bertha est folle. On ne peut pas raisonner avec elle." C'est sûrement vrai. »

Si c'est ce que nous pensons, il n'est pas étonnant que nous mettions fin à la discussion. Rory, par exemple, se soucie de sa tante Bertha. Elle veut et peut offrir son aide. Alors, elle agit comme nous tous : si la partie adverse est têtue, elle se montre plus affirmative pour tenter de briser la résistance qui obstrue la vision de son interlocutrice (« si tu voulais simplement essayer un nouveau matelas, tu verrais à quel point il est bien plus confortable »).

Si l'autre est naïf, nous essayons de l'éduquer pour lui ouvrir les yeux sur la réalité, et s'il est égoïste ou manipulateur, nous tentons peut-être de nous expliquer franchement avec lui. Nous persistons à croire que notre intervention finira par changer la situation.

Mais, en fait, notre opiniâtreté fait monter la tension. Et les discussions ne mènent nulle part. Rien n'est réglé. Chaque camp a l'impression d'avoir été négligé ou maltraité. Nous sommes frustrés, non seulement parce que la partie adverse n'est pas raisonnable, mais aussi parce que nous nous sentons impuissants. Et les affrontements successifs nuisent à la relation.

Cependant, nous ne pouvons imaginer une approche différente. Nous pouvons seulement agir comme s'il n'y avait aucun point de litige, comme si cela ne comptait pas ou que cela nous était égal. Mais cela ne nous est *pas* égal. C'est d'ailleurs pourquoi nous avons commencé par réagir si vivement. Pourtant, si la discussion ne mène nulle part, que pouvons-nous faire ?

Tout d'abord, il faut consulter Tante Bertha.

L'autre pense que le problème vient **de nous**

Tante Bertha serait la première à reconnaître que son matelas est vieux et défoncé. « C'est celui que j'ai partagé avec mon mari pendant quarante ans, et je m'y sens en sécurité », dit-elle. « Il y a eu tant d'autres changements dans ma vie, j'aime me réserver un petit havre de paix. » En gardant cette literie, Bertha a l'impression qu'elle exerce un contrôle sur sa vie. Lorsqu'elle se plaint, ce n'est pas parce qu'elle réclame de l'aide, mais parce qu'elle aime se sentir liée aux autres en leur rendant compte de ses sensations quotidiennes.

A propos de Rory, Bertha déclare : « Je l'adore, mais elle peut se montrer impossible. Rory ne m'écoute pas ou ne tient aucun compte de ce que je dis, et quand je le lui fais remarquer, elle se fâche et devient désagréable. » Rory pense que le problème provient de Bertha. Sa parente, semble-t-il, est de l'avis contraire.

Cela pose une question intéressante : pourquoi est-ce toujours *l'autre personne* qui est naïve, égoïste, irrationnelle ou manipulatrice ? Comment se fait-il que nous ne nous imputions jamais le problème ? Si vous êtes confronté à une discussion difficile, et que quelqu'un vous interroge sur le motif de votre contrariété, comment se fait-il que vous ne répondiez jamais : « Ce que je dis est absolument absurde » ?

Nous justifions toujours notre version des faits

Nous ne nous considérons jamais comme la source du problème parce que, en fait, il ne nous est pas imputable. Notre version des faits est *justifiée*. Mais souvent, il est difficile d'accepter l'idée que le récit de l'autre l'est *également*. Comme Rory et Tante Bertha, nous avons une vision différente des événements du monde. Dans l'histoire qu'elle raconte, Rory présente des idées et des actions parfaitement légitimes. Dans le constat qu'elle fait, Tante Bertha expose des pensées et des actes qui sont tout aussi raisonnables. Mais Rory n'agit pas seulement dans le cadre de sa propre histoire, elle entre aussi dans le scénario de Bertha. Et dans ce scénario, les remarques de Rory semblent abusives et indélicates. Dans le compte rendu de Rory, Bertha parle de façon irrationnelle.

Dans le cours normal des événements, nous ne remarquons pas en quoi notre vision diffère de celle des autres. Mais les discussions difficiles se présentent justement aux points d'intersection entre notre représentation du monde et celle de la tierce personne. Nous partons du principe que la collision vient de l'autre, tandis que la partie adverse se persuade qu'elle est de notre fait. En réalité, ce télescopage résulte des différences qui s'expriment dans nos deux versions, et personne ne le voit. C'est un peu comme si Princess Leia essayait de parler à Huck Finn, dans le livre de Mark Twain. Il n'est pas étonnant que nous finissions par nous disputer.

L'affrontement nous empêche d'explorer le récit de l'autre

Cependant, cette prise de bec n'est pas seulement la *conséquence* de notre incapacité à voir que nos histoires divergent. L'antagonisme intervient directement dans l'échec. L'affrontement verbal nous empêche de nous ouvrir à la perception du monde qui est défendue par l'autre partie. Quand nous entamons une discussion, nous avons tendance à échanger des conclusions minimalistes : « Achète un nouveau matelas »/« Cesse de vouloir me dominer ». « Je vais à New York pour lancer ma carrière »/« Tu es naïve ». « Il est utile de consulter un conseiller conjugal »/« Cette démarche équivaut à une perte de temps ».

Mais ni l'une ni l'autre de ces conclusions n'a de sens dans la perspective que défend la partie adverse. Nous refusons l'argument de l'adversaire. Au lieu de nous aider à assimiler nos points de vue distincts, nous engageons une bataille de messages. Plutôt que de nous rapprocher, celle-ci nous éloigne.

Vous ne pouvez pas convaincre si vous discutez sans comprendre

La querelle fait surgir un autre problème dans les discussions difficiles : elle freine le changement. L'*injonction* de changer en augmente l'improbabilité. En effet, les gens ne modifient presque jamais leur comportement avant de se sentir d'abord compris. Voyez la conversation de Trevor avec Karen. Trevor est administrateur au ministère des Affaires sociales. Karen est assistante sociale dans ce même ministère. « Je n'arrive pas à obtenir d'elle qu'elle me rende ses rapports en temps et heure, déplore Trevor. Je lui ai dit je ne sais combien de fois qu'elle se mettait en retard, mais rien n'y fait. Et quand je remets la question sur le tapis, elle manifeste de l'agacement. »

Bien sûr, nous savons qu'il existe une autre version des faits. Malheureusement, Trevor l'ignore. Il informe Karen de ce qu'elle est supposée faire, mais il ne lui a pas encore donné l'occasion de s'exprimer. Quand Trevor cessera de chercher à amender le comportement de Karen – en faisant valoir que son retard est préjudiciable – et qu'il essaiera de la comprendre avant de faire valoir ses propres arguments, la situation s'améliorera de manière spectaculaire.

> Karen a expliqué qu'elle se sentait surmenée et débordée. Qu'elle se donnait à fond pour répondre aux besoins des nombreuses personnes qui la consultaient. Elle avait l'impression que je n'accordais aucune valeur à cet aspect des choses, ce en quoi elle se trompait. De mon côté, je lui ai expliqué que son retard m'occasionnait toutes sortes de tâches supplémentaires que j'ai décrites en détail. Elle l'a regretté, et il lui est apparu clairement qu'elle n'avait pas envisagé le problème sous cet angle. Elle m'a promis d'accorder la priorité au respect des délais, et jusqu'ici, elle s'y est tenue.

Finalement, chacune des deux parties a appris quelque chose, et les bases d'un accord sensé ont été jetées.

Pour sortir d'un désaccord, nous devons intégrer suffisamment la perspective du camp adverse pour admettre que ses conclusions se justifient à ses yeux. Et il nous faut l'aider à approuver également notre optique. La réflexion sur nos motivations respectives ne « résout » pas forcément le problème, mais c'est un premier pas décisif, comme pour Karen et Trevor.

Deux versions de la même réalité : pourquoi nous ne voyons pas le monde du même œil

Pour cesser de donner la priorité à nos arguments et essayer de comprendre l'optique de l'autre, il est utile de savoir pourquoi les versions divergent. Nos histoires ont une origine. Elles ne se sont pas construites par hasard. Souvent, elles reposent sur des éléments inconscients qui ont fini par constituer un système. Au départ, nous enregistrons les informations. Nous sommes réceptifs au monde, à ce que nous voyons, sentons et entendons. Ensuite, nous interprétons ces données, nous leur donnons un sens. Puis nous tirons des conclusions. Et à chaque étape, notre vécu peut s'éloigner de celui du voisin.

Pour dire les choses simplement, nous ne sommes pas du même avis parce que nous enregistrons tous des informations différentes et que nous les interprétons d'une manière qui nous est unique.

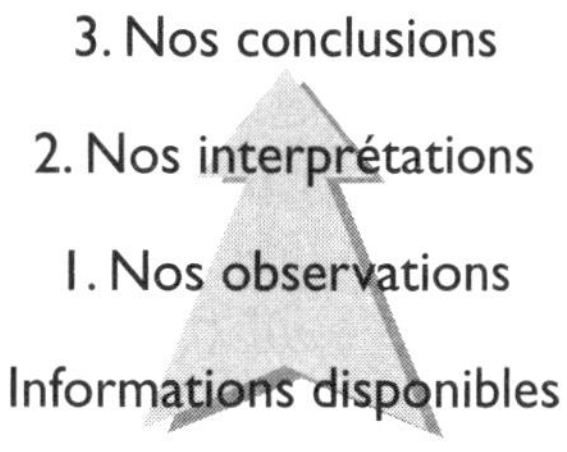

3. Nos conclusions

2. Nos interprétations

1. Nos observations

Informations disponibles

D'où viennent nos histoires ?

Dans les discussions difficiles, nous nous contentons trop souvent de n'échanger que des conclusions, sans remonter au véritable lieu de l'action : à l'information et aux interprétations qui ont façonné pour nous le monde tel que nous le voyons.

1. Nous ne disposons pas des mêmes informations

Nous n'avons pas les mêmes renseignements, et ce, pour deux raisons. Tout d'abord, tandis que nous progressons dans la vie – et dans toute situation difficile – nous sommes tous confrontés à une phénoménale quantité d'informations, même lors d'une simple rencontre. Inévitablement, nous finissons par remarquer certains côtés de la réalité et par en ignorer d'autres. Et ce que nous choisissons de retenir et d'oublier sera différent selon les individus. D'autre part, nous avons tous accès à des données différentes.

Nous remarquons des choses différentes. Doug a emmené Andrew, son neveu de quatre ans, à une fête organisée par plusieurs associations sportives. Assis sur les épaules de son oncle, Andrew s'enthousiasme pour les footballeurs, pour les pom-pom girls et pour l'orchestre scolaire juché sur un semi-remorque décoré. Ensuite, il s'exclame : « C'était le plus beau défilé de camions de ma vie ! »

Chacun des chars, apparemment, était tiré par un poids lourd. André, grand fan de mécanique, n'avait rien vu d'autre. Son oncle Doug, qui ne partageait pas cette passion, n'en avait pas remarqué un seul. En un sens, Andrew et son oncle n'avaient pas assisté à la même parade.

Comme Doug et Andrew, nous observons la réalité en fonction de ce que nous sommes et de ce dont nous nous soucions. Certains sont plus sensibles aux sentiments et aux relations. D'autres au statut et au pouvoir ou encore aux faits et à la logique. Quelques-uns d'entre nous sont des artistes, d'autres des scientifiques, d'autres encore ont l'esprit plutôt pragmatique. D'aucuns veulent prouver qu'ils ont raison, d'autres cherchent à éviter les conflits ou à les aplanir. Certains ont tendance à se considérer comme des victimes, et d'autres comme des héros, des observateurs ou des survivants. Les précisions que nous sélectionnons diffèrent en fonction de ces éléments.

Bien sûr, ni Doug ni Andrew n'ont quitté la parade en pensant : « J'ai apprécié ce que j'ai vu en fonction des informations que j'ai sélectionnées. » Chacun s'est dit : « J'ai aimé *le* défilé. » Chacun a estimé avoir accordé son attention à l'aspect le plus important de cet événement. Chacun a considéré qu'il détenait les « vraies données » du problème.

Dans un autre contexte, Randy et Daniel, qui travaillent côte à côte sur une chaîne de montage, subissent la même dynamique. Ils ont eu plusieurs discussions houleuses à propos de questions raciales. Randy, qui est blanc, pense que la société qui les emploie fait son possible pour recruter et promouvoir les représentants des minorités. Il remarque que sur les sept ouvriers qui travaillent sur sa chaîne, il y a deux Noirs et un Sud-Américain, mais aussi que le responsable syndical n'est pas un autochtone. Il a également appris que son chef était originaire des Philippines. Randy croit aux vertus de la diversité sur le lieu de travail, et il approuve la récente promotion de personnes d'origine étrangère.

Daniel, qui est coréen naturalisé américain, ne partage pas cette vision de la réalité. On lui a posé des questions embarrassantes lors de son entretien d'embauche. Il a essuyé quelques injures à caractère racial de la part de ses collaborateurs et d'un contremaître. Souvent, il repense à ces expériences. Daniel connaît également plusieurs ouvriers d'origine étrangère qui n'ont pas eu de promotion, et remarque qu'une grande proportion des responsables de la société sont blancs. À plusieurs reprises, il a entendu les cadres parler comme si les deux seules catégories raciales qui comptaient étaient celles des Blancs et des Noirs américains.

Tandis que Randy et Daniel détiennent certaines informations communes, ils en possèdent d'autres qu'ils n'ont pas partagées. Chacun pense être objectivement informé et appréhender la réalité. D'une certaine manière, c'est comme si Randy et Daniel ne travaillaient pas dans la même entreprise.

Souvent, nous laissons la conversation se dérouler – ou nous percevons une relation dans la durée – sans mesurer que chacun tourne son attention vers des choses différentes, et que nos avis reposent sur des informations divergentes.

Nous nous connaissons mieux que quiconque. Outre que nous sélectionnons des renseignements différents, nous avons tous accès à des données variées. Par exemple, certaines personnes savent sur elles-mêmes des choses que nous ignorons. Elles connaissent les contraintes auxquelles elles sont soumises, pas nous. Elles sont capables de formuler leurs attentes, leurs rêves et leurs peurs, pas nous. Nous agissons comme si les mêmes informations étaient à notre portée, mais, en réalité, nous les ignorons. L'expérience personnelle des autres est plus complexe que nous l'imaginons.

Revenons à l'exemple de Jack et Michael. Quand Michael décrit ce qui s'est passé, il ne mentionne pas que Jack est resté debout toute la nuit. Probablement l'ignore-t-il. Même s'il le sait, sa « connaissance » de ce fait est très limitée par rapport à la manière dont Jack l'a ressenti. Jack l'a vécu : il sait ce que l'on éprouve quand on lutte contre le sommeil. Il n'a pas oublié ce qu'il a pensé quand le chauffage de l'immeuble a été coupé à minuit. Il sait à quel point sa femme a été ulcérée à l'idée d'annuler leur dîner d'amoureux. Il se rappelle qu'il a été angoissé à l'idée de repousser un travail important pour se consacrer au projet de Michael. Jack se souvient aussi qu'il s'est senti heureux de rendre service à un ami.

Et beaucoup d'éléments restent méconnus de Jack. Il ignore que la cliente de Michael a désapprouvé ce matin le choix des illustrations d'une autre brochure préparée par ses soins. Jack ne sait pas que les chiffres des bénéfices sont particulièrement importants parce qu'ils traduisent les effets de certaines décisions financières récemment prises par la cliente. Il ignore que Michael n'a pas été satisfait de son travail par le passé. Et Jack ne sait pas à quel point Michael s'est réjoui de pouvoir lui rendre service.

Bien sûr, certains éléments demeureront à jamais dans l'ombre. Mais au lieu de partir du principe que nous disposons de toutes les connaissances nécessaires, nous devrions supposer qu'il nous en manque. La sincérité est payante.

2. Nos interprétations diffèrent

« Nous ne faisons jamais l'amour », se plaint Alvie Singer dans le film *Annie Hall*. « Nous faisons tout le temps l'amour », déclare sa petite amie. « Quelle est la fréquence de vos rapports sexuels ? » interroge leur conseiller conjugal. « Trois fois par semaine », répliquent-ils à l'unisson.

Parfois nous ne voyons pas le monde du même œil, alors même que nous disposons des mêmes données, parce que nous les interprétons différemment. J'aperçois une tasse à moitié vide, et vous y voyez la métaphore de la fragilité humaine. J'ai soif, vous êtes poète. Notre interprétation de la réalité repose 1. sur nos expériences passées, 2. sur les règles implicites que nous avons apprises à propos des choses à faire ou ne pas faire.

Nous sommes influencés par nos expériences. Le passé donne sens au présent. Souvent, nous ne pouvons comprendre la parole d'un interlocuteur qu'à la lumière de son vécu.

Pour célébrer la fin d'un projet de longue haleine, Bonnie et ses collègues ont péniblement accumulé l'argent nécessaire pour offrir un cadeau à leur contremaître, Caroline, et l'inviter à dîner dans un agréable restaurant. Tout au long du repas, Caroline ne fait que se plaindre : « Tout est trop cher. » « Comment ose-t-on nous servir ça ? » « Cinq dollars pour ce dessert ? C'est une plaisanterie ! » Bonnie rentre chez elle embarrassée et frustrée, en pensant : « Nous savions qu'elle était avare, mais cette fois, cela frise le ridicule. Nous avons payé, elle n'avait aucun souci à se faire pour l'argent, et, malgré cela, elle a tout critiqué. Elle a gâché la soirée. »

Pour Bonnie, Caroline avait joué les rabat-joie. Elle a finalement décidé de l'interroger sur sa réaction. Après réflexion, Caroline a expliqué :

> Je pense que c'est parce que j'ai été petite fille pendant la crise de 29. J'entends toujours la voix de ma mère qui me disait, au moment où je me préparais à partir pour l'école : « Carrie, il y a sur la table une petite pièce pour ton repas. » Elle était si fière de pouvoir m'acheter mon déjeuner tous les jours. Quand j'ai eu sept ou huit ans, la petite pièce n'a plus suffi. Mais je n'ai jamais eu le courage de le lui dire.

Les années ont passé, mais un repas au restaurant, même modique, paraît toujours extravagant à Caroline quand elle lit les tarifs au travers du filtre de l'enfance.

Toutes nos opinions ancrées sont profondément influencées par notre passé. Qu'il s'agisse des lieux de vacances, des méthodes d'éducation pour nos enfants, de l'argent qu'il convient d'investir dans la publicité – tout est déterminé par ce que vous avez observé dans votre famille et que vous avez appris tout au long de votre vie. Souvent, vous ne devinez même pas à quel point ces expériences affectent votre vision du monde. Vous croyez simplement que les choses sont ainsi.

Nous appliquons différentes règles implicites. Nos expériences passées se transforment souvent en « principes » qui régissent notre vie. Que nous le sachions ou non, nous nous conformons tous à ces règles. Elles nous disent comment tourne la planète, comment les gens devraient agir, comment les choses sont supposées être. Et elles déterminent l'histoire que nous racontons au cours de nos discussions difficiles.

Nous allons mal quand nos préceptes s'entrechoquent avec ceux du voisin.

Ollie et Thelma, par exemple, sont emberlificotées dans un réseau de règles contradictoires. En tant que VRP, elles passent beaucoup de temps ensemble sur la route. Un soir, elles décident de se donner rendez-vous le lendemain à 7 heures dans le hall de l'hôtel, afin de terminer les préparatifs d'une démonstration. Thelma, comme d'habitude, arrive à 7 heures précises. Ollie se présente à 7 h 10. Ce n'est pas la première fois qu'elle est en retard, et Thelma est si fâchée qu'elle a du mal à se concentrer sur le travail pendant les vingt premières minutes de leur entretien. Ollie en veut à Thelma de lui en vouloir.

Cela contribue à clarifier les usages implicites que chacune applique inconsciemment. Selon les principes de Thelma : « Le retard constitue un manque de professionnalisme et de politesse. » Ollie considère « qu'il n'est pas professionnel de se focaliser sur les détails, alors qu'il existe des questions plus importantes ». Parce que Thelma et Ollie interprètent toutes deux la situation en fonction de leurs règles implicites, elles considèrent que l'autre agit de manière inadéquate.

Notre code de conduite se transforme souvent en avis sur ce que les gens « devraient » ou « ne devraient pas » faire. « Tu devrais investir dans tes études, pas dans ta garde-robe. » « Il ne faut pas critiquer un collègue en présence d'autres collaborateurs. » « Il ne faut jamais relever le siège des toilettes, vider le tube de dentifrice par le milieu, ni laisser les enfants regarder la télévision pendant plus de deux heures. » La liste serait longue.

Ces usages n'ont rien de répréhensible en soi. En fait, nous en avons besoin pour ordonnancer notre vie. Le conflit nous aide à expliciter nos règles et encourage l'autre à faire de même. Cela réduit considérablement le risque d'engager un duel de principes contradictoires.

3. Nos conclusions reflètent nos intérêts

Finalement, quand nous réfléchissons aux raisons qui nous poussent à exprimer notre vision du monde, il est évident que nos conclusions sont partiales, et qu'elles reflètent souvent notre perception de nous-mêmes. Nous recherchons des informations qui étayent notre opinion et nous leur accordons l'interprétation qui nous convient. Alors nous sommes encore plus certains d'avoir eu raison.

Le Pr Howard Raiffa, qui enseigne à la Harvard Business School, a souligné ce phénomène en confiant à plusieurs équipes de personnes une série de chiffres relatifs à une société. Il a indiqué à certaines de ces équipes qu'elles devraient négocier pour acheter l'entreprise, et à d'autres qu'elles auraient pour tâche de la vendre. Puis il a demandé à chaque équipe d'établir le plus objectivement possible le prix de la société (non pas le prix que les négociateurs offriraient pour l'acheter ou la vendre, mais celui qui représentait sa valeur réelle). Raiffa a constaté que les vendeurs, en leur âme et conscience, évaluaient l'entreprise à un prix environ 30 % supérieur à celui qui était établi sur le marché en fonction de critères objectifs. Les acheteurs, par contre, l'avaient diminué de 30 %.

Inconsciemment, chaque équipe s'était référée à une perception qui lui était favorable. Elle s'était concentrée sur ce qu'elle voulait croire et avait eu tendance à ignorer, à négliger puis à oublier les autres éléments. À l'époque où il s'occupait de litiges, notre collègue Roger Fisher a laconiquement résumé ce fait : « J'ai parfois échoué à persuader le tribunal que j'avais raison, mais j'ai toujours réussi à me persuader moi-même. »

Cette tendance à déformer les perceptions est très humaine, et peut se révéler dangereuse. Il faut une certaine dose d'humilité pour mesurer la « vérité » de notre histoire, surtout lorsque l'enjeu est important.

Passer de la certitude à la curiosité

Il n'existe qu'un moyen de comprendre le récit de l'autre : il faut manifester de la curiosité. Au lieu de vous dire : « Comment peut-il penser une chose pareille ? » songez : « Je me demande quelle est l'information qui me manque, et dont il dispose. » Au lieu de penser : « Comment peut-elle faire preuve d'une telle irrationalité ? » interrogez-vous : « Comment sa vision du monde s'explique-t-elle ? » La certitude nous exclut de l'histoire de l'adversaire, tandis que la curiosité nous y fait entrer.

La curiosité, porte d'accès au récit de l'autre

Étudions le conflit qui a éclaté entre Tony et sa femme Keiko. La sœur de Tony vient de donner naissance à son premier enfant. Le lendemain, Keiko se prépare à lui rendre visite à l'hôpital. Tony lui annonce qu'il ne l'accompagnera pas, et qu'il préfère suivre un match de foot à la télévision. Quand Keiko, choquée, l'interroge sur ses raisons, il marmonne quelque chose à propos d'une « rencontre historique » et ajoute : « Je passerai la voir demain. »

Keiko est profondément troublée. Elle pense : « Quel homme est-il donc pour juger qu'un match de foot compte davantage que sa famille ? C'est l'argument le plus égoïste, le plus creux et le plus ridicule que j'aie jamais entendu ! » Mais elle remet en question ses propres certitudes, et au lieu de s'écrier : « Comment peux-tu faire une chose pareille ? » elle choisit de faire preuve de curiosité. Elle se demande ce que Tony sait et qu'elle ignore, comment se justifie cette vision du monde.

L'histoire que raconte Tony ne ressemble pas à celle que Keiko a imaginée. Apparemment, Tony se contente de regarder un match de football à la télévision. Mais il s'agit pour lui d'une question de santé mentale. Toute la semaine, il travaille dix heures par jour en situation de stress, puis rentre chez lui et joue avec ses deux fils, en se pliant à leurs demandes. Après les avoir enfin couchés, il passe du temps avec Keiko, et lui raconte sa journée. Finalement, il s'écroule dans son lit. Pour Tony, le match est un véritable moment de relaxation hebdomadaire qui permet de minorer son niveau de tension. Cela ressemble un peu à de la méditation, et ces trois heures agissent de manière significative sur sa capacité à gérer la semaine de travail qui l'attend. Tony croit que sa sœur n'attachera aucune importance au fait qu'il vienne aujourd'hui ou demain, et il opte pour sa santé mentale.

Bien sûr, le débat ne s'arrête pas là. Keiko a besoin de présenter sa version des faits à Tony, et lorsque tous les éléments seront posés sur la table, ils décideront ensemble de ce qu'ils doivent faire. Mais ils n'en viendront jamais là si Keiko part du principe qu'elle connaît d'ores et déjà l'histoire de son mari.

Quelle est votre version des faits *?*

Pour remettre en question votre certitude d'avoir étudié le problème sous tous ses angles, vous pouvez manifester de la curiosité à l'égard de vos *propres réactions*. Cela peut paraître étonnant. Après tout, vous ne vous quittez jamais. Ne vous connaissez-vous pas par cœur ?

La réponse est non. Le processus par lequel nous construisons notre vision du monde est si instantané et automatique que nous n'avons pas conscience de tout ce qui influence nos opinions. Par exemple, au cours de son entretien avec Michael, Jack n'a pas pensé à l'extinction du chauffage au beau milieu de la nuit, ni même à la scène que lui avait faite sa femme lorsqu'il avait annulé le dîner. Il n'a pas eu totalement conscience de toutes les informations qui sous-tendaient ses réactions.

Et quelles sont les règles implicites qui comptent pour lui ? Jack pense : « Je suis sidéré de la manière dont Jack m'a traité », mais il ignore que sa réaction repose sur une règle tacite concernant la manière dont les gens doivent se comporter. Le principe de Jack se résume à peu près à ceci : « Il faut faire preuve de bienveillance en toutes circonstances. » Nous sommes nombreux à approuver ce précepte, qui ne constitue cependant pas une vérité. La morale de Michael peut se résumer à ceci : « Les bons amis peuvent se fâcher sans remettre leur amitié en cause. » Il ne s'agit pas de déterminer quelle loi est la meilleure. Ce sont des prémisses différentes. Mais Jack ignorera cette différence s'il ne commence pas par réfléchir à ce qui régule sa propre version des faits.

Souvenez-vous du défilé auquel Andrew et son oncle Doug ont assisté. Nous avons indiqué qu'Andrew était « fan de camions ». Cette définition est celle que donnerait son oncle. Doug sait « comment est Andrew », mais il ignore comment son neveu le juge. Selon Andrew, l'oncle Doug est peut-être « obsédé par les pom-pom girls ». Dans ses goûts, Andrew est sans doute représentatif de la plupart des enfants de quatre ans.

Accepter les deux versions : adopter une « attitude de conciliation »

Il peut être affreusement difficile de s'intéresser à l'histoire d'un autre quand vous avez envie de raconter la vôtre, surtout si vous croyez que votre version est la seule valable. Après tout, votre récit diffère de celui du voisin, et il revêt beaucoup plus de sens pour vous. Vos réticences peuvent être partiellement surmontées grâce à ce que nous appelons l'« attitude de conciliation ».

Nous partons généralement du principe que nous ne devons ni accepter ni rejeter la version de l'adversaire, et nous croyons que si nous l'adoptons, nous devrons abandonner la nôtre. Mais qui, de Michael et de Jack, de Ollie et Thelma, de Bonnie et de son employeur, Caroline, a raison ? Est-il plus légitime de dormir avec la fenêtre ouverte ou avec la fenêtre fermée ?

A vrai dire, ces interrogations n'ont aucun sens. N'optez pas pour une seule histoire, adoptez-les toutes les deux. Choisissez la conciliation.

L'idée d'adopter les deux comptes rendus risque de paraître hypocrite. On peut penser qu'il est question de « faire semblant que toutes les versions soient bonnes ». Mais ce n'est pas ce que nous suggérons. Il n'est pas utile de prétendre quoi que ce soit.

Au départ, ne cherchez ni à accepter ni à rejeter l'histoire de la partie adverse. Essayez seulement de la comprendre. Cette curiosité n'impose pas que vous abandonniez votre vision des faits. L'attitude conciliatrice permet de reconnaître que *chacune de vos versions* compte, que les sentiments de l'un et de l'autre possèdent une valeur. Quelle que soit votre action finale, quelle que soit la manière dont votre récit influencera celui de l'autre camp, les deux versions sont importantes.

L'attitude conciliatrice repose sur la supposition que le monde est complexe, que vous pouvez vous sentir blessé, furieux ou trahi, *et* que l'autre partie est susceptible de ressentir la même chose. Vous avez probablement commis un acte stupide, *et* votre interlocuteur[trice] a contribué de façon importante au problème. Vous pouvez vous sentir furieux, tout en éprouvant de l'amitié et du respect pour lui/elle.

L'attitude conciliatrice vous accorde une place à partir de laquelle vous pouvez affirmer vos opinions et vos sentiments avec force, sans avoir à contredire les opinions et les sentiments d'autrui. De même, vous n'avez à consentir aucun sacrifice pour entendre ce que l'adversaire ressent ou la manière dont il voit les choses. Parce que vous disposez peut-être d'informations différentes ou que vos interprétations divergent, vos deux conceptions peuvent se défendre en même temps.

Probablement, au moment où vous les partagerez, vos récits changeront en fonction des données ou des perspectives nouvelles qui vous seront exposées. Vous tirerez des conclusions différentes, et tant mieux. Parfois, les gens s'affrontent en toute bonne foi, mais même dans ce cas de figure, la meilleure question à poser n'est pas « qui a raison ? ». Il vaut mieux se demander : « Quel est le meilleur moyen de gérer ce problème, puisque nous nous comprenons mieux ? »

Deux exceptions qui n'en sont pas

Vous êtes peut-être globalement séduit par le conseil qui consiste à passer de la certitude et de la défense de vos arguments à la curiosité et à l'attitude conciliatrice, mais vous pensez qu'il existe des exceptions. Abordons deux questions importantes qui paraissent relever de cas d'exception, mais qui n'en sont pas : 1. Que se passe-t-il quand je *suis sûr* d'avoir raison ? et 2. La suggestion de « comprendre la version de l'autre » s'applique-t-elle toujours, même si, par exemple, je dois licencier quelqu'un ou rompre avec lui ?

J'ai* vraiment *raison

Connaissez-vous l'histoire de ces deux religieux qui se disputent pour savoir comment servir leur Dieu ? Dans un esprit de conciliation, le premier dit finalement au second : « Toi et moi voyons les choses sous un angle différent, et c'est très bien ainsi. Nous n'avons pas besoin de nous mettre d'accord. Tu peux servir Dieu à ta manière, et moi à la Sienne. »

Nous pouvons être tentés d'adopter cette attitude. Même si vous comprenez intimement la version de l'adversaire et que vous parvenez à vous y associer, vous pouvez trébucher à l'étape suivante, et penser qu'en dépit de tous ses bons arguments votre version reste « la bonne » et qu'il a toujours « tort ».

Parlons par exemple des moments où vous discutez avec votre fille de ses habitudes de fumeuse. Vous savez que vous avez raison, que le tabac nuit à sa santé, et qu'elle ferait mieux de s'arrêter le plus tôt possible.

Évidemment. Vous avez raison. Mais voilà le hic : *le sujet de la discussion n'est pas vraiment là*. Il est question de ce que vous ressentez, vous et votre fille, à propos de la cigarette, de ce que votre interlocutrice devrait faire pour changer, et du rôle que vous devriez jouer. Il est question de la terrible angoisse et de la tristesse que vous ressentiriez à la voir tomber malade, et de votre rage de ne pouvoir la convaincre d'arrêter. Il est question de son désir d'indépendance, et de la rupture avec le modèle de la « bonne fille » qui l'étouffe. Il est question de son ambivalence, de son désir d'obtenir un plaisir qui lui fait peur. La discussion porte sur de nombreux sujets complexes et importants qui vous concernent toutes les deux. Il ne s'agit pas de vérifier que la cigarette est nocive. Vous êtes d'accord sur ce point.

Même s'il paraît que l'entretien porte sur ce qui est vrai, vous vous rendrez compte que vous ne progresserez pas beaucoup en désignant celui ou celle qui détient la vérité. Votre compagnon peut nier le fait qu'il soit alcoolique, et que son comportement porte tort à son couple. Mais que le monde entier vous donne raison et veuille l'en convaincre n'aidera pas votre ami.

Ce qui *peut* l'aider, c'est de lui expliquer quel est l'impact de son choix sur vous, et aussi d'essayer d'intégrer son histoire. Qu'est-ce qui le maintient ainsi dans le déni ? Qu'arriverait-il s'il admettait qu'il a un problème ? Quel est l'obstacle qui l'en empêche ? Jusqu'à ce que vous compreniez son récit, et que vous partagiez le vôtre avec lui, vous ne pourrez l'aider à trouver le moyen d'écrire positivement le chapitre suivant. Dans ce cas, vous avez probablement raison et votre compagnon a sans doute tort, mais cette certitude ne vous fait pas grand bien.

Annoncer de mauvaises nouvelles

Qu'arrive-t-il lorsque vous devez licencier quelqu'un, mettre fin à une relation ou informer un fournisseur que vous allez supprimer 80 % de vos commandes ? Dans de nombreuses discussions difficiles, vous n'avez pas le pouvoir d'imposer unilatéralement votre décision. Quand il s'agit de licencier quelqu'un, d'annoncer une rupture ou de réduire une commande, vous détenez ce pouvoir. Dans ce cas, il est raisonnable de vous demander si l'histoire de l'autre partie continue d'avoir un sens.

La principale difficulté rencontrée lors d'une rupture ou d'un licenciement intervient dans le cadre des discussions émotionnelle et identitaire, que nous allons explorer plus tard. Mais il est également important de remarquer à quel point les perspectives divergent. Souvenez-vous. La compréhension de l'histoire de l'adversaire ne vous oblige pas à l'approuver, et elle ne vous contraint nullement à abandonner votre propre version des événements. Et le fait que vous soyez prêt à comprendre ne diminue pas la force dont vous disposez pour mettre en œuvre votre propre décision, ni pour signifier que cette décision est définitive.

En fait, l'attitude de conciliation vous attribue probablement la position la plus favorable lorsque vous vous engagez dans une discussion difficile accompagnée de mauvaises nouvelles. Si vous rompez avec quelqu'un, vous êtes autorisé à dire : « Je romps avec toi parce que c'est la décision qui me convient en ce moment [voici pourquoi], *et* je comprends que cela te blesse énormément. Je conçois que tu veuilles nous donner une seconde chance, *et* je ne change pas d'avis. Tu estimes, je le comprends, que j'aurais dû exprimer plus clairement l'état de confusion dans lequel je me trouvais *et* je ne crois pas que cela m'ait rendue mauvaise. Je comprends que mes actions t'aient vexé *et* je sais que tu as commis des actes qui m'ont blessée. Je sais *aussi* que je regretterai peut-être cette décision, *et* je la prends tout de même… et, et, et. »

Pour progresser, comprenez d'abord qui vous êtes

En vous engageant dans la voie qui vous permet de gérer les discussions difficiles, vous remarquerez que le sens à attribuer à votre vision du monde et à celle de votre interlocuteur[trice] vous suit comme la lune dans le ciel étoilé. C'est un phare vers lequel vous pouvez vous tourner, en tous lieux, et quelle que soit la complication à laquelle vous serez confronté.

Comprendre l'adversaire et mieux vous comprendre ne signifie pas que les différences s'aplaniront et que vous n'aurez pas à résoudre de vrais problèmes, à opérer de véritables choix. Cela ne veut pas dire que tous les avis se valent ou qu'il soit néfaste de défendre ses croyances. Cependant, cette pratique vous permettra de vérifier si vos opinions bien arrêtées résistent à la lumière des nouvelles informations et des différentes interprétations possibles ; elle aidera les autres à apprécier son bien-fondé.

Quelle que soit la direction que vous voulez prendre, il est nécessaire, en premier ressort, de vous projeter dans l'histoire de l'autre. Avant de réfléchir à la manière d'avancer, vous devez savoir où vous vous trouvez.

Les deux chapitres suivants abordent plus précisément deux aspects problématiques de notre histoire – notre tendance à nous méprendre sur les intentions du camp adverse, et à nous focaliser sur la faute.

3

Ne pensez pas que l'autre l'a « fait exprès » : distinguez l'intention de l'impact

La question de savoir « qui a voulu quoi » joue un rôle central dans notre vision des situations délicates. Le débat sur les intentions influence énormément notre jugement d'autrui. Si quelqu'un a voulu nous blesser, nous le jugeons plus durement que s'il nous a vexés par erreur. Nous sommes prêts à nous en accommoder s'il a eu une bonne raison d'agir ; mais nous sommes irrités si nous pensons qu'il ne se soucie pas de l'impact de ses actions sur nous. Bien que les conséquences soient les mêmes, nous réagissons différemment en apercevant, dans une rue étroite, une ambulance garée en double file ou une BMW.

La bataille d'intentions

Voyez l'histoire de Lori et Léo, qui vivent ensemble depuis deux ans et qui s'affrontent régulièrement. Un soir, le couple est invité à dîner chez des amis, et Lori s'apprête à se resservir de glace. Léo déclare : « Lori, ne te ressers pas. » Lori, qui a des problèmes de poids, lui lance un regard noir, et ne lui adresse plus la parole pendant un moment. À la fin de la soirée, les choses vont de mal en pis :

> LORI : J'ai vraiment détesté la manière dont tu m'as traitée ce soir devant tes amis.
> LÉO : La manière dont je t'ai traitée ? De quoi parles-tu ?

LORI : À propos de la glace. Tu agis comme si tu te prenais pour mon père. Tu as besoin de me dénigrer ou de me contrôler.
LÉO : Lori, je ne voulais pas te vexer. Tu m'as dit que tu suivais un régime, et j'essayais seulement de te soutenir. Tu es tellement susceptible ! Tu te sens attaquée pour un rien, même quand j'essaie de t'aider.
LORI : De m'aider ? En m'humiliant devant tes amis, de m'aider ?
LÉO : Tu sais, tu finis toujours par me mettre dans une position impossible. Si je dis quoi que ce soit, tu penses que je veux t'humilier, et si je ne dis rien, tu me demandes pourquoi je te laisse te goinfrer. Je suis fatigué de tout ça. Parfois, je me demande si tu ne provoques pas ces disputes.

Cette conversation a laissé chez Lori et Léo des traces de colère, de ressentiment et de frustration. Pire, ce scénario se reproduit à intervalles réguliers. Le couple s'est lancé dans une classique bataille d'intentions : Lori accuse Léo de la blesser délibérément, et Léo le nie. Ils sont pris dans un cercle vicieux qu'ils ne comprennent pas et qu'ils ne savent comment briser.

Deux erreurs fondamentales

Voici une porte de sortie. Dans la discussion, deux erreurs fondamentales compliquent la situation. L'une est commise par Lori, et l'autre par Léo. Quand Lori déclare : « Tu as besoin de me dénigrer ou de me contrôler », elle parle des intentions de son compagnon. Elle croit qu'elle connaît ses motivations, alors qu'elle les ignore. Cette bévue est très facile à commettre, et pernicieuse. Elle nous guette constamment.

L'erreur de Léo consiste à croire qu'il suffit d'affirmer que ses intentions sont bonnes pour enlever à Lori toute raison d'être frustrée. Il explique qu'il n'a « pas voulu la blesser », et qu'il cherchait plutôt à l'aider. Après cette annonce, il estime que la dispute doit s'arrêter. De ce fait, il ne prend pas le temps de s'informer sur les sentiments de Lori ou sur leur origine. Cette maladresse, comme l'autre, est aussi courante que néfaste.

Heureusement, nous pouvons éviter de commettre ce genre de faux pas si nous parvenons à en prendre conscience.

Première erreur : nous nous trompons souvent sur les intentions de l'autre

Pour étudier « l'erreur de Lori », nous devons comprendre comment fonctionne notre esprit lorsqu'il échafaude les motivations des autres, et reconnaître les présupposés douteux sur lesquels il s'appuie. Voici le problème : alors que nous sommes profondément concernés par les intentions des autres à notre égard, nous les ignorons. Il nous est impossible de les connaître. Ces intentions leur appartiennent. Elles nous sont invisibles. Nos suppositions peuvent nous paraître correctes et justifiées, mais elles sont souvent incomplètes ou complètement fausses.

Nous déduisons les intentions de l'autre en mesurant l'impact de ses actions

La première confusion se rapporte largement à une illusion fondamentale : nous jugeons les intentions de la partie adverse en fonction des répercussions de ses actions sur nous. Nous sommes blessés, c'est donc qu'elle a eu l'intention de nous blesser. Nous nous sentons méprisés, c'est donc qu'elle a voulu nous traiter sans égards. Cette pensée est automatique, et nous ne nous rendons même pas compte que notre conclusion n'est qu'une supposition. Nous sommes si convaincus d'avoir mis à jour les intentions d'autrui que nous ne pouvons imaginer une autre version.

Nous imaginons le pire. Les motivations que nous prêtons aux autres en fonction de l'impact de leurs actions sont rarement charitables. Lorsqu'un ami arrive en retard au cinéma, nous ne pensons pas : « Je parie qu'il a rencontré quelqu'un qui avait besoin de lui », mais plus souvent : « Quel emmerdeur ! Ça lui est égal de me faire rater le début du film. » Quand nous sommes ulcérés par la conduite de quelqu'un, nous imaginons le pire.

Margaret est tombée dans ce piège. Sa hanche a été opérée par un chirurgien célèbre, qu'elle a trouvé aussi désagréable que peu loquace. Quand Margaret a clopiné vers le cabinet du chirurgien, pour son premier rendez-vous après l'opération, la secrétaire lui a annoncé que le spécialiste venait inopinément de prolonger ses vacances. Furieuse, Margaret a imaginé le riche médecin se prélassant au soleil des Antilles avec sa femme ou sa petite amie, trop orgueilleux et imbu de sa personne pour rentrer en temps et heure. Le tableau était à la mesure de sa colère.

Quand Margaret a finalement rencontré le docteur une semaine plus tard, elle lui a demandé sèchement comment s'étaient passées ses vacances. Il a répondu qu'elles avaient été formidables. « Ça ne m'étonne pas », a-t-elle commenté, en se demandant si elle devait en dire davantage. « Il s'agissait de vacances actives », a poursuivi le chirurgien. « J'ai donné un coup de main dans un hôpital de Bosnie. Les conditions, là-bas, sont absolument terribles. »

Le fait d'obtenir ces détails n'a certes pas effacé les souffrances de Margaret. Mais en apprenant que son interlocuteur avait agi avec générosité et désintéressement, elle a bien mieux supporté, rétrospectivement, la semaine d'attente supplémentaire.

Nous passons notre temps à prêter de mauvaises intentions aux autres. Les échanges professionnels et même personnels passent de plus en plus souvent par le courrier électronique, les répondeurs, les télécopieurs et les conférences téléphoniques. Fréquemment, nous devons « lire entre les lignes » pour intégrer ce que nos interlocuteurs ont voulu dire. Quand un client écrit : « Je suppose que vous n'avez pas encore reçu ma commande », nous nous demandons s'il est furieux ou s'il emploie un ton sarcastique. À moins qu'il n'essaie de dire qu'il nous sait très occupé ? Quand on n'est pas guidé par l'intonation, il est facile de croire au pire.

Nous nous jugeons avec plus d'indulgence. Ce qui est paradoxal – mais tellement humain – dans cette tendance à prêter les pires intentions aux autres, c'est la manière toute différente dont nous nous comportons envers nous-mêmes. Lorsque votre mari oublie d'aller rechercher vos vêtements au pressing, il fait preuve d'irresponsabilité. Lorsque vous oubliez de vous occuper des réservations d'avion, c'est parce que vous êtes stressée et surchargée de travail. Quand un collaborateur critique votre travail devant vos collègues, il essaie de vous humilier. Si c'est vous qui faites des suggestions au cours de la même réunion, vous essayez seulement de rendre service.

Quand nous agissons, nous savons que nous avons rarement l'intention de gêner, d'offenser ou de dominer quiconque. Nous sommes absorbés par nos soucis, et souvent inconscients de l'impact négatif que nous risquons d'exercer sur nos interlocuteurs. Lorsque nous sommes la cible de leurs actions, cependant, nous leur attribuons trop facilement de sombres desseins et des défauts.

N'y a-t-il jamais de mauvaises intentions ? Bien sûr, nous sommes parfois blessés par suite d'une malveillance. Notre adversaire peut être cruel ou irrespectueux, déterminé à nous humilier ou à nous voler notre meilleur ami. Mais ces situations sont moins fréquentes que nous ne l'imaginons, et tant que l'autre n'avoue pas de tels projets, nous ne pouvons pas vérifier.

Il est dommageable de mal interpréter les intentions d'autrui

Les intentions comptent, et une éventuelle méprise peut nuire à vos relations avec les autres.

Nous pensons que les mauvaises intentions dénotent un mauvais fond. Nous passons trop facilement de la notion de « mauvaises intentions » à celle de « mauvais sujet ». Nous jugeons le caractère de nos interlocuteurs, ce qui affecte non seulement nos conversations éventuelles, mais aussi toutes leurs actions, revues sous cet angle, et les enjeux se modifient. Plus nous noircissons la personnalité de l'adversaire, plus il est facile de justifier l'évitement ou la profération d'avis négatifs derrière son dos.

Quand vous vous surprenez à penser « ce policier est un malade du sifflet », « mon employeur est manipulateur » ou encore « mon voisin est impossible », demandez-vous d'où vous vient cette opinion. Sur quoi repose-t-elle ? Est-elle liée à un sentiment d'impuissance, à une crainte d'être manipulé ou à une frustration ? Notez que votre conclusion repose seulement sur l'impact que le comportement de ces personnes a eu sur vous : ceci n'est pas une base suffisante pour préjuger de leurs intentions ou de leur caractère.

L'attribution de mauvaises intentions crée une attitude défensive. Nos suppositions relatives aux motivations d'autrui peuvent également agir de manière déterminante sur nos conversations. Le moyen le plus sûr et le plus facile d'exprimer ces a priori consiste à lancer une accusation : « Tu as voulu me blesser ! » « Pourquoi m'ignores-tu de cette façon ? » « Qu'ai-je fait pour que tu t'arroges le droit de me piétiner ? »

Nous voulons exprimer notre douleur, notre frustration, notre colère ou notre perplexité. Nous tentons d'entamer une discussion qui est censée déboucher sur une meilleure compréhension mutuelle, probablement sur un changement de comportement ou sur des excuses. *L'autre* pense que nous allons essayer de le provoquer, de l'accuser ou de le diffamer (en d'autres termes, il commet la même erreur en jugeant nos intentions). Et comme nos suppositions sont souvent incomplètes ou erronées, il se sent non seulement accusé, mais accusé à tort. Rien ne peut être plus néfaste.

Nous ne devons donc pas être surpris que notre interlocuteur[trice] essaie de se disculper ou de rendre coup pour coup. De son point de vue, il/elle se défend d'accusations fausses. Selon nous, il/elle refuse d'admettre que nous avons raison. Le résultat, c'est le chaos. Personne n'apprend quoi que ce soit, personne ne s'excuse et rien ne change.

Lori et Léon entrent dans ce schéma. Pendant tout l'entretien, Léo reste sur ses gardes, et en conclusion, lorsqu'il se demande tout haut si Lori ne provoque pas ces affrontements « exprès », il l'accuse en fait de nourrir de mauvaises intentions. Ainsi s'ouvre un cycle d'accusation. Si quelqu'un les interroge ensuite sur la conversation qui vient de se dérouler, Lori *et* Léo déclareront qu'ils ont été victimes de la mauvaise foi de l'autre. Chacun dira qu'il s'est contenté de se défendre. Ce sont les deux caractéristiques de ce cercle vicieux : les deux parties se prennent pour la victime, et pensent qu'elles ne font que se défendre. C'est ainsi que les personnes les mieux intentionnées du monde se mettent dans des situations difficiles.

Les suppositions peuvent se réaliser. Notre jugement s'avère souvent juste, même s'il ne l'était pas au départ. Vous pensez que votre employeur ne vous confie pas assez de responsabilités. Elle estime, croyez-vous, que vous n'êtes pas capable de vous acquitter correctement de certaines tâches. De ce fait, vous vous sentez démotivé, et vous êtes persuadé que rien ne la fera changer d'avis. Votre travail s'en ressent, et votre employeur, qui ne s'inquiétait pas de vos performances, est maintenant *alertée*. Par conséquent, elle vous donne encore moins de responsabilités qu'avant.

Quand nous attribuons de mauvaises intentions aux autres, cela affecte notre conduite. De même, la manière dont nous nous comportons influence les réactions de l'adversaire. En moins de temps qu'il ne faut pour le dire, les événements donnent raison à nos préjugés.

Seconde erreur : les bonnes intentions ne corrigent pas un mauvais impact

Comme nous l'avons vu, l'erreur qui conduit Lori à croire qu'elle connaît les motivations de Léo entraîne de lourdes conséquences. Maintenant, revenons à Léo, qui commet une faute tout aussi grave au cours de la discussion. Il part du principe que Lori ne devrait pas être blessée, puisqu'il était animé de bonnes intentions, et pense : « Tu prétends que j'ai voulu te blesser. Je t'ai expliqué que tel n'était pas mon but. Tu devrais donc te consoler, et si tu ne l'es pas, c'est ton problème. »

Nous n'entendons pas ce que l'autre essaie de nous dire

Quand nous cherchons exclusivement à clarifier nos objectifs, nous finissons par rater certains messages importants que les autres essaient de faire passer. Quand ils disent : « Pourquoi est-ce que tu cherches à me blesser ? », ils envoient deux messages distincts. Premièrement : « Je connais tes intentions », et deuxièmement : « J'ai été vexé. » Quand nous sommes l'accusé, nous nous concentrons sur le premier message et nous ignorons le second. Pourquoi ? Parce que nous éprouvons le besoin de nous protéger. Parce que Léo est trop occupé à se défendre, il n'entend pas que Lori est ulcérée. Il ne tient pas compte de son interprétation, du degré de sa frustration, et ne se demande pas pourquoi ces questions sont si douloureuses pour elle.

Il est particulièrement important d'assimiler ce que dit véritablement l'adversaire. En effet, quand ce dernier déclare : « Tu as eu l'intention de me blesser », il exprime en réalité autre chose. La focalisation sur les motivations finit par perturber la communication. Souvent, nous disons : « Tu as voulu me blesser », quand nous voulons dire : « Tu ne te soucies pas assez de moi. » C'est une distinction importante.

Le père qui est trop occupé par son travail pour assister au match de basket de son fils ne cherche pas à blesser ce dernier. Mais son désir de ne pas heurter sa progéniture n'est pas aussi fort que son envie ou son besoin de travailler. Au bout du compte, la plupart d'entre nous ne faisons pas la différence entre « il a voulu me blesser » et « il n'a pas voulu me blesser, mais il ne m'a pas accordé la priorité ». L'une et l'autre constatation sont humiliantes. Si le père réplique à la plainte du fils en remarquant : « Je n'ai pas voulu te blesser », il ne répond pas au vrai souci de l'enfant : « Peut-être n'as-tu pas voulu me blesser, mais tu savais que tu le faisais, et tu l'as fait quand même. »

Il est utile de chercher à clarifier nos intentions. Mais il faut bien choisir son moment pour cela. Si vous le faites au début de la discussion, vous risquez de ne pas comprendre tout à fait ce que l'autre cherche à dire.

Nous ignorons la complexité des motivations humaines

En supposant que les bonnes intentions corrigent un impact négatif, nous oublions également que les motivations ne sont pas simplement « bonnes » ou « mauvaises ». Les intentions de Léo sont-elles absolument angéliques ? Se contente-t-il vraiment d'aider Lori à tenir son régime ? Probablement est-il lui-même gêné par les tendances boulimiques de sa compagne et se sent-il obligé d'intervenir. Ou bien il veut qu'elle perde du poids, moins pour elle que pour lui. S'il se soucie d'elle, comme il le prétend, ne devrait-il pas mieux mesurer l'effet de ses paroles sur elle ?

Comme c'est fréquemment le cas, les mobiles de Léo sont probablement mêlés. Il les ignore partiellement. Mais la question des motivations compte moins que sa volonté de poser la question et d'obtenir une réponse. S'il commence par répliquer : « J'avais de bonnes intentions », il dresse un obstacle à tout enseignement qui proviendrait de la conversation. Et il envoie à Lori un message qui dit : « J'ai plus envie de me défendre que d'explorer les subtilités de mon rôle dans notre relation. »

Il est intéressant de le noter : le locuteur qui cherche à analyser ses propres intentions envoie un message profondément positif à celui qui lui fait face. Après tout, on n'entreprend ce genre de tâche ardue que pour quelqu'un qui compte vraiment.

Nous amplifions l'hostilité, surtout en collectivité

Nous avons particulièrement tendance à prêter des intentions à autrui, à nous défendre et à ignorer l'impact que nous exerçons sur nos adversaires quand les conflits interviennent entre deux groupes, par exemple entre un syndicat et la direction d'une entreprise, entre un comité de quartier et des promoteurs immobiliers, entre personnel administratif et usagers d'une administration ou entre deux familles. Le désir de corriger l'impact intervient tout spécialement dans les débats qui portent sur les « différences » entre deux races, entre hommes et femmes ou lorsqu'il est question de sexe.

Il y a quelques années, un journal a été confronté à certains différends d'ordre racial au sein de son équipe éditoriale. Les journalistes afro-américains et hispaniques se plaignaient de l'absence de représentation des minorités au sein de l'organe de presse, et menaçaient d'organiser un boycott s'ils n'obtenaient pas de changement. En réaction, les directeurs se sont rencontrés à huis clos pour discuter de la marche à suivre. Aucun représentant de la minorité n'a été invité à la réunion. Quand ils ont eu vent de cette réunion, les journalistes se sont sentis outragés. « Une fois de plus, ils nous montrent qu'ils n'ont rien à faire de notre avis. »

Confrontée à cette réaction, l'une des rédactrices en chef s'est sentie directement accusée et a cherché à clarifier les intentions qui avaient abouti à la réunion : « Je me rends compte que vous vous sentez exclus. Mais ce n'était pas notre intention. Il s'agissait simplement d'une réunion de directeurs qui cherchaient à trouver un moyen d'*intégrer* la voix des minorités. » La rédactrice en chef pensait que tout était clair, dès lors qu'elle avait explicité les motivations de la direction. Mais rien n'est aussi simple. Ces justifications étaient importantes, mais le *sentiment* d'exclusion des journalistes existait, en dehors de toute réalité des faits, et cela comptait également. Il faut du temps et un vrai travail de réflexion, de part et d'autre, pour surmonter de telles impressions.

Éviter ces deux erreurs

Bonne nouvelle : il est possible d'éviter les deux erreurs qui gravitent autour des intentions et de l'impact.

Pour éviter la première erreur : séparez l'impact de l'intention

Comment Lori peut-elle éviter la faute qui consiste à attribuer à Léo des intentions qu'il n'a pas eues ? En premier lieu, elle doit simplement reconnaître qu'il existe une différence entre les répercussions entraînées par l'attitude de Léo et les intentions de ce dernier. Aucune évolution n'est possible si elle ne distingue pas ces deux réalités.

Pour dissocier l'impact des intentions, il faut que nous prenions conscience de la métamorphose immédiate de la formule « j'ai été blessé » en « tu as eu l'intention de me blesser ». Cela est possible si nous nous posons trois questions :

1. ACTION : Qu'est-ce qui a été dit ou fait par l'autre personne ?

2. RÉPERCUSSION : Quel a été l'impact de ses actes sur moi ?

3. SUPPOSITION : Sur la base de cet impact, quelle conclusion suis-je en train de tirer à propos des intentions de l'autre ?

Considérez votre opinion comme une hypothèse. Lorsque vous aurez clairement répondu à ces trois questions, vérifiez la justesse de votre présupposé. Pour l'instant, il s'agit seulement d'une hypothèse.

Distinction impact/intentions

JE CONNAIS	JE NE CONNAIS PAS
Mes intentions	Les intentions de l'autre
L'impact des actes de l'autre sur moi	L'impact de mes actes sur lui.

Votre hypothèse paraît fondée : vous savez ce qui a été dit ou fait. Mais comme nous l'avons vu, vous ne disposez pas de preuves suffisantes. Votre perception peut s'avérer juste ou fausse. En fait, votre réaction en dit peut-être aussi long sur vous que sur l'adversaire. Il se peut qu'une de vos précédentes expériences donne un sens spécial à sa conduite. Beaucoup de gens se rebiffent devant certaines taquineries, parce qu'ils ont été vexés, enfants, par des remarques de leurs frères et sœurs plus âgés. D'autres au contraire considèrent les plaisanteries (légères) comme un moyen d'entrer en contact avec les autres et de leur témoigner de l'affection. Cependant, au vu des enjeux, vous ne pouvez prendre le risque de faire reposer une accusation sur des données aussi ténues.

Exprimez ce que vous ressentez, et interrogez l'autre sur ses intentions. Vous pouvez recourir aux trois questions posées ci-dessus pour entrer dans le vif de la discussion difficile : racontez ce qu'a fait l'autre, dites-lui ce que vous avez ressenti, et expliquez la manière dont vous avez perçu son intention, tout en prenant soin de la désigner comme une hypothèse que vous êtes en train de vérifier et non comme une vérité que vous lui assénez.

Voyons comment cette initiative modifierait le début du dialogue entre Lori et Léo. Au lieu de débuter par une accusation, Lori peut d'abord cerner ce qu'a dit Léo, et l'effet de sa phrase sur elle :

> LORI : Tu sais, j'ai été blessée de t'entendre dire : « Ne te ressers pas. »
> LÉO : Ah bon ?
> LORI : Je t'assure.
> LÉO : J'essayais simplement de t'aider à tenir ton régime. Pourquoi t'es-tu sentie vexée ?
> LORI : Cela m'a mise mal à l'aise que tu le dises devant nos amis. Et puis, je me demande si tu l'as fait exprès pour m'embarrasser ou me blesser. J'ignore pourquoi tu agis comme ça, mais c'est ce que je pense quand cela arrive.
> LÉO : Je ne le fais certainement pas exprès. Je n'ai pas compris que cela te touchait à ce point. Parfois je me demande comment réagir quand tu te mets au régime…

La conversation ne fait que débuter, mais elle s'engage sur de meilleures bases que la première fois.

Ne faites pas semblant de n'avoir aucune hypothèse. Nous ne sommes pas en train de suggérer que vous devriez renoncer à vos premières impressions à propos des intentions de votre interlocuteur[trice]. Cela ne serait pas réaliste. Nous ne vous conseillons pas davantage de cacher ce que vous ressentez. Il s'agit tout au plus de désigner vos idées comme de simples suppositions sujettes à caution ou à modification. Lori ne dit pas « je n'ai aucune idée des raisons qui ont motivé ta remarque », ni « je sais que tu n'as pas voulu me blesser ». Cela ne serait pas sincère. Quand vous faites connaître la manière dont vous interprétez les intentions de l'autre, expliquez clairement que vous émettez des hypothèses, des suppositions, dans le but de vérifier si elles ont un sens pour lui.

Les réactions de défense sont inévitables. Bien sûr, même si vous agissez avec doigté, vous serez certainement confronté[e] à certaines réactions de défense. Le mécanisme des intentions et de l'impact est complexe, et les distinctions subtiles. Vous devez donc vous attendre à une résistance, et être prêt[e] à expliciter ce que vous voulez dire, ainsi que ce que vous ne cherchez pas à exprimer.

Plus vous délivrez l'autre de son envie de se défendre, plus il lui sera facile d'accepter ce que vous avez à dire et d'entrer dans le détail de ses propres motivations. Par exemple, vous pourriez indiquer : « J'ai été surprise de ce commentaire. Cela ne te ressemble pas… » En soulignant cette supposition (cela ne te ressemble pas), vous donnez du poids à l'information sur laquelle vous attirez l'intention de l'adversaire. S'il a mis quelque méchanceté dans sa phrase, votre remarque lui permettra de l'avouer plus facilement.

Pour éviter la seconde erreur : mettez-vous à l'écoute des sentiments et réfléchissez à vos intentions

Quand nous nous trouvons dans la position de Léo – celle de l'accusé – nous inclinons fortement à nous défendre : « Je ne l'ai pas fait exprès. » Nous protégeons nos intentions et notre personnage. Cependant, comme nous l'avons vu, c'est alors que commencent les ennuis.

Au-delà de l'accusation, écoutez les sentiments. Souvenez-vous : celui qui vous accuse exprime toujours deux idées distinctes. 1. Vous avez été animé de mauvaises intentions, et 2. Votre interlocuteur est frustré, ulcéré ou gêné. Ne faites pas l'impasse sur la première partie de l'accusation, car vous aurez envie d'y répondre. Mais n'oubliez pas non plus la deuxième partie. Et si vous *commencez* par écouter et par reconnaître les sentiments du camp adverse, avant de revenir à la question des intentions, cela facilitera considérablement votre dialogue tout en le rendant plus constructif.

Soyez prêt à réfléchir à la complexité de vos intentions. Au moment d'analyser vos motivations, essayez d'éviter de dire « je suis blanc comme neige ». C'est généralement ce que nous pensons, et cela se vérifie parfois. Mais la plupart du temps, le tableau est plus complexe.

Imaginons comment l'échange initial aurait pu tourner si Léo avait suivi cet avis face à Lori :

> LORI : J'ai vraiment détesté la manière dont tu m'as traitée ce soir devant tes amis.
> LÉO : La manière dont je t'ai traitée ? De quoi parles-tu ?
> LORI : À propos de la glace. Tu agis comme si tu te prenais pour mon père. Tu as besoin de me dénigrer ou de me contrôler.
> LÉO : On dirait que tu t'es vraiment sentie blessée.
> LORI : Et comment ! Qu'est-ce que tu crois ?
> LÉO : Eh bien, à ce moment-là, je me suis souvenu que tu suivais un régime, et j'ai pensé que je pouvais t'aider à t'y tenir. Mais je me rends compte maintenant que tu as été gênée par ma remarque parce qu'il y avait un public. Je me demande pourquoi ça ne m'a pas traversé l'esprit.
> LORI : Probablement est-ce que tu t'es senti obligé de dire quelque chose.
> LÉO : Oui, c'est possible. J'ai dû croire que tu n'arrivais pas à te poser des limites, et cela me fait réagir.

LORI : Sûrement. D'ailleurs, je me suis sans doute laissé entraîner au-delà de ce que je voulais.
LÉO : En tout cas, je suis désolé. Je n'aime pas te blesser. Réfléchissons à ce que je *devrais* dire ou faire dans des situations de ce genre.
LORI : Bonne idée…

* * *

Pour démêler ce qui se passe entre deux personnes, il est crucial de comprendre comment nous déformons les intentions de l'autre, et ce qui complique encore les confrontations. Cependant, un autre aspect de la discussion circonstancielle peut nous embarquer en eaux troubles, lorsque nous cherchons à déterminer qui est le coupable.

4

Abandonnez la culpabilité : misez sur les responsabilités partagées

L'agence de publicité qui vous emploie vous envoie dans le Colorado pour présenter ses produits aux responsables d'*ExtremeSport*, société de sportswear en pleine expansion et client potentiellement important. Au moment de commencer votre présentation, vous vous rendez compte que le contenu de votre attaché-case ne convient absolument pas au profil de cette société. Ébranlé, vous perdez vos moyens et votre discours devient confus, incertain. En un instant d'inattention, votre assistante, qui prépare vos dossiers, a réduit à néant plusieurs semaines de travail acharné.

A nos yeux, la faute est clairement imputable à l'autre

Vous rejetez les torts sur votre secrétaire, parce qu'elle constitue une cible facile, parce que vous souhaitez faire savoir que vous n'êtes pas responsable, et que cela vous permet de sauver la face, mais aussi parce c'est tout simplement la vérité.

Quand, finalement, vous discutez avec votre assistante pour déterminer ce qui s'est passé, vous pouvez procéder de deux manières. Vous pouvez l'accuser explicitement, en disant, par exemple : « Je ne comprends pas comment vous avez pu laisser arriver une chose pareille ! » Ou bien vous pouvez vous montrer moins agressif (surtout si vous avez appris que les accusations ne vous aident pas), et la blâmer implicitement, en disant quelque chose de moins menaçant comme « faisons mieux la prochaine fois ». De toute façon, elle recevra le message et saura que la faute retombe sur elle.

Nous sommes pris dans la toile de la culpabilité

La culpabilité joue un grand rôle dans de nombreuses discussions difficiles. À tous les niveaux, le dialogue tourne autour de la question de savoir qui est à blâmer. Qui est le mauvais joueur dans cette relation ? Qui a commis l'erreur ? Qui devrait présenter des excuses ? Qui a le droit d'être indigné ?

Nous avons tort de nous concentrer sur la culpabilité. Et ce n'est *pas* parce qu'il est difficile d'en parler. *Ni* parce que cette pratique risque d'endommager une relation *ni* parce qu'elle peut provoquer chagrins et souffrance. De nombreux sujets sont difficiles à aborder et entraînent des effets secondaires négatifs. Il est cependant nécessaire de les traiter.

Il n'est pas bon de se concentrer sur l'accusation parce que *celle-ci nous empêche d'apprendre quelle est la véritable source du problème et d'entreprendre quoi que ce soit d'utile pour le corriger*. Par ailleurs, le reproche est souvent inefficace et injuste. Le besoin d'accuser est littéralement lié à un malentendu sur l'origine de la difficulté qui surgit entre vous et l'autre partie ou à la peur d'*être* accusé. Trop souvent, nous fustigeons l'adversaire pour éviter de parler directement de ce qui nous a blessés.

Cependant, il ne suffit pas de dire : « Ne rejetez pas la faute sur les autres. » Nous ne pouvons nous empêcher de blâmer autrui avant de comprendre ce qu'est le blâme, pourquoi nous cherchons à accuser, et comment passer à une pratique qui servira mieux nos objectifs. Cette pratique relève du concept de *responsabilité partagée*. La distinction entre le reproche et la responsabilité partagée n'est pas toujours facile à saisir, mais elle est essentielle pour améliorer notre gestion des discussions difficiles.

Faites la différence entre accusation et responsabilité partagée

Fondamentalement, l'accusation repose sur le *jugement* et la responsabilité partagée sur la *compréhension*.

L'accusation repose sur le jugement et elle vise le passé

Quand nous cherchons à savoir « qui est à blâmer », nous posons, en réalité, trois questions en une. Premièrement, cette personne a-t-elle provoqué le problème ? L'intervention (ou la passivité) de votre assistante vous a-t-elle conduit à trouver les mauvais documents ? Deuxièmement, si tel est le cas, comment les actions de cette personne devraient-elles être jugées par rapport à un certain modèle de comportement ? L'assistante est-elle incompétente, irrationnelle, négligente ? Et troisièmement, si le jugement est négatif, comment devrait-elle être punie ? Va-t-on la couvrir d'opprobre ? Ou peut-être la licencier ?

Quand nous déclarons : « C'est votre faute », nous répondons simultanément à ces trois questions. Nous cherchons non seulement à dire que vous êtes la source de tous ces ennuis, mais aussi que vous vous êtes mise en tort et que vous devez être punie. Il n'est pas étonnant que le blâme porte autant à conséquence, et que vous soyez prompte à vous défendre quand vous le voyez poindre.

Si vous faites un reproche à quelqu'un, attendez-vous à susciter une réaction de défense, des émotions fortes, des interruptions, et des controverses autour de la notion de « bonne assistante », d'« épouse modèle » ou de « personne sensée ». La personne qui est placée dans le rôle de l'« accusé[e] » réagira comme tous les accusés : elle se défendra bec et ongles. Si l'on considère ce qui est en jeu, il est facile de voir pourquoi ce genre d'échange tourne souvent au pugilat.

La responsabilité partagée repose sur la compréhension, et elle est tournée vers l'avenir

La responsabilité partagée pose certaines questions qui ressemblent aux premières, mais s'en distinguent. Premièrement : « Comment avons-nous contribué *tous les deux* à la situation actuelle ? » ou si l'on veut : « Comment nous sommes-nous mis dans ce pétrin ? » Deuxièmement : « Maintenant que nous avons compris que nous avons participé conjointement au problème, comment pouvons-nous changer la situation ? Que pouvons-nous faire pour avancer ? » Bref, la responsabilité partagée est utile quand nous nous donnons pour objectif de déterminer ce qui s'est réellement passé, afin d'améliorer nos chances de collaborer à l'avenir. Dans le monde des affaires et des relations personnelles, nous nous contentons trop souvent d'incriminer autrui alors que nous voudrions, au bout du compte, comprendre et changer.

En guise d'illustration, revenons à *ExtremeSport* et imaginons deux conversations différentes entre vous et votre assistante. La première se concentre sur l'accusation, et la seconde sur la responsabilité partagée.

> VOUS : Je voulais vous parler de ma visite chez *ExtremeSport*. Vous avez mis les mauvais dossiers dans mon attaché-case. Je me suis trouvé dans une situation extrêmement gênante, et j'ai eu l'air ridicule. Nous ne pouvons tout simplement pas travailler de cette manière.
> ASSISTANTE : Je l'ai appris. Je suis terriblement désolée. Je… enfin, vous n'avez probablement pas envie d'entendre mes excuses.
> VOUS : Je ne comprends pas comment vous avez pu laisser arriver une chose pareille.
> ASSISTANTE : Je suis *vraiment* désolée.
> VOUS : Je sais que vous ne l'avez pas fait exprès, et je vois que vous le regrettez, mais je ne veux plus que cela se produise. Comprenez-vous ce que je suis en train de dire ?
> ASSISTANTE : Cela n'arrivera plus. Je vous le promets.

Les trois éléments de l'accusation sont réunis : vous avez provoqué cette situation, je vous juge mal, et je déclare implicitement que vous serez punie d'une manière ou d'une autre, surtout si le cas se représente.

Une discussion axée sur la responsabilité partagée pourrait ressembler à celle-ci :

> VOUS : Je voulais vous parler de ma visite chez *ExtremeSport*. Quand je suis arrivé, je n'ai pas trouvé les bons documents dans mon attaché-case.
> ASSISTANTE : Je l'ai appris. Je suis absolument désolée. Cela me met dans tous mes états.
> VOUS : J'entends bien. Moi aussi, je me sens très mal. Faisons le bilan et voyons comment cela a pu arriver. Je pense que nous avons contribué tous les deux à ce problème. De votre point de vue, ai-je fait quelque chose qui sort de l'habitude ?
> ASSISTANTE : Je n'en suis pas sûre. Nous étions sur trois dossiers en même temps, et quand j'ai voulu savoir de quels documents vous aviez besoin pour démarcher la seconde entreprise, avant *ExtremeSport*, vous vous êtes mis en colère. Je sais que je suis censée savoir quels sont les papiers nécessaires, mais parfois les choses se bousculent, et je ne m'y retrouve plus.
> VOUS : Si vous n'êtes pas sûre, vous devriez toujours demander. Mais j'ai l'impression, d'après ce que vous me dites, que je ne vous facilite pas toujours la tâche.
> ASSISTANTE : Il est vrai que je me sens parfois intimidée. Quand vous êtes vraiment débordé, vous donnez l'impression de ne pas vouloir être dérangé. Le jour où vous êtes parti, vous étiez de ce genre d'humeur. J'ai essayé de ne pas me mettre en travers de votre chemin, parce que je ne voulais pas ajouter à vos soucis. J'avais prévu de vérifier de quels documents vous aviez besoin à la fin de votre conversation téléphonique, mais, à ce moment-là, il m'a fallu courir au centre de photocopies. Après votre départ, je me suis souvenue de cette tâche, mais je savais que vous vérifiez généralement le contenu de votre attaché-case, alors j'ai pensé que tout irait bien.
> VOUS : Oui, je le fais généralement, mais là, j'étais débordé, et j'ai oublié. Je pense que vous devrions vérifier tous les deux, chaque fois. Et quand je suis de cette humeur, je sais que j'ai du mal à communiquer, il faut que j'apprenne à être moins impatient et moins abrupt. Mais si vous n'êtes pas sûre de quelque chose, il faut que vous posiez des questions, quelle que soit mon humeur.
> ASSISTANTE : Vous voulez donc que je vous interroge même si je pense que cela vous embêtera de répondre ?

VOUS : Oui, j'essaierai d'être moins irritable. Pouvez-vous faire ça ?
ASSISTANTE : Il est vrai que c'est plus facile quand nous pouvons parler. Je comprends à quel point c'est important.
VOUS : Vous pouvez même vous référer à cette conversation, et me dire par exemple : « Je sais que vous êtes sous pression, mais vous m'avez fait promettre de vous interroger... » Ou dites simplement : « Vous m'avez promis de ne plus jouer les casse-pieds ! »
ASSISTANTE (rire) : Bon, c'est d'accord.
VOUS : Et nous pourrions aussi réfléchir au moyen de faire mieux coïncider mes rendez-vous avec nos objectifs de campagne...

Au cours de la seconde discussion, votre assistante et vous avez commencé à cerner la manière dont vous avez tous les deux contribué au problème, et à l'enchaînement de vos réactions : vous vous sentez angoissé et inquiet à propos de la prochaine visite en entreprise, et vous agressez votre assistante. Elle pense que vous ne voulez pas être dérangé, et se met en retrait. Une erreur se glisse dans cette faille. Ainsi, lors du rendez-vous suivant, vous êtes encore plus anxieux et soucieux, parce que vous n'êtes plus certain de pouvoir compter sur votre assistante. Vous devenez cassant et de plus en plus inaccessible, pendant que vos échanges continuent de s'éroder. Les problèmes se multiplient.

En travaillant sur le système d'interaction que vous avez créé tous les deux, vous voyez ce que chacun d'entre vous doit faire pour éviter ou changer cet engrenage à l'avenir. Contrairement au premier, le second dialogue est susceptible de produire un changement durable dans votre travail commun. De fait, le premier échange risque de renforcer le problème. Comme il est partiellement lié au fait que votre assistante craint de vous parler de peur de provoquer votre colère, une discussion axée sur l'accusation tendra à aggraver cette tendance. Si ce scénario se répète, votre collaboratrice finira par conclure qu'il est impossible de travailler avec vous, et vous la jugerez incompétente.

La responsabilité partagée est collective et interactive

Il faut faire preuve d'esprit critique pour se concentrer à la fois sur les responsabilités partagées du cadre et de son assistante, pour miser sur la compréhension plutôt que sur le jugement. Ce n'est pas seulement une question de justice, mais un moyen de mieux s'adapter à la réalité. En règle générale, quand les choses tournent mal dans les relations humaines, toutes les personnes concernées y ont contribué d'une manière importante.

Bien sûr, ce n'est pas généralement sous cet angle que nous *vivons* les choses. Bien souvent, nous considérons qu'un seul sujet a agi, que la difficulté nous est entièrement imputable ou (plus souvent) entièrement imputable à l'autre.

Cela n'est simple que dans les films de série B. Dans la vie réelle, les causes présentent une plus grande complexité. Il y a co-incidence, et tous les participants sont impliqués. Dans un match de baseball, par exemple, le « lanceur » est placé devant celui qui reçoit la balle (« le batteur »). Si le batteur frappe à côté de la balle à un moment crucial, il expliquera probablement qu'il n'a pas bien vu, que sa blessure au poignet le gêne toujours ou qu'il n'a pas réussi à se placer correctement. De son côté, le lanceur décrira sans doute le coup en disant : « Je voyais bien qu'il n'allait pas frapper droit, alors j'ai envoyé une balle rapide », ou : « Je me trouvais sur une base intermédiaire. J'ai su que j'allais le tromper avant même qu'il ne se mette en position. »

Qui a raison, le batteur ou le lanceur ? Les deux, bien sûr, pour une part au moins. La trajectoire de la balle résulte de l'interaction entre les deux joueurs. Selon la perspective que vous adoptez, vous pouvez vous concentrer sur le geste de l'un ou de l'autre, mais il faut qu'ils interviennent tous deux pour obtenir un résultat.

Il en va de même dans les discussions difficiles. Mis à part certains cas extrêmes, quand il est question par exemple de violences infligées à des enfants, presque toute situation débouchant sur un affrontement verbal résulte d'un système d'actions conjuguées. En faisant converger l'attention sur un seul des protagonistes, vous dissimulez ce système au lieu de le mettre en évidence.

Les coûts de la logique de culpabilité

De fait, il existe des situations où il est non seulement important, mais essentiel, de se concentrer sur l'idée de la faute. Le droit est conçu pour sanctionner les crimes et délits, à la fois dans les juridictions civiles et pénales. L'attribution publique d'un blâme, en référence à un ensemble cohérent de règles légales ou morales, indique la conduite à tenir et définit le concept de justice.

Le blâme sacrifie la compréhension

Cependant, toute situation qui requiert l'attribution d'une faute entraîne certains coûts. Lorsque le spectre du châtiment – légal ou autre – se dresse, il devient plus difficile d'établir la vérité sur ce qui s'est passé. Évidemment, les protagonistes sont moins ouverts, moins bien disposés, moins prêts à s'excuser. Après un accident de voiture, par exemple, un fabricant d'automobiles menacé de poursuites juridiques sera peu enclin à améliorer la sécurité de ses véhicules, parce que cela équivaudra à reconnaître qu'il devait appliquer ces mesures *avant* l'accident.

Les commissions de « vérité et réconciliation » sont souvent constituées à cause de ce petit jeu de désignation du coupable, pour retrouver ce qui s'est véritablement passé. La commission de vérité et réconciliation offre la clémence en échange de la sincérité. En Afrique du Sud, par exemple, nous n'en saurions pas autant sur les exactions commises sous le régime de l'apartheid si les enquêtes policières et les jugements avaient été les seuls outils de connaissance.

Le blâme freine les solutions

Si le chien a disparu, qui est le coupable ? La personne qui a ouvert la porte ou celle qui n'a pas pu retenir l'animal par le collier ? Devons-nous en discuter ou chercher le fuyard ? Quand la baignoire déborde et abîme le plafond de la salle à manger qui se trouve dessous, devons-nous en faire le reproche au baigneur négligent ? À l'épouse qui l'a appelé pour lui demander un service ? Au fabricant qui a équipé la baignoire d'un trop-plein d'une taille insuffisante ? Au plombier qui a omis de le signaler ? La réponse relative aux *responsabilités partagées* se trouve dans toutes ces formules réunies. Si votre véritable objectif consiste à retrouver le chien, à réparer le plafond et à empêcher que de tels incidents se reproduisent, vous perdez votre temps à vous concentrer sur la faute commise. Cela ne vous aide ni à assimiler le problème passé ni à le résoudre à l'avenir.

Le blâme peut camoufler un système défaillant

Même si la punition semble appropriée, elle mène au désastre quand elle se substitue à une réflexion sur ce qui n'a pas fonctionné correctement. Le vice-président de la Commodity Corporation avait décidé de construire un nouveau site pour augmenter les profits de l'entreprise. Non seulement cette mesure n'a pas permis d'augmenter les bénéfices, mais elle les a réduits, en provoquant une augmentation de la masse d'articles disponibles sur le marché. Au moment où la décision initiale de construire la nouvelle usine a été prise, plusieurs personnes avaient prédit, en privé, cette évolution, mais n'avaient pas pris la parole pour le faire savoir.

En réaction à cette situation, la direction a licencié le vice-président et a embauché un nouveau responsable stratégique. L'éviction de celui qui avait pris une mauvaise décision et la nomination d'un « meilleur » sujet ont laissé penser que le problème de gestion était réglé. Mais si la société a remplacé un « rouage » du système de responsabilités partagées, elle n'a pas su étudier ce système dans son ensemble. Pourquoi ceux qui avaient auguré l'échec sont-ils restés silencieux ? Quels avantages implicites ont encouragé cette pratique ? Quelles structures, quelles mesures et quels processus continuent de favoriser la prise de décisions erronées, et que faudrait-il pour modifier ces données ?

Le fait de changer l'un des pions du système donne parfois de bons résultats. Mais lorsque cette décision sert à éviter de réfléchir à un schéma de responsabilité global, les coûts peuvent être terriblement élevés.

Les bénéfices d'une meilleure compréhension de notre responsabilité

Fondamentalement, le recours au blâme complique les discussions difficiles, la compréhension du système de contribution les facilite et les rend plus productives.

Il est plus facile d'admettre notre responsabilité

Joseph dirige à l'étranger l'une des filiales d'une multinationale. Il se sent particulièrement frustré par l'incapacité ou le refus de la maison mère de communiquer efficacement avec lui. Joseph n'est prévenu des changements de cap que lorsque ceux-ci ont été décidés, et souvent, il est informé par ses clients (voire par le journal, dans un cas précis !) du travail que sa propre société entreprend dans sa région. Joseph décide de poser le problème aux responsables de la maison mère.

Avant qu'il ne puisse le faire, l'un de ses supérieurs souligne le rôle qu'a tenu Joseph dans l'apparition de ce problème. Joseph a installé un système informatique incompatible avec celui qui est en place au siège principal de l'entreprise. Et il prend rarement l'initiative de poser le genre de questions que l'on attend de lui. Malheureusement, au lieu d'admettre qu'il a contribué à cette logique, Joseph tombe dans le schéma accusatoire et commence à se demander si la faute relève de sa responsabilité ou de celle de la maison mère. Au bout du compte, il ne pose pas la question qu'il avait en tête, et sa frustration se prolonge.

Le schéma accusatoire fait porter une lourde charge. Pour oser soulever un problème, vous devez pouvoir penser que les autres sont en tort, et que vous n'y êtes pour rien. Comme vous avez toujours contribué à la situation, d'une manière ou d'une autre, vous préférez ne rien dire. Et c'est dommage, parce que vous perdez ainsi l'occasion de comprendre pourquoi la communication ne fonctionne pas, et comment vous pouvez l'améliorer.

La reconnaissance de nos responsabilités favorise l'apprentissage et le changement

Imaginez un couple. L'épouse a commis un adultère. Les accusations volent bas et la question de la faute est posée. Après en avoir douloureusement débattu avec lui-même, le mari décide de ne pas rompre, à condition qu'une telle infidélité ne se reproduise plus. Il y a résolution apparente, mais quels sont les enseignements que chacun des membres du couple a tirés de cette expérience ? Aussi univoque qu'un problème puisse paraître, il suppose souvent une contribution de la part des deux partenaires. À moins que ces responsabilités ne soient démêlées, les contrariétés et les schémas répétitifs qui ont provoqué la difficulté se reproduiront. Il est nécessaire de poser certaines questions : Le mari écoute-t-il sa femme ? S'attarde-t-il à son travail ? Son épouse se sent-elle triste, solitaire, délaissée ? Si tel est le cas, pourquoi ?

Et pour comprendre le système, le couple doit s'interroger plus avant : Si le mari n'écoute pas sa femme, qu'a-t-elle fait pour contribuer à cette situation ? Que dit-elle, que fait-elle qui favorise le retrait ou la négligence ? Travaille-t-elle tous les week-ends ou se ferme-t-elle comme une huître quand elle se sent contrariée ? Comment leur relation fonctionne-t-elle ? Si les partenaires veulent assimiler les facteurs qui ont contribué à l'infidélité, ils doivent explorer ces questions, et déterminer leurs contributions.

Trois malentendus à propos des responsabilités partagées

Trois malentendus courants peuvent surgir, qui barrent l'accès aux avantages du concept de responsabilités partagées.

Erreur n° 1. Je dois me concentrer uniquement sur ma responsabilité

Parfois, on pense que la nécessité de se pencher sur le système de responsabilités partagées équivaut à négliger la participation de l'autre pour se concentrer sur la sienne. C'est une erreur. *En trouvant votre point d'intervention, vous ne niez en rien celui de l'autre*. Il a fallu deux personnes pour créer ce problème. Il en faudra probablement deux pour le résoudre.

Reconnaître que tous les participants ont contribué à la situation ne signifie pas qu'ils y aient également participé. Vous pouvez être responsable à 5 % ou à 95 %, il n'en reste pas moins que vous avez concouru à la difficulté. Bien sûr, il n'est pas facile de quantifier la participation, et la plupart du temps, cela ne sert pas à grand-chose. Le but, c'est de comprendre, pas de calculer les pourcentages.

Erreur n° 2. Si je renonce à l'accusation, je renonce à mes sentiments

Lorsque vous cherchez à repérer la logique des responsabilités partagées au lieu de vous concentrer sur la faute commise, vous ne devez pas mettre vos émotions profondes de côté. Parce que vous, comme l'autre personne, savez que vous avez tous deux contribué au problème, il est essentiel que vous exprimiez vos sentiments.

De fait, la tentation d'attribuer les torts est souvent stimulée par les émotions intenses qui restent sous le boisseau. Lorsque vous apprenez la trahison de votre femme, vous avez envie de dire : « Tu détruis notre mariage ! » « Comment as-tu pu commettre un acte aussi stupide et blessant ? » Là, vous vous concentrez sur le reproche pour donner le change à vos sentiments. Si vous parlez plus clairement de vos émotions profondes : « Je me sens dévasté par ce que tu as fait » et : « Ma confiance est ébranlée », vous accordez moins de place au blâme. Au fil du temps, vous misez de nouveau sur l'avenir, cela vous libère et vous permet d'évoquer plus facilement et efficacement vos responsabilités partagées.

Si vous vous sentez animé d'un désir continu de condamner votre partenaire ou que vous voulez le/la forcer à admettre qu'il/elle a tort, vous trouverez peut-être un réconfort en vous demandant : « Quels sont les sentiments que je n'arrive pas à exprimer ? » et : « L'autre a-t-il reconnu mes sentiments ? » En explorant ce terrain, vous passerez naturellement d'un schéma d'accusation à un schéma de participation. Vous apprendrez probablement que vous cherchez avant tout à être compris et reconnu. Vous ne voulez pas que l'autre dise : « C'est ma faute », mais plutôt : « Je comprends que je t'ai blessé et j'en suis désolé. » La première phrase relève du jugement, et la seconde de la compréhension.

Erreur n° 3. L'exploration du schéma des responsabilités partagées équivaut au rejet de la faute sur la victime

Lorsque quelqu'un condamne la victime, il suggère que cette personne « a provoqué ce qui lui est arrivé », qu'elle l'a mérité et a même revendiqué son statut de victime. Souvent, cela est terriblement injuste et pénible, à la fois pour cette personne et pour les observateurs.

La recherche des responsabilités partagées ne relève en aucun cas du blâme. Imaginez que vous vous fassiez agresser un soir que vous marchez dans une ruelle sombre. Le partisan de l'accusation demande : « Qu'avez-vous fait de mal ? Avez-vous contrevenu à la loi ? Avez-vous agi de manière immorale ? Devriez-vous être puni[e] ? » À toutes ces questions, la réponse est « non ». Vous n'avez rien fait de mal, vous n'avez pas mérité de prendre des coups. Ce n'est pas votre faute.

Le partisan du schéma de responsabilités partagées pose des questions différentes : « Qu'ai-je fait qui a contribué à cette situation ? » Il est possible de trouver une participation, même dans des cas de figure où vous n'avez rien à vous reprocher. Vous avez, de fait, pris le risque de vous faire agresser en vous promenant seul[e] la nuit. Si vous aviez été accompagné[e] ou en groupe, la chose ne se serait vraisemblablement pas produite. Quand nous cherchons à punir quelqu'un, nous prenons l'agresseur. Pour vous aider à trouver votre place en ce monde, nous vous encourageons à cerner vos responsabilités. Vous n'êtes peut-être pas capable de changer les actions d'autrui, mais vous pouvez souvent modifier les vôtres.

Dans son autobiographie intitulée *Un long chemin vers la liberté*, Nelson Mandela raconte comment certaines victimes de longue date peuvent chercher à comprendre la manière dont elles ont contribué à leur problème. Voici ce qu'il a appris d'un Afrikaner :

> Le révérend André Scheffer servait la mission de l'Église réformée hollandaise en Afrique… Il avait un humour froid et aimait nous taquiner. « Vous savez », disait-il, « l'homme blanc a plus de mal que l'homme noir dans ce pays. Dès qu'un problème surgit, nous [les Blancs] devons trouver une solution. Mais dès que vous, les Noirs, êtes confrontés à un problème, vous avez une excuse. Il suffit que vous disiez "Ingabilungu"… [une expression de la langue xhosa qui signifie : "c'est la faute des Blancs"]. »
> Il nous disait que nous pouvions toujours rejeter les torts sur l'homme blanc. Ce qui signifiait que nous devions réfléchir pour accepter la responsabilité de nos actes, ce en quoi je l'approuvais.

Mandela ne blâme pas les Noirs de la situation à laquelle ils sont confrontés. Il les encourage à admettre la manière dont ils ont contribué aux problèmes existant en Afrique du Sud, s'ils souhaitent que la nation progresse.

En identifiant votre participation, vous apprenez que vous pouvez agir pour modifier le système. En changeant simplement votre comportement, vous agissez sur le problème.

Pour faire la part des choses, quatre responsabilités difficiles à cerner

Probablement ce concept de participation vous paraît-il raisonnable. Mais au moment où vous réfléchissez aux difficultés dans lesquelles vous êtes engagé, vous doutez : « Dans ce cas particulier, je ne vois pas en quoi ma responsabilité peut être impliquée. » Avec l'expérience, il devient plus facile de cerner votre participation. Et cela vous familiarise avec les quatre responsabilités courantes qui sont souvent négligées.

1. L'évitement

C'est l'une des façons les plus courantes de contribuer à une difficulté, et l'une des plus faciles à oublier. Vous avez laissé filer le problème sans vous en préoccuper. Depuis deux ans, votre mari tarde tous les jours à aller chercher les enfants à l'école, et vous ne lui avez jamais dit que cela vous dérangeait. Votre employeur piétine allégrement votre dignité depuis le début de votre contrat il y a quatre ans, mais vous avez choisi de ne pas le mentionner, alors que vous vous sentez ulcérée.

L'un des gérants de votre magasin mérite un avertissement ou devrait même être licencié. Mais son dossier est émaillé de « félicitations » qui lui ont été adressées il y a plusieurs années. Comment en êtes-vous arrivé là ? Partiellement parce que vous avez omis, par paresse, de noter ses récents écarts, mais surtout parce que vous et les autres responsables du magasin n'avez pas envie de provoquer une discussion pénible avec une personne aussi agressive. Par ailleurs, les dirigeants de votre société tolèrent et encouragent cette pratique.

L'une des formes d'évitement les plus symptomatiques consiste à aller se plaindre à une tierce personne au lieu d'affronter la personne qui provoque votre mécontentement. Cela vous procure un soulagement, mais place le nouvel interlocuteur en travers du chemin, alors qu'il ne peut vous aider. Il lui est impossible de se faire votre porte-parole, et s'il tente la manœuvre, le principal intéressé aura peut-être l'impression que le problème est si terrible que vous ne pouvez en discuter directement avec lui. D'autre part, si la tierce personne se tait, elle restera encombrée par votre version partisane et incomplète des événements.

Cela ne veut pas dire qu'il soit mauvais de solliciter l'avis d'un ami sur la manière d'engager une discussion difficile. Mais si vous le faites, tenez ce proche au courant de toute évolution de vos sentiments après la confrontation, de sorte qu'il ne reste pas focalisé sur une version tronquée du problème.

2. L'inaccessibilité

L'autre facette de ce silence consiste à adopter un style personnel qui maintienne les gens à distance. Vous contribuez au problème en restant indifférent, imprévisible, susceptible, cassant, punitif, hypersensible, raisonneur ou inamical. Bien sûr, il ne s'agit pas de savoir si ces qualificatifs vous caractérisent réellement ou si vous mesurez l'impact que vous avez sur les autres. Si quelqu'un a de vous cette impression, il se risquera moins à soulever la moindre question, et cela fera partie du système d'évitement qui s'instaurera entre vous.

3. Les points d'interférence

Les points d'interférence entre deux personnes résultent d'une simple différence de milieu, de préférences, de styles de communication ou d'idées reçues à propos des relations à autrui. Voyez le cas de Toby et de Eng-An, qui sont mariés depuis environ quatre mois. Leurs disputes sont toujours calquées sur le même modèle. Toby est généralement celui qui évoque un problème : qui doit faire le ménage ? pourquoi Eng-An ne l'a-t-elle pas défendu devant sa mère ? faut-il garder ou dépenser la prime de fin d'année ? Quand Toby en arrive au vif du sujet, Eng-An met fin à la discussion en disant : « Écoute, je n'ai pas envie de parler de ça en ce moment ! » et elle s'en va.

Quand Eng-An ferme les écoutilles ou qu'elle s'éloigne, Toby se sent abandonné et comme écrasé par le poids des difficultés auxquelles il doit faire face tout seul. Devant ses amis, il se plaint qu'Eng An soit « incapable de contrôler le moindre sentiment. Elle nie tout en bloc dès qu'une peccadille tourne mal ». Toby souffre de plus en plus de leur incapacité à prendre des décisions difficiles ou simplement à en parler.

Pendant ce temps, Eng-An se confie à sa sœur : « Toby m'étouffe. Tout prend un caractère d'urgence, tout doit être discuté *à la seconde*. Il ne prête aucune attention à mes états d'âme et ne se demande jamais si le moment est bien choisi pour discuter. Le soir qui a précédé mon examen de passage devant le jury, il a voulu à tout prix trouver la source du découvert de trois dollars qui était apparu sur notre compte en banque ! Il grossit sans cesse des problèmes minuscules et nous devons en discuter pendant des heures. »

Quand Toby et Eng-An finissent par discuter ouvertement de leur situation, ils comprennent que leurs expériences passées les ont menés à des conclusions contradictoires dans le domaine de la communication et des relations aux autres. Enfant, Toby a vu sa mère sombrer dans l'alcoolisme. Il était le seul membre de la famille qui était disposé à parler de ce qui se passait. Son père et ses sœurs s'étaient réfugiés dans le déni, avaient agi comme si de rien n'était, ignorant la dérive de cette femme, et s'accrochant sans doute inconsciemment à l'idée que les choses s'arrangeraient d'elles-mêmes. La suite ne leur avait pas donné raison. De ce fait, probablement, Toby est très soucieux de régler les problèmes dès qu'ils surviennent pour préserver sa relation avec Eng-An.

Tout était différent dans la famille de la jeune femme. Le frère d'Eng-An est handicapé mental, et toute la vie tournait autour de son emploi du temps et de ses besoins. Eng-An aimait beaucoup son frère, mais elle avait parfois besoin de répit pour se protéger du climat affectif qui l'entourait, fait de soucis, de crises et de soins permanents. Elle a appris à ne pas réagir trop vite aux problèmes potentiels et a lutté pour se ménager un équilibre au sein d'une famille soumise à rude épreuve. Les réactions de Toby à tout désaccord menacent cet espace de défense élaboré avec soin.

Nous voyons comment ces deux visions du monde créent un système d'interaction où Toby parle et où Eng-An se défend. Parce qu'il se réfère à un schéma d'accusation, Toby en a conclu que les difficultés provenaient d'Eng-An, coupable de « déni » et « incapable de gérer les sentiments ». Eng-An a décidé que la faute était imputable à Toby, qui « réagit de manière excessive » et « l'étouffe ». En passant à une logique de responsabilités partagées, le couple sera capable de démonter les éléments du système qui engendre leurs disputes, et pourra évoquer les mesures à prendre. Alors seulement la communication s'améliorera.

Toby et Eng-An ont eu la chance de se concentrer et d'agir à temps sur leurs points d'interférence. L'échec de cette opération peut être désastreux. En fait, la gestion des points d'interférence en termes de bien et de mal finit par détruire de nombreux liens.

Au début d'une relation, chacun des partenaires peut être aveuglé au point de ne détecter aucun défaut chez l'autre. Plus tard,

L'étude du schéma de responsabilités partagées

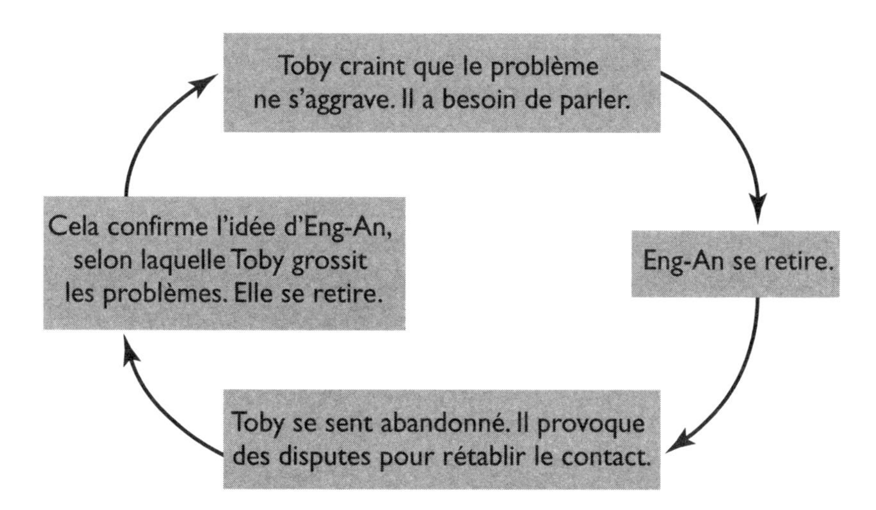

quand la relation s'approfondit, ils remarquent tous deux de petits dysfonctionnements dans le comportement du partenaire, mais ont tendance à ne pas s'en inquiéter outre mesure. Nous nous persuadons qu'au fil du temps l'autre nous observera, et qu'il apprendra à témoigner plus d'affection, de spontanéité ou acceptera de se plier aux contraintes d'un budget.

Le problème, c'est que les choses *ne changent pas*, parce que chacun attend *de l'autre* qu'il change. Nous nous demandons alors : « Ne m'aime-t-elle pas assez pour faire ce qui convient ? » « M'aime-t-il vraiment ? »

Tant que chacun continue à peser les choses en termes de bien et de mal, et qu'il refuse de mesurer les points d'interférence, il n'existe aucun moyen d'éviter la confrontation. Par contre, les relations réussies qui s'établissent à la fois dans le domaine privé et professionnel reposent sur la conscience que personne n'est à blâmer au moment où les points d'interférence se manifestent. Tout simplement, les gens sont différents. Si nous voulons que la relation se prolonge, nous devons parfois accepter des compromis et nous rencontrer à mi-chemin.

4. Les idées reçues sur le rôle de chacun

Dans le schéma des responsabilités partagées, un quatrième point délicat, souvent inconscient, touche au rôle que nous jouons dans une situation donnée. Lorsque nos idées préconçues diffèrent de celles des autres, nous pouvons voir surgir des points d'interférence comme ceux qui ont divisé Toby et Eng-An. Mais la conception de la mission de chacun peut poser un problème, même lorsqu'elle fait l'objet d'un consensus.

Les proches de George connaissaient tous leur place dans la dynamique familiale. George, âgé de sept ans, était chargé de jouer les trublions, par exemple en faisant sonner une cuillère contre le plat du chien. La mère de George disait à son mari : « Ne peux-tu dire à ce gamin de s'arrêter ? » Après quoi le père de George criait : « Arrête ! » George sautait en l'air, et se mettait peut-être à pleurer, et sa mère se retournait alors contre son mari en disant : « Tu n'avais pas besoin de crier comme ça. » Le père soupirait et se remettait à lire le journal. Au bout de quelques minutes, George trouvait un nouveau moyen énervant de se faire remarquer, et le processus se répétait. Les membres de cette famille ne trouvaient *aucun plaisir particulier* à reproduire cette dynamique, mais elle les aidait à créer le contact.

De toute évidence, ce genre de liens émotionnels, qui impose de se battre pour se témoigner de l'amour, a ses limites. Pourtant, il est très répandu, comme d'autres dynamiques discutables, au sein des familles et sur les lieux de travail. Pourquoi ? Tout d'abord parce qu'en dépit des problèmes qu'il génère, il produit un schéma rassurant, et que les membres du groupe veillent à ce que chacun tienne sa place. Ensuite, parce qu'il ne suffit pas de repérer et de reconnaître les limites d'un schéma de responsabilités partagées pour parvenir à le modifier. Les personnes concernées doivent trouver un autre moyen d'obtenir des avantages équivalents. George et ses parents ont besoin de trouver une meilleure méthode pour se témoigner de l'affection et rester proches les uns des autres. Et cela suppose certainement beaucoup d'efforts dans les discussions à enjeux émotionnels et identitaires.

Dans une entreprise, cela explique pourquoi les gens ont du mal à renouveler leurs méthodes de travail, même s'ils sont conscients des contraintes liées à certains préjugés, résumés par des formules du genre : « Les décideurs prennent des décisions, les subordonnés les mettent en pratique. » Pour améliorer l'interaction avec leurs collègues, ils ont besoin d'un nouveau modèle, jugé meilleur, qui suscitera un consensus, *mais aussi* des techniques nécessaires pour mettre ce modèle en œuvre, et le faire fonctionner au moins aussi bien que le modèle précédent.

Deux outils pour cerner nos responsabilités

Si vous ne parvenez pas encore à cerner vos responsabilités, essayez l'une des deux approches suivantes.

L'inversion des rôles

Demandez-vous : « En quoi les autres pensent-ils que je participe au problème ? » Faites comme si vous étiez dans le camp adverse et répondez à cette question à la première personne : je fais ceci… mon… Le fait de vous voir dans les yeux d'autrui pourra vous aider à discerner ce que vous faites pour perpétuer le système.

La position de l'observateur

Prenez vos distances et étudiez le problème comme si vous y étiez extérieur. Imaginez que vous soyez le conseiller à qui on ferait appel pour aider les gens à mieux assimiler leurs difficultés. Comment décririez-vous le rôle de chacun d'une manière neutre, non sectaire ?

Si vous avez du mal à sortir de votre peau pour prendre cette place, demandez à un ami de le faire. Si ses conclusions vous surprennent, ne les rejetez pas immédiatement. Imaginez plutôt qu'elles sont justes. Demandez-vous si cela est possible, et ce que cela signifie.

Pour passer du blâme à la participation. Un exemple

Vous ne parviendrez pas à passer en un clin d'œil du système d'accusation au schéma des responsabilités partagées. Cela demande des efforts soutenus et une certaine opiniâtreté. Vous noterez que vous, comme les autres, retomberez à plusieurs reprises dans le piège des reproches, et il vous faudra faire preuve de vigilance pour corriger sans cesse votre trajectoire.

Sydney l'a appris à l'époque où elle dirigeait une équipe d'ingénieurs chargés d'une mission de conseil au Brésil. Elle était la seule femme impliquée dans ce projet, et encadrait des personnes qui avaient environ quinze ans de plus qu'elle. L'un des ingénieurs, Miguel, lui était particulièrement hostile. Pour vaincre cette résistance, elle lui a confié la cogestion d'un certain nombre de tâches secondaires. Après avoir mené plusieurs travaux à bien ensemble, Miguel et Sydney se sont sentis plus à l'aise face au style et aux compétences de l'autre.

Un soir, au cours d'un dîner de travail au restaurant de l'hôtel, Miguel a changé la donne. « Tu es très belle », a-t-il déclaré à Sydney. « Et nous sommes si loin de chez nous. » Il s'est penché par-dessus la table et lui a caressé les cheveux. Mal à l'aise, Sydney a suggéré « d'en revenir aux chiffres ». Elle a évité son regard et a rapidement bouclé la question du travail.

Les avances de Miguel se sont répétées au fil des jours suivants. Il se tenait près de Sydney, lui accordait davantage d'attention qu'aux autres membres de l'équipe, sollicitait ses conseils en toute occasion. Miguel n'exprimait aucune invitation directe à un engagement physique, mais Sydney s'interrogeait sur ses intentions.

Au départ, comme chacun de nous, Sydney s'est réfugiée dans un schéma d'accusation. Elle a jugé cette conduite déplacée et s'est sentie victimisée. Mais les reproches s'accompagnaient de doutes. Au moment où Sydney allait rassembler son courage pour dire à Miguel que son comportement était inconvenant, elle s'est demandé si elle n'exagérait pas le problème ou si elle ne se méprenait pas sur les intentions de Miguel. Après tout, elle était probablement confrontée à une simple différence de code culturel.

Sydney craignait aussi de tout envenimer en faisant des reproches à Miguel. « La situation est gênante mais gérable », pensait-elle. « Si je lui dis que je réprouve sa conduite, il risque de se mettre en colère, de perturber l'équipe ou de commettre un acte qui mettra la mission en danger. Ce projet constitue ma priorité. » En continuant à raisonner en termes de faute, Sydney maintenait les enjeux de la discussion à un niveau terriblement élevé.

Établissez le schéma des responsabilités partagées

Pour s'abstraire du système d'accusation, il faut d'abord réorienter la perception de la situation. Vous pouvez commencer par établir un diagnostic en réfléchissant à la manière dont vous avez contribué au problème. Certains d'entre nous tendent à se focaliser sur la participation de l'autre et ont beaucoup de mal à se remettre en cause. D'autres se considèrent systématiquement comme des victimes innocentes. Quand les choses tournent mal, ce n'est jamais leur faute. La prédisposition inverse existe chez certains individus trop conscients de leurs défauts. Face à leurs travers, les actions des autres paraissent insignifiantes. Ces personnes ont tendance à se croire responsables de tout.

Si vous connaissez vos prédispositions, vous pouvez mieux les combattre, et cela vous permet de dresser un tableau nuancé de la manière dont vous contribuez au système. Pour comprendre un schéma de responsabilités partagées, vous devez en assimiler toutes les composantes.

Quelle est la responsabilité de l'autre ? Il est relativement facile de cerner la participation de Miguel. Il exprime un penchant, mais ne parvient ni à éclaircir ses intentions ni à définir la portée de son élan. Il choisit de rester souvent avec Sydney, d'investir plus de temps et d'énergie avec elle qu'avec ses collègues, de laisser deviner ses sentiments pour elle. Il décide (consciemment ou inconsciemment) d'ignorer les signaux indirects que Sydney lui envoie. Elle change de sujet, modifie la répartition des tâches, prend ses distances. Il suit. Il préfère ne pas s'informer sur ce qu'elle ressent en face de cette situation.

Miguel n'est sans doute pas conscient du malaise de Sydney. Ses actions sont-elles critiquables ou non ? Serait-il juste ou injuste de le punir ? Ce sont là des questions qui n'entrent pas dans la logique des responsabilités partagées. Les aspects qui comptent sont les pièces du puzzle qui viennent de Miguel.

Quelle est ma responsabilité ? La participation de Sydney ne commence à émerger que lorsque nous parvenons à nous extraire du schéma d'accusation. Elle s'est montrée particulièrement attentive aux réticences initiales de Miguel et a consenti des efforts particuliers pour travailler avec lui. Cette décision peut avoir été interprétée comme le signe d'un intérêt spécifique. Sydney a évité d'expliquer à Miguel – au moins directement – qu'elle se sentait mal à l'aise. Que les actes de Sydney soient justifiés ou compréhensibles, ils ont contribué à la situation actuelle. Cela permet de mieux concevoir pourquoi Miguel continue d'agir comme il le fait.

Liste des responsabilités partagées

MES RESPONSABILITÉS	SES RESPONSABILITÉS
• J'ai accordé dès le départ une attention toute particulière à M. • J'ai modifié mes plans pour travailler avec lui sur une base égalitaire. • Je ne lui ai pas dit que j'étais mal à l'aise.	• Il me déclare son amour, réclame que nous passions plus de temps en tête à tête. • Ne manifeste pas clairement ses intentions. • Ne reçoit pas ou ignore mes signaux indirects. • Ne me demande pas si ses suggestions me mettent mal à l'aise.

Qui d'autre est impliqué ? Souvent, d'autres protagonistes participent au système. Par exemple, dans le cas de Toby et d'Eng-An, les familles jouent un rôle important. Dans le cas de Sydney, le reste de l'équipe peut avoir involontairement encouragé les projets de Miguel ou lui avoir fourni des occasions de les mettre en œuvre. Quand on explore un schéma de responsabilités partagées, il faut vérifier l'éventuelle interaction d'autres personnes.

Assumez vos responsabilités le plus tôt possible

Il peut être étonnamment facile d'évoquer les responsabilités partagées au cours d'une conversation. Par contre, vous aurez plus de mal à convaincre l'autre camp de passer du schéma d'accusation au schéma des responsabilités partagées. L'une des meilleures façons de montrer que vous ne cherchez pas de coupable consiste à reconnaître votre rôle dès le début de l'échange. Par exemple, Sydney pourrait dire à Miguel :

> Excuse-moi de ne pas t'avoir parlé plus tôt de ce problème, avant qu'il me tracasse à ce point. Je comprends aussi que j'ai peut-être envoyé un signal ambigu en décidant dès le début de te prendre pour assistant, même si je cherchais seulement à favoriser notre relation de travail. Comment as-tu réagi ?

Elle pourrait également demander : « Ai-je commis d'autres actes équivoques ou ai-je laissé croire que j'avais d'autres vues sur toi ? » Sydney recevrait de précieuses informations sur son propre impact, et cela fournirait à Miguel un cadre pour discuter de ses propres responsabilités partagées.

Vous craignez que cette pratique ne vous mette en position de faiblesse pendant toute la discussion. Que se passera-t-il si l'autre reste axé sur la faute, et se sent trop content de reconnaître vos responsabilités (« Je suis bien d'accord : tout est ta faute »), pour se montrer ensuite inflexible dans sa certitude qu'il n'a contribué en rien à la difficulté ?

C'est un souci essentiel, surtout si vous avez tendance à endosser tous les problèmes en règle générale. Vous prenez un risque en reconnaissant votre responsabilité. Mais la refuser vous expose également à certains aléas. Si Sydney commence par souligner les torts de Miguel, ce dernier adoptera une position défensive et aura l'impression que cette conversation injuste n'explore qu'un aspect de la question. Au lieu de reconnaître ses responsabilités, il sera probablement tenté de dévier le tir en présentant ses griefs. Lorsque vous assumez votre participation dès le départ, vous empêchez l'autre de s'en servir comme d'un bouclier pour nier ses propres responsabilités.

Si vous avez l'impression que l'accent est uniquement mis sur vous, rien ne vous empêche de le faire remarquer : « Il n'est pas juste de ne traiter que cet aspect de la question. Je ne vois pas la réalité sous ce jour. Il me semble que j'essaie de me placer des deux côtés de la barrière. Est-ce que mon attitude t'empêche de voir ce qui te concerne ? »

Aidez l'autre à comprendre sa responsabilité

Tout en assumant votre participation, vous pouvez aider l'autre à reconnaître ses responsabilités.

Explicitez vos observations et vos arguments. Pour vous assurer que vous travaillez sur la base des mêmes informations et que vous comprenez les interprétations proposées par l'autre, indiquez le plus précisément possible ce qu'il/elle a dit ou fait, et qui a provoqué votre réaction. Sydney pourrait dire, par exemple : « Quand tu m'as caressé les cheveux et que tu m'as demandé si nous pouvions aller nous baigner ensemble, je me suis interrogée sur tes intentions. Et je me suis demandé comment je devrais réagir si tu cherchais une aventure. »

De même, Toby pourrait dire à Eng-An : « Quand tu as quitté la maison la nuit dernière au beau milieu de notre dispute, je me suis senti furieux et abandonné. C'est pour ça que je t'ai fait des remarques désagréables le lendemain à propos du jus d'orange. J'avais besoin de rétablir le contact avec toi, même par le biais d'une dispute. » En soulignant les choses qui vous ont poussé à réagir, vous commencez à maîtriser les actions et les réactions qui entrent dans le schéma de participation.

Expliquez à l'autre ce que vous souhaitez qu'il fasse différemment. Vous avez décrit ce qui avait déclenché votre réaction. Maintenant, indiquez à l'autre en quoi il devrait changer son comportement à l'avenir, et expliquez comment cela *vous* aiderait à réagir différemment. Voici ce que pourrait dire le mari qui essaie de réparer sa relation avec sa femme adultère :

> Je veux apprendre à mieux t'écouter et cesser de te fuir. Cela m'aiderait, notamment, si tu me demandais de toi-même comment s'est passée ma journée, et si le moment est bien choisi pour parler. Parfois, je suis préoccupé ou angoissé par mon travail, et quand tu commences à raconter tes problèmes avec ton employeur, je me sens débordé et je n'écoute plus. En d'autres occasions, cela m'énerve, parce que j'ai l'impression que tu ne te soucies pas de ce qui se passe de mon côté. Donc, si tu poses la question, je pense que je serai mieux disposé à t'écouter. Y a-t-il là quelque chose qui te pose problème ?

En demandant à l'autre de modifier sa participation, *vous contribuez à changer la vôtre*, et cela peut être un puissant moyen de discerner ce qu'il a fait pour créer et perpétuer le problème. Et cela permet plus directement de concevoir le schéma de participation, de voir ce que chacun doit faire pour influencer et améliorer la situation.

* * *

Que vous parliez de vos versions contrastées de la réalité, de vos intentions ou de vos responsabilités, le problème n'est pas d'obtenir une bénédiction. Il est de mieux assimiler ce qui s'est passé entre vous, de sorte que vous puissiez commencer à parler de manière constructive de l'étape suivante.

Maintenant que la discussion circonstancielle a été démêlée, il nous faut aborder les deux autres. Les deux chapitres suivants sont consacrés aux discussions portant sur les sentiments et l'identité.

5

Cernez vos sentiments ou ils vous cerneront

Une mère entend un grand bruit dans la salle de séjour et se précipite vers son fils de quatre ans, qu'elle trouve posté à côté d'un vase brisé, et tenant une batte de base-ball à la main. « Que s'est-il passé ? » demande-t-elle. Contrit, le regard fuyant, le gamin répond : « Rien. »

Quand il est question de reconnaître des émotions intenses, nous adoptons souvent la stratégie de ce jeune garçon. En niant la présence de ces sentiments, nous espérons en éviter les conséquences. Mais nous avons à peu près les mêmes chances de cacher nos émotions que cet enfant de convaincre sa mère que le vase est intact. Les sentiments sont trop puissants pour rester sagement enfermés en nous. Ils se manifestent d'une manière ou d'une autre, surgissent subrepticement ou brutalement. Si on les aborde de biais et de manière peu sincère, ils empoisonnent la communication.

Les sentiments comptent : ils sont souvent au cœur des discussions difficiles

Bien sûr, ce sont les affects qui donnent toute leur richesse aux bonnes relations. Passion et fierté, humour et chaleur, voire jalousie, déception et colère nous montrent que nous sommes bien vivants.

En même temps, il peut être terriblement difficile de les maîtriser. Notre incapacité à les reconnaître et à en discuter complique de nombreuses discussions difficiles. Quand nous ne parvenons pas à parler ouvertement et clairement de nos sentiments, la qualité et la santé de nos relations s'en trouvent amoindries.

Max et sa fille Julie évoquent la somme qui sera dépensée pour le mariage de Julie. Cet entretien ne doit-il être consacré qu'à l'argent ? Si tel est le cas, Max et Julie peuvent simplement dresser une liste et rechercher des moyens de satisfaire leurs désirs. « Voilà. Nous allons dépenser deux mille dollars pour la salle, quinze cents pour le groupe, sept mille deux cents pour le repas, etc. » Fin du dialogue.

Mais ce n'est pas si simple. Cet échange prend un tour difficile et délicat, à la fois pour le père et la fille. Tous deux perdent patience, ont les nerfs à fleur de peau et sont prêts à accuser l'autre. Après tout, il n'est pas seulement question d'argent, mais de sentiments. Max est à la fois triste et heureux de cet événement – parce qu'il sait qu'il recevra bientôt moins d'attention de la part de sa fille, et parce qu'il est fier de son épanouissement. Pour la dernière fois à l'occasion de cette fête, sa fille ne sera que sa fille, et non la femme d'un autre homme. Il aime qu'elle lui pose des questions et lui demande conseil, comme elle le faisait quand elle était plus jeune.

Pour le meilleur et pour le pire, *cette conversation ne pourra se dérouler sans accroc tant que les sentiments ne feront pas surface*. Pourquoi ? Parce que l'on ne peut mener une discussion efficace sans évoquer ses principaux enjeux, et que les émotions constituent le point noir de l'échange. Quels que soient les trésors de diplomatie que déploieront le père et la fille pour savoir ce qu'il convient de dépenser, l'issue ne les satisfera que s'ils évoquent ce qu'ils ressentent.

Nous essayons de laisser nos sentiments de côté

Au départ, Max a essayé de décrire le problème en disant : « Ma fille et moi avons du mal à nous mettre d'accord sur ce que nous voulons investir dans son mariage. Elle voudrait certaines choses, et je respecte ses choix, mais je crois qu'il est possible de faire quelques économies. » Après en avoir discuté avec lui, nous avons finalement appris quels étaient les véritables sentiments en jeu.

Il s'agit d'une réaction commune : nous voulons considérer le problème sous son seul aspect matériel et nous estimons que cela requiert uniquement de l'habileté. Il semble plus évident de régler des difficultés concrètes que de parler de ses émotions.

Confrontés au dilemme d'aborder un problème ou de l'éviter, nous cherchons souvent à exclure les affects. Il nous paraît trop risqué de les partager : la mise nous semble disproportionnée. Quand nous posons nos émotions sur la table, nous encourons le risque de blesser les autres et de détruire la relation. Nous nous mettons également en position de vulnérabilité. Que se passera-t-il si l'autre ne prend pas nos sentiments au sérieux ou répond en nous disant quelque chose que nous ne voulons pas entendre ? En nous cantonnant « aux données objectives », nous croyons minimiser les risques.

Cependant, quand les émotions sont au cœur de l'action, qu'elles *constituent* le véritable sujet de la discussion, il est presque impossible de les ignorer. Dans de nombreuses discussions difficiles, c'est seulement au niveau des affects que le problème peut être traité. L'exclusion des sentiments risque de déboucher sur des résultats peu satisfaisants pour toutes les parties. Le véritable problème n'aura pas été cerné. De plus, les émotions ont le chic pour resurgir dans la conversation, généralement de manière peu constructive.

Les sentiments réprimés peuvent se glisser subrepticement dans la discussion

Emma en est encore stupéfaite : Kathy, son amie et mentor, a indiqué à la direction qu'elle ne la trouvait pas suffisamment mûre pour gérer un nouveau poste au sein de l'entreprise. « Je me suis sentie trahie », déclare Emma. « J'ai été vexée d'apprendre que Kathy ait dit une chose pareille, et furieuse qu'elle ne m'en ait pas parlé. » Après mûre réflexion, Emma a également admis qu'elle doutait un peu d'elle. « Et si je n'étais *pas prête*, après tout ? »

En fin d'après-midi, Emma et Kathy ont eu un bref échange à ce propos :

> EMMA : À ce qu'il paraît, tu as annoncé à la direction que je ne pouvais pas gérer les nouvelles responsabilités qui m'étaient proposées.
> KATHY : Attends. Je n'ai pas dit que tu ne pouvais pas gérer ces nouvelles responsabilités. J'ai simplement fait remarquer que cette promotion était extrêmement rapide. Je ne veux pas que la direction te mette en position d'échec.
> EMMA : Cela me donne plutôt l'impression que tu doutes de moi.
> KATHY : J'allais t'en toucher un mot. Mais j'étais aussi obligée de parler à la direction.
> EMMA : Tu as l'obligation de me parler d'abord. Je n'arrive pas à croire que tu aies ainsi menacé ma carrière.
> KATHY : Emma, j'ai toujours encouragé ta carrière ! La question est de savoir *quand* tu décrocheras cette promotion, et non pas si tu dois *ou non* la décrocher.

Au lieu d'exprimer ses sentiments, Emma engage une querelle autour des règles de la communication professionnelle. À aucun moment elle ne dit « je me sens blessée », « je suis furieuse » ou même « je crains que tu n'aies raison ». Et pourtant ces émotions jouent un rôle important dans la conversation.

Les sentiments non exprimés peuvent donner différents tours à un dialogue. Ils altèrent votre mode d'expression et votre ton de voix. Ils se manifestent par le langage du corps et les traits du visage. Ils peuvent provoquer de longs silences ou un apparent détachement qui paraîtra très étrange. Vous risquez de devenir sarcastique, agressif, impatient, imprévisible ou défensif. Les études montrent que très peu de gens sont capables de cacher leurs sentiments, et que nous devinons généralement les moments où un[e] interlocuteur[trice] les déforme, les forge ou les esquive. En effet, si nos soupapes émotionnelles restent fermées, elles finissent par ne plus être étanches.

De fait, les émotions non exprimées peuvent créer une telle tension qu'elles vous poussent à vous retirer de l'échange. Vous choisissez de ne pas travailler avec tel ou telle collègue parce que vous n'avez pas fait le tour des sentiments qu'il/elle vous inspire, ou bien vous prenez vos distances avec votre épouse, vos enfants ou vos amis.

Les sentiments réprimés peuvent faire irruption dans la discussion

Pour certains d'entre nous, le problème ne tient pas à une impuissance à exprimer les sentiments, mais à une incapacité à les cacher. Nous pleurons ou nous explosons au moment où nous voudrions avoir une mine composée et afficher un air raisonnable. Bien sûr, ces débordements de colère ou de chagrin peuvent être liés à de nombreuses causes, notamment psychologiques. Cependant, l'une des explications plausibles contredit justement notre attente. Nous ne pleurons pas, nous ne perdons pas patience parce que nous exprimons trop souvent nos affects, mais parce que nous les exprimons trop rarement. Cela fait penser à une boisson pétillante dont on ouvrirait finalement la bouteille après l'avoir longtemps secouée : les résultats peuvent être dévastateurs.

Edward, par exemple, avait la désagréable habitude d'agresser verbalement sa femme quand il se sentait frustré. « J'essaie de contrôler mes sentiments », nous a-t-il dit. Quoique terriblement traumatisé par la conduite de son épouse, il essayait à toute force de cacher des émotions qui finissaient toujours par exploser. En guise d'explication, il jugeait qu'il avait les nerfs « à fleur de peau ». Cependant ses efforts ne faisaient qu'empirer la situation.

Quand vous réprimez vos sentiments, vous avez du mal à écouter

Les sentiments cachés peuvent poser un troisième problème plus subtil. Les deux tâches de communication les plus délicates (et les plus importantes) sont celles qui consistent à exprimer les émotions et à écouter l'autre. Lors de nos séances de conseil, nous avons observé un schéma significatif qui permet de cerner le lien parfois ténu entre ces deux fonctions. Lorsque les gens ont du mal à écouter, c'est rarement parce qu'ils n'en sont pas capables. Paradoxalement, c'est parce qu'ils ne parviennent pas à bien s'exprimer. Les sentiments non dits peuvent bloquer la capacité d'écoute.

Pourquoi ? Parce qu'il faut manifester une honnête curiosité à l'égard de l'autre pour l'entendre, et il faut être prêt à lui laisser les feux de la rampe. Les émotions réprimées ramènent le projecteur sur nous. Au lieu de nous demander : « Quel est le sens de sa parole ? » et de le prier d'en dire davantage, nous restons bloqués dans le même sillon mental : « Je suis tellement furieux contre lui ! » « J'ai l'impression qu'elle n'a rien à faire de ce que je dis. » « Je me sens si vulnérable en ce moment. » Il est difficile de prêter l'attention au discours de l'autre quand on a l'impression de ne pas être entendu, même si l'on n'a rien voulu partager. Nos capacités d'écoute s'améliorent souvent de manière remarquable lorsque nous avons exprimé nos sentiments les plus intenses.

Les sentiments réprimés nuisent à notre estime personnelle et à la relation

Quand d'importantes émotions restent cachées, vous pouvez en venir à vous reprocher votre incapacité à mieux défendre vos opinions. Vous privez vos collègues, amis et les membres de votre famille d'une occasion d'apprendre et de changer en découvrant vos sentiments. Mais surtout, vous abîmez la relation. En gommant vos sentiments, vous excluez de l'échange une partie importante de vous-même.

Comment sortir du dédale des sentiments ?

Il existe plusieurs moyens de gérer le problème des affects. Presque toujours, il est pertinent d'introduire les sentiments dans une discussion, tant que vous le faites d'une manière ciblée. Si les inconvénients du silence sont incontournables, les désavantages de la sincérité peuvent être minorés. Si vous êtes capable d'exprimer habilement vos émotions, vous récolterez quelques avantages inattendus. Voici le moyen de sortir du dédale des sentiments.

En suivant quelques conseils clés, vous pouvez grandement améliorer vos chances de vous exprimer de manière saine, efficace et satisfaisante. Premièrement, vous devez effectuer un tri entre vos sentiments, deuxièmement, négocier avec eux, et troisièmement, les partager, sans juger ni anticiper la réaction de votre interlocuteur[trice].

Débusquez vos sentiments, sachez où ils se cachent

La plupart du temps, nous pensons qu'il n'est pas plus compliqué de cerner ses sentiments que de déterminer si nous avons chaud ou froid. Nous les connaissons, point à la ligne. En réalité, il arrive souvent que nous ne sachions pas ce que nous ressentons. Nous sommes nombreux à connaître nos propres émotions comme nous connaissons une ville que nous visitons pour la première fois. Peut-être repérons-nous certains lieux clés, mais nous échouons à assimiler les rythmes subtils de l'espace urbain. Nous sommes capables de localiser les principales avenues, mais nous oublions l'enchevêtrement de petites rues qui se cachent derrière, et où se situe le cœur de l'action. Avant de savoir où nous allons, nous devons déterminer où nous nous trouvons. Quand il est question de débroussailler nos émotions, la plupart d'entre nous sommes perdus.

Ce n'est pas une question d'intelligence, mais un véritable défi que de reconnaître nos propres sentiments. Ceux-ci sont plus complexes et nuancés que nous ne l'imaginons. De plus, les affects savent très bien se déguiser. Ceux qui nous mettent mal à l'aise prennent des formes plus facilement gérables, les enchevêtrements de sentiments contradictoires s'amalgament en une émotion unique, et surtout, ils se transforment en opinions, en jugements, en accusations.

Explorez votre empreinte émotionnelle

Chacun de nous dispose d'une « empreinte émotionnelle » spécifique, déterminant ce qu'il nous paraît légitime ou non d'exprimer. Repensez à votre enfance. Comment votre famille gérait-elle les sentiments ? Lesquels étaient facilement admis, lesquels étaient réprimés ? Quel rôle avez-vous joué dans la vie affective de vos proches ? Quelles émotions trouvez-vous normal de reconnaître et d'énoncer aujourd'hui, et de qui acceptez-vous qu'elles proviennent ? En étudiant vos réponses à ces questions, vous commencerez à définir votre empreinte émotionnelle.

Chacun d'entre nous présente un profil unique. Vous pouvez penser qu'il est normal de se sentir triste ou nostalgique, mais que la colère n'est pas tolérable. Vous pouvez trouver facile de manifester la colère, tout en excluant la honte ou le sentiment d'échec. Et les sentiments « négatifs » ne sont pas les seuls concernés. Certaines personnes s'avouent facilement déçues, mais éprouvent des difficultés à extérioriser de l'affection, de la fierté ou de la gratitude.

Même s'il est possible de trouver des thèmes communs, votre empreinte émotionnelle se montrera sous un jour différent selon les relations que vous nouerez. Votre conscience et votre capacité à révéler des émotions variera selon que vous vous trouvez en face de votre mère, en présence de votre meilleur ami, de votre employeur, ou de votre voisin de siège dans un avion. Il peut être extrêmement utile d'explorer les contours de votre empreinte émotionnelle dans une palette de relations, afin de mieux savoir ce que vous ressentez et pourquoi.

Légitimez vos sentiments. Nous sommes nombreux à croire que les affects ont un côté dangereux. Comme l'a observé Rick, juge en retraite : « Dans notre famille, on nous a appris à ne pas parler de nos problèmes ou des émotions qui les accompagnaient. » Pour certains d'entre nous, le simple fait de ressentir *quelque chose* suffit à provoquer la honte.

Selon la manière dont nous les gérons, les affects peuvent ou non entraîner de grands dommages. Mais ils *existent*, un peu comme nos bras et nos jambes. Quand vous frappez quelqu'un ou que vous lui donnez un coup de pied, cela se passe par l'intermédiaire de vos membres. Il n'y a rien de fondamentalement répréhensible à posséder des bras et des jambes. Il en va de même pour les sentiments.

Reconnaissez que les « gens bien » peuvent éprouver des sentiments négatifs. Très souvent, nous croyons que les « gens bien » doivent s'interdire certaines émotions : ne pas se mettre en colère avec ceux qu'ils aiment, ne pas pleurer, ne pas échouer, ne jamais être un fardeau pour les autres. Si vous êtes « quelqu'un de bien », voici une bonne nouvelle : tout le monde ressent de la colère, tout le monde éprouve le besoin de pleurer, tout le monde échoue un jour ou l'autre, et tout le monde a besoin des autres.

Vous n'êtes pas toujours *satisfait* de ce que vous ressentez. Par exemple, vous êtes persuadé que vous devriez avoir de la peine lors de l'enterrement de votre frère, mais vous vous rendez compte que vous éprouvez seulement de la rage. Vous savez que vous devriez vous réjouir de décrocher finalement le boulot dont vous rêviez, mais au lieu de cela, vous vous sentez démotivé et morose. Qu'ils paraissent absurdes ou non, *ce sont là vos sentiments.* Et même s'il vous serait plus agréable de ne témoigner que de l'affection à votre mère, vous êtes parfois irrité, rancunier ou honteux. Nous vivons tous de tels conflits, qui n'ont rien à voir avec notre valeur intrinsèque.

A certains moments, la négation de certains affects peut remplir une fonction psychologique importante : confronté à une angoisse dévastatrice, à un sentiment de peur, de perte ou à un traumatisme, vous parvenez uniquement à faire face à votre quotidien en vous coupant de vos émotions. « Ne démolissez pas un mur avant de savoir pourquoi il a été construit », dit un proverbe. En même temps, les sentiments non assumés agissent sur la communication. À tout prendre, il vaut mieux chercher à les comprendre, en temps et heure, avec l'aide d'un psychologue ou d'un excellent ami. Vous remarquerez les émotions qui vous accompagnent depuis toujours et vous remonterez à leur origine. Ainsi, vos échanges avec les autres (et même vos discussions difficiles) deviendront de plus en plus aisés.

Apprenez que vos sentiments comptent autant que ceux des autres. Certains d'entre nous ne peuvent faire face à leurs sentiments parce qu'ils ont appris à un moment ou à un autre que les émotions d'autrui comptaient davantage que les leurs.

Par exemple, vous avez toujours pensé que votre père viendrait s'installer dans votre famille lorsque sa santé déclinerait. Mais aujourd'hui que ce moment est arrivé, ses revendications permanentes et ses caprices commencent à peser lourd, d'autant plus qu'il faut lui administrer ses médicaments et organiser des visites régulières chez le médecin. Vous vous sentez épuisée et frustrée, et vous vous demandez pourquoi votre frère refuse d'assumer sa part. Cependant, vous ne lui en parlez pas. « C'est dur, mais cela n'est pas *insurmontable* », dites-vous pour vous raisonner. « D'ailleurs, je ne veux pas faire de vagues. »

Votre petite amie vous téléphone et vous annonce qu'elle ne peut se libérer, finalement, pour le dîner de vendredi. Elle propose le samedi, explique qu'une de ses copines vient d'arriver en ville et qu'elle voudrait l'emmener au cinéma vendredi. Vous répondez que cela ne pose aucun problème : « Si cela t'arrange. » Même si vous avez accepté, le samedi n'est pas un bon jour pour vous, parce que vous aviez prévu d'assister à un match de base-ball. Mais comme vous avez envie de voir votre amie, vous offrez le billet à quelqu'un d'autre.

Dans chacune de ces situations, vous choisissez d'accorder la priorité aux sentiments d'autrui. Cela a-t-il un sens ? La frustration de votre père ou la paix d'esprit de votre frère comptent-elles davantage que votre bien-être ? Le désir de votre amie de voir un film avec sa copine est-il plus important que votre envie d'assister au match de base-ball ? Comment se fait-il que ces personnes puissent exprimer leurs sentiments et leurs préférences, alors que vous gardez les vôtres pour vous ?

Vous pouvez avoir plusieurs raisons de privilégier les émotions d'autrui, même si cela suppose de négliger les vôtres. La règle implicite que vous suivez vous impose d'avantager le bonheur de vos interlocuteurs. Si vos amis, vos proches ou vos collègues n'obtiennent pas ce qu'ils veulent, ils se sentiront mal, et vous devrez en gérer les conséquences. Cela est peut-être vrai, mais c'est injuste pour vous. Leur colère n'est ni meilleure ni pire que la vôtre.

« Je préfère ne pas compliquer la situation », pensez-vous. « Je n'aime pas qu'ils m'en veuillent. » Si vous êtes de cet avis, vous dévaluez vos propres sentiments et vos centres d'intérêt. Les amis, les voisins et les employeurs le sentent, et commencent à vous considérer comme quelqu'un qu'ils peuvent manipuler. Quand vous vous souciez davantage des sentiments des tiers que des vôtres, vous les encouragez à ignorer ce que vous ressentez. Et attention : vous n'avez pas voulu protester, notamment parce que vous ne souhaitez pas menacer la relation. Or, *à cause* de cette décision, votre ressentiment va grandir et érodera lentement le lien, de toute façon.

Trouvez l'enchevêtrement des émotions derrière les étiquettes « toutes simples »

La mère de Brad s'est souvent disputée avec son fils au sujet de sa recherche d'emploi. Elle l'appelait régulièrement pour l'exhorter à envoyer des CV, à se rendre à divers entretiens d'embauche, à chercher sur Internet. Pour sa part, Brad n'était pas très motivé. Il rabrouait sa mère ou essayait de changer de sujet.

Brad a parlé de ce problème à l'une de ses amies, qui lui a conseillé de ne plus éviter les affrontements avec sa mère, mais de lui dire ce qu'il ressentait. « À quoi bon ? » a demandé Brad. « Je suis seulement furieux. Elle me rend fou. » Mais l'amie a insisté, l'encourageant à analyser ce qu'il éprouvait en même temps que la colère. Brad a relevé le défi et, ce soir-là, a établi une liste de tout ce à quoi il était confronté, à propos de la recherche d'emploi, de sa mère et de lui-même.

Le résultat s'est avéré étonnant. À propos de sa quête d'emploi, Brad se sentait désespéré, perplexe et effrayé. L'évitement était un moyen d'apaiser un peu son angoisse. Vis-à-vis de sa mère, Brad avait des sentiments plus complexes. D'un côté, il trouvait son insistance pénible. De l'autre, il y voyait une forme d'amour et d'attention, et cela signifiait beaucoup pour lui.

Face à lui-même, Brad ressentait surtout de la honte. Il avait l'impression de laisser tomber sa mère, de gâcher son potentiel et ses diplômes. Mais parallèlement à cette indignité, Brad éprouvait une forme de fierté. Plusieurs de ses amis avaient décroché des formations leur permettant de devenir cadres, et il aurait pu suivre la même voie. Mais il cherchait autre chose, et se sentait prêt à accepter la pression du chômage pour trouver un poste qui lui conviendrait mieux. Dans l'intervalle, il acceptait des petits boulots, et n'avait jamais demandé un centime à sa mère.

En suggérant à Brad qu'il ressentait autre chose que de la colère, l'amie lui avait ouvert de nouveaux horizons. Derrière ce qu'il désignait comme une émotion unique, Brad avait découvert toute une palette d'affects.

La reconnaissance d'émotions complexes peut déclencher une prise de conscience. Vous trouverez ci-dessous une liste partielle de sentiments, qui, tout en paraissant tout à fait familiers sur le plan abstrait, sont parfois difficiles à identifier ou à exprimer devant les autres.

Palette de sentiments parfois difficiles à identifier

AMOUR	Affection, tendresse, complicité, fierté, passion.
COLÈRE	Frustration, exaspération, rage, indignation.
BLESSURE D'AMOUR-PROPRE	Sentiment d'abandon, de trahison, dépit, manque.
HONTE	Embarras, culpabilité, regret, humiliation, dégoût de soi.
PEUR	Angoisse, terreur, souci, obsession, soupçon.
DOUTE DE SOI	Impression d'incompétence, d'indignité, d'inadaptation, manque de motivation.
JOIE	Contentement, enthousiasme, sentiment de plénitude, d'exaltation, satisfaction.
TRISTESSE	Deuil, désenchantement, abattement, dépression.
JALOUSIE	Envie, égoïsme, convoitise, angoisse, désir.
GRATITUDE	Reconnaissance, dévotion, soulagement, admiration.
SOLITUDE	Affliction, abandon, sentiment de vide, attente.

Ne laissez pas vos sentiments cachés bloquer vos autres émotions. Un autre schéma courant repose sur l'existence d'un affect dont nous n'avons pas conscience, mais qui interfère avec nos expériences.

Jamila éprouvait des difficultés à extérioriser son amour pour son mari. « Je sais que je l'aime », disait-elle. « C'est un bon mari et un homme généreux qui sait faire face aux difficultés. Mais j'ai beaucoup de mal à lui témoigner ce que je ressens. » Elle se sentait bloquée, sans savoir exactement par quoi.

Tout d'abord, Jamila s'est accusée : « C'est sûrement une autre manifestation de mes défauts. Une bonne épouse sait dire à son mari qu'elle l'aime. » Pour la guider, nous lui avons demandé si elle exprimait d'autres sentiments devant lui. Nous voulions savoir plus précisément s'il lui arrivait de manifester de la colère ou de la déception. « Vous n'y êtes pas ! » a répondu Jamila. « J'essaie d'apprendre à exprimer de l'amour. Si quelqu'un a le droit d'être en colère, c'est bien mon mari qui doit me supporter tout le temps. »

Ce commentaire tire un signal d'alarme. Dans tout mariage, dans toute relation, il arrive que l'on ressente de l'irritation envers l'autre. « Vous êtes-vous jamais sentie furieuse contre lui ? » ai-je voulu savoir. « Je suppose que c'est arrivé de temps en temps », a-t-elle fini par reconnaître. « Que lui diriez-vous », avons-nous poursuivi, « si vous pouviez baisser la garde, si vous pouviez lui révéler tout ce que vous avez sur le cœur, sans que cela prête à conséquence ? »

Après des débuts assez timides, Jamila a réagi d'une manière étonnante. « Bien sûr, je ne suis pas la meilleure épouse qui soit, mais tu ne dois pas être surpris de me voir m'éloigner à la moindre occasion. Je suis fatiguée de te voir sans cesse jouer le rôle de la victime, d'être noyée sous le flot de tes craintes mesquines et de tes plaintes perpétuelles ! Je ne suis probablement pas parfaite, mais tu n'es pas un dieu non plus ! Est-ce qu'il t'arrive de réfléchir aux effets des critiques sournoises que tu m'assènes sans cesse ? »

En conclusion, Jamila a ajouté : « Bien sûr, je ne dirai jamais tout ça, et vraiment, je ne crois pas que cela soit très juste... » Peu importe que ces remarques soient équitables, légitimes ou rationnelles. Ce qui compte, c'est de savoir qu'elles existent. Vous imaginez les ravages de cette colère rentrée sur les sentiments d'amour que Jamila ne parvenait pas à exprimer. Ou sur ses tentatives de manifester la moindre émotion. La rage, inconsciente, se dressait là comme un obstacle. Jamila résume parfaitement cette situation : « Si je pouvais manifester un peu de cette colère, il me serait facile de la compenser par l'amour que je ressens. »

Ne nous préoccupons pas, pour l'instant, de savoir s'il convient ou non d'exprimer la colère. Nous reviendrons à cet exemple dans la partie consacrée à la gestion des émotions.

Repérez les sentiments qui rôdent sous les interprétations, les jugements et les accusations

Un chat n'est pas un chien. Les baleines ne sont pas des poissons. Les tomates ne sont pas des légumes. Et les interprétations, les jugements et les accusations ne sont pas des sentiments.

Cessez de repousser les interprétations et les jugements sous le tapis. Comme nous l'avons vu, lorsqu'on interprète les intentions d'autrui, on aboutit facilement à des réactions de défense et à des malentendus. En outre, les interprétations elles-mêmes prennent une telle place que nous ne parvenons pas à reconnaître les véritables sentiments qui les motivent.

Ainsi, la relation d'Émily avec son amie Roz. « Roz manque de chaleur », explique Émily. « Je l'ai aidée pendant son divorce, je l'ai appelée souvent, je lui ai tenu compagnie quand elle se sentait seule. J'étais toujours là pour elle. Et elle n'a jamais eu un mot de remerciement. » Émily prétend qu'elle a déjà exprimé cette frustration devant son amie et que cela n'a servi à rien.

Qu'a donc dit Émily à Roz ? « Je lui ai décrit mes sentiments de manière précise. J'ai été honnête. Je lui ai dit qu'elle était trop repliée sur elle-même et peu attentive. Et, bien sûr, elle est passée à la contre-attaque. Elle a répondu que j'étais exagérément susceptible. C'est le genre de remarque que l'on récolte quand on ouvre son cœur à quelqu'un comme elle. Le jeu n'en vaut pas la chandelle. »

Remarquez ce qui a été exprimé par Roz. « Tu es trop repliée sur toi-même. Tu ne fais pas attention aux autres. » Il s'agit de jugements. Rien n'indique ce qu'Émily ressent. Lorsqu'on lui en fait la remarque, Émily réussit à se focaliser davantage sur ses propres émotions. « Je crois que je me sens blessée. Je ne sais plus à quoi m'en tenir sur notre amitié. Je ressens de la colère. Confusément, je suis déçue d'avoir tant investi dans une relation qui, de toute évidence, ne comptait pas beaucoup pour elle. Je peux être tellement bête. »

Nous transformons nos sentiments en

JUGEMENTS	Si tu étais une bonne amie, tu aurais été là pour moi.
INTERPRÉTATIONS	Pourquoi as-tu voulu me blesser ?
GÉNÉRALISATIONS	Tu ne fais pas attention aux autres.
SOLUTIONS PÉREMPTOIRES	Tu dois m'appeler plus souvent.

Il est parfois difficile de faire la distinction entre les jugements et l'affirmation de nos sentiments. Les verdicts *ressemblent* à des sentiments quand nous les émettons. Ils sont motivés par la colère, la frustration ou le dépit, et, à l'autre bout de la ligne, l'interlocuteur[trice] comprend très clairement que nous ressentons quelque chose. Malheureusement, il/elle ne sait pas exactement de quoi il s'agit, et, surtout, se focalise sur le fait que nous interprétons et accusons. Ce n'est que justice.

Même si nous avons l'impression que ces deux formules sont proches, il existe une grande différence entre : « Tu es repliée sur toi-même, tu ne fais pas attention aux autres » et : « Je me sens vexée, perplexe et embarrassée. » Il est essentiel de repérer les sentiments qui affleurent sous les jugements et les interprétations négatives pour convoquer avec succès les sentiments dans une conversation.

Appuyez-vous sur votre désir d'accusation pour débusquer des sentiments importants. Quand nous encourageons les gens à parler en termes de responsabilités partagées et non par le biais de reproches, ils se plaignent souvent que la discussion les laisse insatisfaits. C'est un peu comme si on leur collait un pot de yaourt à 0 % de matière grasse entre les mains, alors qu'ils ont envie de s'empiffrer de crème fraîche. De ce fait, ils tendent à conclure que cette forme de discussion ne les soulage pas, alors qu'ils ont surtout envie d'accuser l'autre partie.

Pourtant, ce qui est frustrant, ce n'est pas l'impossibilité d'exprimer un blâme, mais l'impossibilité d'évoquer ses sentiments. Le désir d'accuser surgit quand on explore le système de responsabilités partagées sans y mêler les sentiments. Lorsque nous ne parvenons pas à aller au-delà du point où nous répétons : « C'est ta faute ! Admets que c'est ta faute ! » nous devons y voir le signe que nous réprimons nos émotions. L'impression de manque qui plane parfois sur les discussions consacrées aux responsabilités partagées ne devrait pas déboucher sur un désir de désapprobation, mais encourager la recherche accrue d'émotions cachées. Quand d'autres sentiments ont été exprimés (« Voilà comment j'ai participé au problème, voilà comment je crois que tu y as participé, et surtout, j'ai fini par me sentir abandonné »), l'envie d'accuser recule.

Vos sentiments ne sont pas parole d'évangile. Négociez avec eux

Un de nos collègues applique deux principes pour exprimer ses sentiments. Il commence par expliquer la règle numéro 2 : essayez d'analyser tout ce que vous ressentez au cours de la conversation. La plupart des gens sont horrifiés par ce précepte. Certainement, pensons-nous, il y a énormément d'émotions qu'il vaut mieux laisser dans l'ombre. Ce qui amène notre ami à énoncer la règle numéro 1 : avant de dire ce que vous ressentez, *négociez* avec vos sentiments.

Nous supposons généralement que nos affects sont statiques et non négociables, et qu'ils doivent être livrés « tels quels », si l'on veut faire preuve d'authenticité. En fait, ils reposent sur nos perceptions, et celles-ci (comme nous l'avons vu dans les trois chapitres précédents) sont *bel et bien* négociables. Si nous modifions notre vision du monde, nos sentiments varient. Mais avant de les montrer, il est crucial de négocier – avec nous-mêmes.

Que signifie « négocier avec ses sentiments » ? Fondamentalement, cela suppose de reconnaître qu'ils répondent à nos pensées. Imaginez que vous fassiez de la plongée sous-marine, et que vous aperceviez soudain un requin. Votre cœur commence à battre la chamade et votre angoisse monte en flèche. Vous êtes terrifié, ce qui est un sentiment parfaitement rationnel et compréhensible.

Imaginez maintenant que votre expérience de la faune marine vous permette d'identifier un requin pèlerin, qui, comme vous le savez, ne choisit jamais de proies de votre taille. Votre anxiété disparaît. Bien au contraire, vous vous piquez au jeu et vous essayez d'observer, avec curiosité, le comportement du poisson. Ce dernier n'a pas changé : c'est l'histoire que vous vous racontez à propos de sa présence qui n'est plus la même. Dans toute situation, nos sentiments se conforment à nos pensées.

Cela signifie qu'il faut modifier nos *idées* pour transformer nos sentiments. Comme nous l'avons vu dans la section consacrée à la discussion circonstancielle, notre pensée est souvent influencée de manière prévisible, ce qui nous offre un vaste terrain d'exercice pour traiter avec nos émotions. En premier lieu, nous devons étudier notre propre histoire. Quel est le récit que nous nous faisons et qui donne lieu à ce que nous éprouvons ? Quel élément avons-nous oublié de faire entrer dans ce discours ? Que pourrait être le récit de l'interlocuteur[trice] ? Presque toujours, une meilleure conscience de l'histoire de l'autre modifie nos sentiments.

Ensuite, nous devons réfléchir à la manière dont nous interprétons les intentions de la partie adverse. Dans quelle mesure nos sentiments reposent-ils sur une vision non vérifiée de ses motivations ? L'adversaire aurait-il pu agir de manière non intentionnelle, ou pour de multiples raisons contradictoires ? Comment notre interprétation affecte-t-elle nos émotions ? Et qu'en est-il de nos propres visées ? Qu'est-ce qui nous a motivé ? Quelles répercussions nos actions ont-elles pu avoir sur l'interlocuteur[trice] ? Cela change-t-il nos impressions ?

En dernier lieu, nous devons étudier les responsabilités partagées. Sommes-nous capables de distinguer comment nous avons participé au problème ? Pouvons-nous décrire l'influence de l'autre sans le juger ? Sommes-nous conscients de la manière dont nos actions se sont conjuguées pour attiser le conflit ? En quoi cela modifie-t-il nos émotions ?

Nous n'avons pas besoin d'apporter des réponses définitives à ces questions. En fait, jusqu'au moment où nous entamons la discussion, nous ne pouvons que formuler des hypothèses. Mais il suffit de soulever ces interrogations, de les prendre à bras-le-corps, de tourner autour de nos sentiments et de les observer sous différents angles. Si nous nous en donnons la peine, si nous sommes honnêtes, si nous abordons ouvertement ces questions dans un esprit d'équité, nos émotions commenceront à évoluer. Notre colère s'érodera, notre dépit s'allégera, nos sentiments de trahison, d'abandon, de honte ou d'angoisse deviendront plus gérables.

Étudions de nouveau la situation de Jamila face à son mari. En se confiant à nous, elle a réussi à exprimer sa colère. Mais elle éprouve aussi d'autres affects, et, à la réflexion, elle ne se prend pas véritablement pour la victime de son mari. Quand elle s'est mise à considérer la situation du point de vue de son époux, quand elle a réfléchi à ses intentions, quand elle a cessé de se concentrer sur l'accusation pour se demander comment ils avaient tous deux contribué à cette situation, sa vision des choses s'est nuancée, et ses sentiments ont changé.

Elle a pu adopter « l'attitude de conciliation » et tenir compte de plusieurs éléments, avant de partager toutes ces idées avec son mari. « Je sais que j'ai participé aux problèmes que nous affrontons », lui a-t-elle dit. « Je crois que la colère et la frustration que j'ai ressenties devant tes actions m'ont conduite à me focaliser davantage sur nos difficultés que sur nos points forts. Mais quand je prends mes distances, il m'apparaît aussi que je t'aime beaucoup, et j'aimerais que tout s'arrange entre nous. » Jamila a compris qu'en travaillant, même lentement, à manifester une partie de sa colère, elle déblaierait le chemin pour exprimer l'amour qui l'a amenée, au départ, à chercher de l'aide.

Évitez les explosions : décrivez précisément vos sentiments

Lorsque vous avez identifié vos sentiments et que vous avez négocié avec eux, vous êtes confronté à la perspective de les gérer. À certains moments, vous déciderez qu'il est inutile de les partager. À d'autres, bien sûr, vos émotions occuperont le centre de la conversation.

Trop fréquemment, nous confondons l'émotivité et l'expression des émotions. Il s'agit de deux choses différentes. Nous sommes capables de manifester clairement nos affects sans être émotifs, et nous pouvons être très émotifs sans exprimer la réalité de nos émotions. Il faut se montrer réfléchi pour extérioriser clairement ses sentiments. Voici trois conseils qui devraient vous aider à soulager votre angoisse et qui contribueront à rendre la discussion plus efficace.

1. Raccordez les sentiments à la réalité du problème

La première condition implique de se souvenir que les sentiments sont importants. Ils interviennent en effet dans presque toutes les discussions difficiles. Il est toujours possible de définir un problème sans faire référence aux affects. Mais cela ne mène pas à la véritable solution. S'ils constituent le cœur du problème, il faut en parler.

Il n'est pas nécessaire que vos sentiments soient rationnels pour que vous les exprimiez. L'idée que vous ne *devriez pas* les éprouver ne change rien, le plus souvent, à leur réalité. En ce moment précis, ils constituent un aspect important de la relation. Vous pouvez indiquer, en préambule, que vos émotions vous mettent mal à l'aise, ou que vous n'êtes pas sûr de leur bien-fondé, mais vous devrez ensuite les extérioriser. Votre but, ici, est simplement de vous en débarrasser. Ensuite, vous déciderez ce que vous voulez en faire.

2. Exprimez toute la palette de vos sentiments

Revenons à la conversation entre Brad et sa mère à propos de la recherche d'emploi. Il est facile de voir que Brad hésite à exprimer ses sentiments au moment où il est seulement conscient de sa colère. S'il explique à sa mère qu'elle le met hors de lui, elle lui répondra sur le même ton. Au mieux, la discussion ne débouchera sur rien. Plus vraisemblablement, tous deux se sentiront encore plus furieux qu'avant.

Que se passera-t-il si Brad prend le temps de dresser un tableau plus complet de ce qu'il éprouve ? Au lieu de dire : « Maman, tu me mets les nerfs en pelote ! » il pourrait remarquer : « Quand tu m'interroges pour savoir comment se passent mes recherches d'emploi, je ressens plusieurs choses : cela me met en colère. Je suppose que c'est parce que je t'ai demandé de ne plus mettre ce sujet sur le tapis, et que tu le fais quand même. En même temps, j'apprécie cette attention de ta part, et cela me persuade que tout finira par rentrer dans l'ordre. Je suis touché que tu te soucies de mes problèmes. »

Et quand sa mère lui demande pourquoi il ne met pas plus d'énergie dans sa quête, Brad pourrait répondre, au lieu de maugréer « arrête de me harceler ! » : « J'ai du mal à en parler. Quand j'y pense, je finis par avoir honte, par avoir l'impression que je gâche mon potentiel ou que je te laisse tomber. »

En faisant entrer toute la palette de ses sentiments dans la conversation, Brad a modifié la nature de l'échange. Les colères des deux participants ne s'affrontent plus. Il a apporté une dimension supplémentaire à la discussion et donné des éléments de réflexion à sa mère. Elle comprend mieux ce qui motive le comportement de son fils, et l'impact de ses actes sur elle. La discussion ne se termine pas au moment où Brad exprime ses sentiments ; à ce stade, elle ne fait que commencer. La convocation de toutes les émotions ne rend pas l'échange « facile ». Mais il sera moins agressif, débouchera sur une compréhension accrue et sur un engagement plus profond, tout en pointant le doigt vers différents modes d'interaction plus cordiaux pour les deux parties.

3. Ne jugez pas – partagez

Il est essentiel que chacun pose ses affects sur la table, que ceux-ci soient entendus et reconnus, avant que vous puissiez commencer à en faire le tri. Si vous dites : « Je me sens vexé », et que l'autre répond : « Tu es trop susceptible », la progression vers la compréhension mutuelle est court-circuitée. L'évaluation prématurée de la légitimité des sentiments mine leur expression et, au bout du compte, nuit à la relation. Vous pouvez aménager un espace exempt de tout jugement en respectant les conseils suivants : exprimez des sentiments et uniquement des sentiments (bannissez les jugements, les interprétations et les accusations), retardez l'étude de solutions au problème, et ne monopolisez pas l'attention.

Exprimez vos émotions sans émettre de jugement, d'interprétation ou d'accusation. Les gens disent souvent : « J'ai exprimé mes sentiments, et cela n'a fait qu'attiser le conflit. » Souvenez-vous de l'histoire d'Émily et Roz. Émily a accusé Roz d'être « repliée sur elle-même et de ne pas faire attention aux autres », parce que Roz ne l'avait pas remerciée de son soutien amical pendant son divorce. Bien évidemment, Roz s'est mise sur la défensive et a réagi par la colère.

Après avoir compris qu'elle avait émis un jugement au lieu d'exprimer ses propres affects, Émily est revenue à la charge. « Au lieu de la juger, je lui ai juste expliqué que je me sentais blessée, et perplexe devant la tournure que prenait notre amitié. J'ai été extrêmement étonnée. Roz a déclaré qu'elle était désolée, et m'a remerciée sans discontinuer pour tout ce que j'avais fait pour elle. »

Pour bien parler de ses affects, il faut éviter scrupuleusement d'émettre le moindre jugement, la moindre interprétation et la moindre accusation, et insister sur le statut des formules employées. Il est crucial d'étudier les mots que vous utilisez pour savoir si ceux-ci transmettent bien le message visé. Par exemple, une phrase comme « on ne peut vraiment pas compter sur toi » est un jugement relatif au caractère de l'autre. Elle ne contient aucune référence aux sentiments. Il ne faut pas être surpris si la réponse est : « Ce n'est pas *vrai* ! »

Par contraste, la formule qui dit : « Je me sens frustré. Tu n'as pas envoyé cette lettre » supprime le blâme et se concentre sur les émotions latentes. Elle ne permet pas de neutraliser tous les problèmes, mais paraît plus susceptible de mener à une discussion productive.

Une difficulté plus subtile, mais tout aussi courante, surgit quand nous mêlons les sentiments et l'accusation. Nous disons : « Tu ne m'as pas appelée comme promis. C'est ta faute si je me sens vexée. » Cette tournure exprime un sentiment « je me sens blessée », mais aussi une conclusion sur ses origines, ainsi qu'une accusation personnelle. La personne avec qui vous parlez se concentrera vraisemblablement sur votre reproche, et non sur vos états d'âme. Un meilleur moyen d'exprimer la même idée consisterait à mettre d'abord l'accent sur l'affect (« Quand j'ai vu que tu ne m'appelais pas, je me suis sentie peinée »), puis, plus tard, sur les responsabilités partagées (et non sur le blâme).

Ne monopolisez pas l'attention : les deux parties peuvent être simultanément confrontées à des sentiments forts. Si vous et votre interlocuteur[trice] pratiquez le métier d'épicier, il semble peu vraisemblable qu'un[e] seul[e] d'entre vous dispose des victuailles dans sa vitrine. Vous puiserez l'un[e] et l'autre dans votre panier de légumes. Il en va de même lorsqu'il est question de discuter d'affects. Vous pouvez en vouloir à votre employeur de la manière dont il vous a traité quand vous êtes arrivé en retard au travail, et il peut être fâché que vous n'ayez pas rendu tel ou tel dossier à temps. Si vous éprouvez des émotions violentes, il est probable que le tiers se sente dans les mêmes dispositions. Et si vos sentiments ambivalents n'effacent pas les siens, ses affects n'effacent pas les vôtres. Ce qui compte, c'est que chacune des parties puisse déposer ses états d'âme encombrants et parfois conflictuels dans le chariot, avant de se diriger vers la caisse du supermarché.

Souvenez-vous du mot clé. Dites : « Je me sens... » Beaucoup de gens préféreraient se faire arracher une dent sans anesthésie que de dire « je me sens ». Et pourtant, ces mots peuvent avoir de puissants effets sur votre interlocuteur[trice].

Une phrase qui commence par « je me sens » peut apporter des bénéfices extraordinaires. Elle permet de se concentrer sur les sentiments et d'insister sur le fait que vous exprimez seulement votre point de vue personnel. Elle évite le piège du jugement et de l'accusation. « Pourquoi est-ce que tu t'obstines à me dénigrer devant les enfants ? » est un bon début... pour une dispute. Votre femme entendra bien sûr que vous êtes furieux ou troublé. Mais vous n'aurez exprimé aucune émotion. Par contre, vous aurez émis un jugement sur les intentions de votre épouse et sur ses talents de mère. Si vous commencez par dire : « Quand tu désapprouves mes principes d'éducation devant les enfants, je me sens trahi, et inquiet du message que cela peut leur transmettre », votre compagne ne peut contester ce que vous ressentez. Elle se mettra moins facilement sur la défensive et acceptera plus volontiers de s'engager dans une discussion portant sur vos sentiments, les siens, ainsi que sur les stratégies que vous pourrez développer ensemble.

L'importance de la reconnaissance

La description de vos sentiments est une étape importante, mais vous ne pouvez passer directement de cette escale à la solution du problème. Chacun doit être reconnu avant de s'engager sur ce chemin. Il est impossible de faire l'économie de ce processus mutuel.

Que signifie « reconnaître les sentiments de l'autre » ? Il s'agit de lui faire savoir que ses paroles ont fait impression sur vous, que ses émotions comptent à vos yeux, et que vous œuvrez à les comprendre. « Eh bien ! », pouvez-vous dire, « je ne savais pas que tu ressentais les choses comme ça » ou « il me semblait que tu éprouvais ce sentiment, et je suis content que tu te sentes suffisamment à l'aise pour m'en faire part », ou encore « j'ai l'impression que c'est vraiment important pour toi ». Informez votre interlocuteur[trice] que vous jugez essentiel de comprendre sa perspective, et que vous essayez de le faire : « Avant de vous expliquer ce qui se passe de mon côté, dites-moi pourquoi vous avez l'impression que je vous prends de haut. »

Il est tentant de se précipiter sur la cible. Nous voulons en venir au cœur du problème, et tout arranger. Souvent, nous essayons de déblayer le terrain des sentiments en les « réparant » : « Voyons, si tu te sens seul, je vais essayer de passer plus de temps avec toi ». Ou même : « Tu as raison. Qu'est-ce que je peux dire ? » Cela peut être une réponse honnête, et il est bon que la partie adverse vous fasse part de sa réaction. Mais elle le fait trop tôt.

Pour éviter ce court-circuit, ramenez la conversation à votre objectif de compréhension : « Je ne dis pas que tu as eu l'intention de me blesser. J'ignore ce que tu cherchais. Ce qui importe pour moi, c'est que tu comprennes ce que j'ai ressenti quand tu as critiqué mon travail devant tous les collègues de ma section. » Avant de passer aux solutions, vous vous devez, à vous-même comme à l'autre, de faire apprécier l'importance de ce sujet pour vous. Il est nécessaire que votre interlocuteur[trice] comprenne véritablement votre sentiment, et qu'il/elle valorise l'idée que vous ayez pu les partager. Si vous ne pouvez faire apprécier ce point, vous n'êtes pas fidèle à vous-même.

Il est crucial de faire reconnaître ses sentiments dans toute relation, particulièrement pour ce qui concerne les « conflits incontournables ». Dans un cas précis, le simple fait de reconnaître les sentiments de la partie adverse a permis de transformer une communauté divisée par des tensions raciales. Un petit groupe d'officiers de police, de responsables politiques, d'hommes d'affaires et de voisins se sont rencontrés pour discuter d'une série d'incidents récents survenus entre les agents de police et les membres d'un groupe minoritaire. Quand on lui a ensuite demandé s'il avait voulu provoquer une prise de conscience chez ses auditeurs, un adolescent noir, en larmes, a répondu : « Vous n'y êtes pas. Je ne cherche pas à leur faire changer d'avis. J'ai seulement voulu raconter mon histoire. Je ne voulais pas entendre que tout allait s'arranger ni que ce n'était pas leur faute, ni même apprendre que leur histoire est tout aussi terrible que la mienne. Je voulais raconter mon histoire, partager mes sentiments. Pourquoi suis-je en train de pleurer ? Parce que je sais, maintenant, qu'ils se soucient suffisamment de moi pour m'écouter. »

Parfois, il n'y a que les sentiments qui comptent

Dès que Max, père de notre future mariée, a exprimé ses angoisses de perte et sa fierté devant sa fille, il est devenu facile de résoudre les questions d'argent relatives au mariage. Le contexte troublant des discussions précédentes – sentiments de rejet pour Max, et pour Sydney, impression que son père cherchait à la dominer – a fait l'objet d'un débat explicite et a cessé de bloquer la résolution logistique. Les deux actants ont commencé à bâtir une relation reposant sur l'expression authentique de leur identité et d'un projet commun.

Mais parfois, les sentiments ne sont pas seuls en cause. Parfois, ils sont tortueux et troublants, et vous êtes obligé de continuer à travailler ou d'élever vos enfants ensemble. Le travail sur la relation ou la solution du problème peut être un processus lent et difficile. Même ainsi, la communication avec votre interlocuteur[trice] – la révélation de vos sentiments et des données en présence – reste délicate.

6

Ancrez votre identité : interrogez-vous sur les enjeux

J'ai déjà accepté un boulot ailleurs, et il me reste à annoncer à mon employeur que je m'en vais. Je n'ai besoin d'aucune recommandation et je ne cherche pas à garder de liens avec l'entreprise, personne ne peut donc influencer ma décision. Et pourtant, je suis *terrifié* à l'idée d'affronter mon patron.

BEN, vice-président d'une société de création de logiciels.

Apparemment, Ben n'a rien à craindre, puisqu'il détient toutes les cartes. Cependant, il souffre d'insomnies.

Il explique : « Mon père a travaillé toute sa vie pour la même société, et j'ai toujours admiré sa loyauté. Pour ma part, j'ai essayé de l'imiter, et j'accorde énormément d'importance à la fidélité que je peux témoigner à ceux qui m'entourent – mes parents, ma femme, mes enfants et mes collègues. L'idée d'annoncer mon départ à mon employeur soulève directement pour moi la question de la loyauté. Cet homme a été mon mentor, et m'a beaucoup soutenu. J'en viens à me demander : suis-je vraiment le brave soldat auquel je m'identifie volontiers, ou un de ces jeunes cyniques aux dents longues qui sont toujours prêts à trahir, pourvu qu'on en paie le prix ? »

Les discussions difficiles menacent notre identité

Le dilemme de Ben met en lumière l'un des points névralgiques de certaines discussions difficiles. Notre angoisse naît non seulement de la perspective d'affronter l'autre, mais aussi de la prévision d'un *face-à-face avec nous-mêmes*. Cette confrontation peut perturber notre être-au-monde, ou révéler ce que nous espérons être tout en craignant de ne pas y parvenir. Elle menace notre identité – l'histoire dont nous sommes le héros – et peut nous perturber profondément.

Trois questions identitaires de base

Il existe probablement autant d'identités que de gens. Mais trois questions se posent très couramment, et sont souvent sous-jacentes à nos préoccupations dans les discussions difficiles : Suis-je compétent ? Suis-je quelqu'un de bien ? Suis-je digne d'être aimé ?

> • SUIS-JE COMPÉTENT ? Je me suis torturé pour savoir si je devais poser la question de mon salaire. Poussé par mes collègues, j'ai fini par le faire. Avant même que je puisse m'expliquer, ma supérieure hiérarchique m'a dit : « Je suis surprise que vous évoquiez ce sujet. À vrai dire, j'ai été déçue par vos performances cette année. » Je me suis senti mal. Je ne suis probablement pas le talentueux chimiste que je croyais être.
>
> • SUIS-JE QUELQU'UN DE BIEN ? Ce soir-là, j'avais l'intention de rompre avec Sandra. J'ai voulu enrober la chose, et dès qu'elle a compris de quoi il retournait, elle s'est mise à pleurer. Cela m'a fait mal de la voir dans cette souffrance. Pour moi, rien n'est pire que de devoir faire mal aux gens que j'aime. Cela me révolte, spirituellement et sentimentalement. Je n'ai pas supporté l'état dans lequel cela m'a mis, et très vite, je lui ai dit que je l'aimais et que tout s'arrangerait entre nous.
>
> • SUIS-JE DIGNE D'ÊTRE AIMÉ ? J'ai engagé une discussion avec mon frère sur la manière dont il traite sa femme. Il la dénigre et je sais qu'elle en souffre. Je me sentais terriblement nerveux à l'idée d'aborder ce sujet, et mes mots se bousculaient dans ma bouche. Alors il s'est mis à crier :

> « De quel droit oses-tu me dicter une conduite ? Tu n'as jamais pu avoir une vraie relation amoureuse de ta vie ! » J'en suis resté sans voix, le souffle coupé. Je n'avais plus qu'une idée, mettre fin à cet échange.

Soudain, celui que nous pensions être en entamant la discussion se trouve sur la sellette.

Un séisme identitaire peut nous ébranler

Dans notre tête, la discussion à enjeux identitaires se déroule à toute vitesse : « Peut-être suis-je *vraiment* nul », ou : « Mon frère a raison. Aucune femme ne m'a jamais aimé. » Dans chacun des cas, ce que ce débat intérieur apporte dérobe le sol sous nos pieds.

Cette perte d'équilibre peut même se traduire par des réactions physiques qui perturbent le dialogue ou l'interdisent. Des images de vous-même ou de l'avenir déclenchent des poussées d'adrénaline et peuvent provoquer d'incontrôlables bouffées d'angoisse ou de colère, voire un intense désir de fuite. Le calme cède le pas à la dépression, l'espoir au désespoir, l'efficacité à la peur. Et malgré tout, vous essayez de vous engager dans la tâche extrêmement délicate qui consiste à communiquer clairement et efficacement. Votre supérieur vous explique pourquoi il refuse votre promotion, et vous êtes ébranlé par un séisme identitaire.

Il n'existe pas de remède-minute

Vous ne pouvez pas « blinder » votre image de vous-même. Les questions d'identité absorbent toute votre vie et votre évolution ; aucun amour, aucun acte, aucune technique ne peuvent vous protéger des défis à relever. Votre position identitaire face aux autres et au monde ne peut qu'être remise en cause si vous voyez votre mari pleurer quand vous lui annoncez que vous ne voulez pas d'autre enfant, ou si vous entendez votre entraîneur vous dire de cesser vos enfantillages quand vous évoquez les pratiques discriminatoires au sein de l'équipe dont vous faites partie.

Tous les séismes identitaires ne sont pas dangereux, mais certains vous menacent indéniablement. Une discussion difficile peut vous conduire à renoncer à une image précieuse de vous-même. Au pire, elle peut provoquer une perte qui nécessitera un travail de deuil, aussi sûrement que la mort d'un être aimé. Il ne sert à rien de prétendre qu'il existe un remède-minute, ou que vous ne perdrez plus jamais l'équilibre, ni même que les pires épreuves de la vie peuvent être surmontées en prenant quelques mesures faciles.

Mais voici la bonne nouvelle : vous pouvez apprendre à reconnaître les enjeux identitaires et à mieux les gérer quand ils se présentent. Si vous réfléchissez clairement et honnêtement à ce que vous êtes, ceci peut contribuer à faire baisser votre angoisse au cours de la conversation et à vous rendre beaucoup plus solide pour la suite.

Les identités fragiles : le syndrome du tout-ou-rien

Pour mieux mener les discussions à enjeux identitaires, il faut commencer par comprendre la manière dont nous prêtons le flanc aux coups qui risquent de nous déstabiliser. Le principal facteur qui contribue à nous rendre vulnérable est le syndrome du « tout-ou-rien » : je suis compétent ou incompétent, bon ou mauvais, digne ou indigne d'amour.

Cette forme de pensée a pour principal inconvénient de déstabiliser considérablement notre identité, et de nous rendre hypersensible aux réactions d'autrui. Quand nous sommes confrontés à des informations négatives nous concernant, la pensée du tout-ou-rien ne nous laisse que deux moyens également néfastes de gérer l'information. Soit nous essayons de nier ce qui n'est pas compatible avec notre image, soit nous faisons le contraire : nous exagérons son importance dans des proportions qui nous paralysent. Les identités fondées sur le syndrome du tout-ou-rien sont aussi solides que les chaises à deux pieds.

Le déni

Le fait de s'accrocher à une identité exclusivement positive ne laisse aucune place à la critique dans notre esprit. Si je me considère comme un individu ultra-compétent et infaillible, je serai confronté à un problème dès que quelqu'un suggérera que j'ai commis une erreur. Le seul moyen de protéger mon identité consiste à nier l'intervention extérieure – afin de vérifier pourquoi son affirmation n'est pas fondée, pourquoi elle ne compte pas vraiment ou pourquoi mon acte ne constitue pas une erreur.

Souvenez-vous du chimiste qui demandait une augmentation. Sa supérieure lui répondait en disant : « Je suis surprise que vous évoquiez ce sujet. À vrai dire, j'ai été déçue par vos performances cette année. » Le chimiste doit maintenant décider comment intégrer cette information, et ce qu'elle révèle à propos de son identité. Voici un exemple de déni : « La responsable du service connaît les affaires, mais pas la chimie. Elle ne sait pas à quel point mes interventions ont été précieuses. Si seulement j'avais affaire à quelqu'un qui sache m'apprécier à ma juste valeur. »

Tenter de se prémunir des informations négatives pendant une discussion difficile, c'est essayer de nager sans se mouiller. Si nous nous engageons dans une controverse, comme d'ailleurs dans la vie, nous devons affronter certaines informations que nous jugeons désagréables. Le déni exige une incroyable énergie psychique et, tôt ou tard, l'histoire que nous nous racontons devient intenable. *Et plus le fossé se creuse entre ce que nous espérons et ce que nous craignons de voir se réaliser, plus il est facile pour nous de perdre l'équilibre.*

L'exagération

C'est l'autre versant du déni. La pensée du tout-ou-rien n'adapte pas notre image de nous-mêmes à l'information négative, mais la *retourne*. Si je ne suis pas complètement compétente, alors je suis complètement incompétente : « Je ne suis probablement pas aussi créative et originale que je croyais l'être. Je ne serai probablement jamais capable de rien faire. Peut-être vais-je me faire renvoyer. »

Nous nous laissons définir par les réactions d'autrui. Quand nous exagérons, nous agissons comme si la pensée d'autrui était le *seul* renseignement dont nous disposions sur nous-mêmes. Nous permettons à nos interlocuteurs de nous influencer et de nous dicter une vision de nous-mêmes. Probablement sommes-nous capables de traiter cent dossiers en même temps, mais si nous sommes critiqués pour avoir rendu le cent unième en retard, nous pensons : « Je ne fais jamais *rien* de bien. » Et cette seule information occupe tout l'espace de notre écran identitaire.

Cet exemple peut paraître ridicule, mais il nous arrive à tous de penser ainsi, et pas seulement à l'occasion d'événements dramatiques ou traumatiques. Si la serveuse vous regarde d'un air bizarre en collectant son pourboire, c'est parce que vous avez fait preuve d'avarice. Si vous n'aidez pas vos amis à repeindre leur maison, vous vous montrez égoïste. Si votre frère vous dit que vous ne venez pas voir les enfants assez souvent, vous êtes une tante indigne. Il est facile de voir pourquoi l'exagération est une réaction si débilitante.

Ancrez votre identité

Pour mieux gérer la discussion identitaire, procédez en deux étapes. Tout d'abord, familiarisez-vous avec les questions identitaires qui comptent pour vous, afin de pouvoir les repérer dans une discussion. Ensuite, apprenez à compléter intelligemment l'image que vous vous faites de votre identité en abandonnant la pensée du tout-ou-rien.

Étape n° 1. Prenez conscience de vos enjeux identitaires

Souvent, nous ne sommes même pas conscients que nous impliquons notre identité dans les discussions difficiles. Nous sentons que nous sommes angoissés, apeurés ou déstabilisés, et que notre capacité à communiquer a disparu. Alors que nous sommes généralement à l'aise pour parler, nous achoppons sur les mots et nous bégayons. Alors que nous nous montrons généralement courtois et attentifs, nous ne cessons d'interrompre l'autre et de pinailler. Alors que nous faisons presque toujours preuve de calme, nous bouillons de colère. Mais nous ne savons pas exactement pourquoi. Le lien avec notre identité n'est pas évident. Il est facile de penser : « Je suis en train de parler avec mon frère de la manière dont il traite sa femme. Qu'est-ce que cela a à voir avec mon identité ? »

Ce qui déclenche votre séisme identitaire peut laisser une autre personne indifférente. Nous avons tous nos points sensibles. Pour vous familiariser avec les vôtres, voyez s'il existe des schémas qui tendent à vous déséquilibrer au cours de discussions difficiles, puis demandez-vous pourquoi. Quand est-ce que votre identité se sent menacée ? Quelle est la signification de cette remarque pour vous ? Comment vous sentiriez-vous si vos craintes s'avéraient fondées ?

Cela peut demander quelques efforts de réflexion. Étudions l'histoire de Jimmy. En grandissant, Jimmy a acquis la réputation d'être une personne froide et distante. Cette attitude l'a aidé à se protéger des attaques affectives dont il était l'objet dans sa vie quotidienne. Face à ces tirs d'artillerie, n'importe qui aurait explosé. Pas Jimmy. Sa rationalité ne présentait aucune faille.

Mais après avoir passé de nombreuses années à l'écart, Jimmy a changé. Il a commencé à penser qu'il valait mieux reconnaître ses émotions et les partager, et son changement de comportement, face à ses amis et collègues, lui a valu de nombreux avantages. Désireux de révéler ce changement aux membres de sa famille, il s'est trouvé confronté à sa propre peur. Ses règles de vie avec ses proches étaient profondément enracinées, et bien qu'imparfaites, elles avaient le mérite d'être commodes et prévisibles. « Tout fonctionne à peu près si je laisse les choses en l'état. »

Mais Jimmy continuait à réfléchir aux questions que lui posaient ses amis et se tourmentait pour y trouver des réponses. Finalement, il a cerné la peur qui l'accompagnait depuis toujours : « Que se passera-t-il s'ils me rejettent ? » « S'ils se moquent de moi ? » « S'ils se demandent ce qui me prend ? » Jimmy savait qu'il essuierait une tempête identitaire si ses parents réagissaient mal, et il n'était pas sûr de vouloir braver un tel risque.

L'histoire ne s'est pas arrêtée avec cette prise de conscience. Jimmy a décidé d'exprimer plus souvent ses émotions en face des membres de sa famille, avec des résultats mitigés au départ. La gêne était parfois palpable, et ses proches se demandaient pourquoi il n'agissait plus comme avant. Mais Jimmy s'est obstiné et a fini par authentifier ses relations avec autrui.

Étape n° 2. Étoffez votre identité, optez pour la « conciliation »

Lorsque vous avez déterminé quels sont les aspects de votre identité qui comptent le plus pour vous ou quels sont vos points les plus vulnérables, vous pouvez commencer à étoffer votre image personnelle. Cela suppose de vous éloigner de la fausse alternative « je suis parfait » et « je suis nul », et de dresser un tableau aussi clair que possible de la vérité qui vous concerne. Comme chez les autres, vous trouverez chez vous un mélange de bons comportements et d'attitudes erronées, de nobles intentions et de mobiles moins avouables, des choix judicieux et déraisonnables que vous avez faits tout au long de votre chemin.

Même pour les meilleurs et les plus mauvais d'entre nous, les identités fondées sur le tout-ou-rien débouchent sur une vision trop simpliste du monde : « Mes enfants passent avant tout. » Et quand il est question de chercher un partenaire : « J'ai toujours eu un jugement déplorable. » Personne n'est *toujours* semblable à lui-même. Nous possédons une constellation de caractéristiques positives et négatives, et nous tâtonnons sans cesse pour savoir comment nous coltiner aux situations compliquées que la vie nous présente. Nous ne réagissons pas toujours avec autant de compétence ou d'humanité que nous le voudrions.

Un bon exemple nous est fourni par la peur de Ben à affronter son employeur pour lui dire qu'il a accepté un autre poste. Ben est-il un salarié loyal ou un traître ? Ces deux qualifications, trop tranchées, ne rendent pas les nuances des nombreux contacts que Ben a eus dans sa vie professionnelle. Il a accompli beaucoup de sacrifices pour sa famille et pour son employeur. Il a travaillé les week-ends, refusé d'autres offres, a aidé de son mieux la société à recruter des collaborateurs de haut niveau. La liste de ses actes loyaux est certainement longue.

Dans le même temps, Ben quitte son travail pour obtenir un meilleur salaire ailleurs. Il est normal que son employeur se sente abandonné. Cela ne fait pas de Ben un mauvais sujet. Cela ne signifie pas qu'il ait fait son choix par simple cupidité. Il veut payer des études supérieures à ses enfants. Pendant des années, il a été sous-payé et ne s'en est pas plaint.

Quelle est donc la conclusion à tirer à propos de Ben ? Il n'y en a pas. Ben peut se féliciter de nombre de ses choix et de ses actes, et témoigner de l'ambivalence ou du regret à propos d'autres décisions. La vie est trop complexe pour qu'il en aille autrement. De fait, il est bon d'avoir de soi-même une image qui tolère la complexité. Cela donne une base solide.

Trois choses à accepter à propos de soi

Sans aucun doute, vous devrez lutter toute votre vie avec certains côtés de votre personnalité. Quand vous vous observez, vous n'aimez pas toujours ce que vous voyez, et vous constatez qu'il vous faut travailler dur pour vous accepter tel que vous êtes. Mais en vous éloignant de la pensée du tout-ou-rien et en adoptant une vision plus nuancée de votre identité, vous remarquerez qu'il devient plus facile de tolérer les facettes qui vous ont donné du fil à retordre par le passé.

Voici les trois caractéristiques qu'il est important d'accepter à votre propos dans les discussions difficiles. Plus vous admettrez facilement vos erreurs, l'ambiguïté de vos intentions et votre responsabilité dans le problème posé, plus vous vous sentirez équilibré pendant l'échange, et meilleures seront les chances qu'il tourne bien.

1. Vous commettez des erreurs. Si vous ne pouvez concéder que vous commettez parfois des erreurs, vous aurez plus de mal à saisir et à accepter les données légitimes qui se manifestent dans la version de l'autre.

Voyez ce qui s'est passé entre Rita et Isaiah. « Je tiens à ce que l'on me juge digne de confiance, et à ce que mes amis puissent se confier à moi », explique Rita. « Pour moi, c'est cela, l'amitié. Isaiah, l'un de mes collaborateurs, m'a révélé qu'il luttait contre l'alcoolisme, et j'avais promis de garder cette information confidentielle. Mais je savais qu'un ami commun avait été confronté aux mêmes difficultés par le passé, aussi je lui ai parlé du problème d'Isaiah, pour lui demander conseil.

« Ensuite, Isaiah l'a appris, et cela l'a rendu furieux. Tout d'abord, j'ai essayé d'expliquer que je cherchais à l'aider, et que mon ami pouvait être d'un recours précieux. Finalement, j'ai compris que je discutais parce que je ne pouvais pas admettre que j'avais trahi la confiance d'Isaiah. Je n'avais pas été à la hauteur de ma parole. Quand j'ai pu accepter que j'avais commis une erreur, la discussion avec Isaiah a progressé. »

Si vous vous accrochez à la pensée du tout-ou-rien, la plus petite bévue peut sembler catastrophique et presque impossible à endosser. Si vous passez votre temps à étayer votre identité « sans peur et sans reproche », vous ne serez pas capable de vous engager dans une véritable discussion didactique. Dans ce cas, vous risquez de commettre à nouveau les mêmes fautes.

Les gens rechignent à admettre leurs maladresses, notamment parce qu'ils craignent qu'on les juge faibles ou incompétents.

Mais souvent, les personnes globalement compétentes, qui admettent l'éventualité de leurs impairs, sont jugées fiables, rassurantes et « assez adultes » pour ne pas prétendre à la perfection, alors que celles qui se privent de toute marge d'erreur sont jugées fragiles, peu autonomes et affligées d'un *manque de confiance* en elles. Personne n'est dupe.

2. Vos intentions sont complexes. Parfois, nous nous inquiétons à la perspective de certaines discussions, parce que nous savons que notre attitude passée n'a pas toujours été pavée de bonnes intentions.

Voyez le cas de Sally et d'Evan, son petit ami. Sally veut rompre avec Evan, mais elle craint qu'il ne l'accuse de s'être servie de lui pour combler une période de solitude. Avant que Sally ne clame la pureté de ses intentions, elle doit se poser honnêtement la question. Bien que, globalement, elle n'ait pas cherché à blesser Evan et n'ait pas agi contre ses intérêts, il y a eu effectivement une part d'égoïsme dans son comportement.

En reconnaissant sincèrement la complexité de ses motivations, Sally a de meilleures chances de garder son équilibre si ses intentions sont remises en cause. Elle pourra répondre sincèrement : « A la réflexion, je crois que ce que tu dis est juste. Je me sentais effectivement solitaire, et cela m'a aidée d'être avec toi. Je ne crois pas que c'était là ma seule priorité. Je misais vraiment sur le long terme. J'ai été poussée par des raisons multiples. »

3. Vous avez contribué au problème. La troisième étape cruciale de cet étoffement identitaire suppose d'évaluer vos responsabilités et de les assumer.

Ce n'est pas toujours facile. Walker a récemment appris que sa fille était anorexique. Un conseiller d'éducation à l'université vient de l'appeler pour l'informer qu'Annie Mae venait d'entrer dans une clinique. Walker a cherché à prendre des nouvelles, mais l'échange n'est pas allé au-delà de : « Comment vas-tu, ma grande ? » et : « Ça ira, papa. »

Walker préférerait une conversation plus authentique, mais la peur le paralyse. Il se doute qu'Annie Mae affronte certains problèmes liés à leur relation. Il la soupçonne de croire qu'il n'a pas été un bon père, et redoute qu'elle le lui dise pour la première fois. Cette perspective le terrifie.

Jusqu'à présent, sans savoir exactement ce que pensait sa fille, Walker a pu espérer avoir été un bon père. Rien ne lui importe davantage. Mais il devine la complexité de la situation. Après tout, il a été souvent absent, n'a pas soutenu sa fille autant qu'il l'aurait dû, et n'a pas toujours tenu les promesses qu'il lui a faites.

Walker dispose de deux options. Il peut essayer de se tenir à carreau pendant ses conversations avec sa fille, et de croiser les doigts pour qu'elle n'évoque pas la manière dont il a contribué à leurs difficultés de communication et à sa maladie actuelle. À moins qu'il ne se prépare à l'avance en analysant certaines questions relatives à sa propre identité, et accepte sincèrement l'idée qu'il a participé au problème d'Annie Mae.

Cela ne sera pas facile. En fait, il s'agit peut-être de la tâche la plus ardue qu'il ait jamais à affronter. Mais s'il est capable de s'accepter et de considérer ses actions pour ce qu'elles sont, il constatera probablement au fil du temps que ses discussions avec sa fille deviennent plus aisées. Et surtout, Walker se rendra compte qu'il n'a plus besoin de se cacher. Ses échanges avec Annie Mae ne seront plus truffés de mines qui menaceront son identité de bon père absolu. Il peut dire à sa fille : « Je regrette de ne pas avoir passé plus de temps avec toi. Je suis triste et désolé de ne pas l'avoir fait », et il pourra s'approcher d'elle avec compassion au lieu de la craindre.

Au cours de la discussion, apprenez à retrouver votre équilibre

Après avoir observé O Sensei, créateur de l'aïkido, qui combattait avec un lutteur accompli, un jeune étudiant a dit au maître : « Vous ne perdez jamais l'équilibre. Quel est votre secret ? »

« Vous vous trompez », répondit O Sensei. « Je perds constamment l'équilibre. Ma force, c'est ma capacité à le retrouver. »

Il en va de même dans les discussions difficiles. Le travail sur les enjeux identitaires est très utile. Malgré tout, la conversation amènera son lot de surprises, elle menacera votre image de façon inattendue. La question n'est pas de savoir si vous serez ébranlé ou non. L'important, c'est de voir si vous serez capable de vous remettre sur vos pieds et de poursuivre le dialogue dans une direction constructive.

Avant et pendant une discussion épineuse, vous pouvez faire quatre choses qui vous aideront à garder votre aplomb ou à le restaurer : cesser de vouloir contrôler les réactions de l'autre, préparer vos réponses, imaginer l'avenir pour reprendre du champ, et – si vous perdez l'équilibre – marquer une pause.

Cessez de vouloir contrôler les réactions de l'autre

Si vous êtes en désaccord avec vous-même ou que vous vous sentez honteux, surtout dans les échanges qui portent sur d'importants enjeux identitaires, vous aurez envie d'éviter les mauvaises réactions de l'autre, parce qu'elles risqueront de peser sur vous. « Quoi qu'il advienne », pensez-vous, « je ne veux pas qu'il se fâche, il faut éviter qu'il m'en veuille ». Vous vous sentez déjà assez mal en face de vous-même. Une réaction négative de l'autre rendrait les choses insupportables. L'une des priorités de votre conversation devient donc d'esquiver les contrariétés de la partie adverse.

Il n'y a rien de répréhensible (c'est au contraire à votre honneur) à ne pas vouloir blesser l'autre partie ou à vouloir garder son estime même lorsque vous lui aurez apporté une mauvaise nouvelle. Cependant, si vous en faites *l'objectif* de votre dialogue, vous allez au-devant des ennuis. De la même manière que vous ne pouvez changer les autres, vous ne pouvez contrôler leurs réactions, et il vaut mieux ne pas essayer.

Si vous annoncez à vos enfants que vous divorcez d'avec leur mère, ils en seront vraisemblablement peinés. Comment pourrait-il en être autrement ? Parce que vous les aimez, il est naturel que vous cherchiez à minimiser leur peine. Mais il y a également un élément *d'auto*-protection dans ce désir : « J'espère qu'ils ne pleureront pas, qu'ils ne se mettront pas en colère, qu'ils ne s'enfuiront pas, et qu'ils ne chercheront pas à contester le bien-fondé de ma décision. » C'est ce que vous pensez, en partie à cause de ce que vous risquez de ressentir : « Je suis probablement un mauvais père et un mari raté. » En voulant contrôler la réaction des enfants, vous fuyez votre responsabilité face à la situation, avec ce que cela suppose de répercussions pénibles sur votre identité.

Si vous essayez d'aplanir ou d'étouffer la réaction de l'autre, les choses ne feront qu'empirer. Vous souhaitez, et c'est compréhensible, que vos enfants comprennent que le divorce ne sera pas une catastrophe ou que l'employée que vous licenciez se rende compte que cela représente un moyen d'obtenir un poste mieux adapté à ses qualifications. Cependant, même si vos prédictions optimistes se réalisent à long terme, il est désastreux de nier ce que ressent votre interlocuteur[trice] sur le moment. Peut-être voulez-vous dire « tout ira bien », mais le message que l'autre risque d'entendre est « je ne comprends pas ce que tu éprouves » ou pire, « tu n'as pas le droit d'être ainsi bouleversé ».

Quand vous apportez de fâcheuses nouvelles – dans n'importe quelle discussion difficile, adoptez « l'attitude de conciliation » au lieu de chercher à contrôler la réaction de l'autre. Vous pouvez vous présenter avec l'intention d'informer vos enfants de votre divorce, *et* leur dire que vous les aimez. Vous indiquerez *aussi* que vous croyez sincèrement à une issue favorable, que vous souhaitez leur accorder assez d'espace pour exprimer tous leurs sentiments, *et* que ces émotions sont légitimes et logiques. Cela vous permet d'agir sur tout ce qu'il est possible de contrôler (de votre côté), et leur accorde assez de place pour se montrer honnêtes en retour.

La même dynamique s'applique lorsqu'il est question d'annoncer de mauvaises nouvelles sur votre lieu de travail. Quand vous licenciez quelqu'un, cette personne sera vraisemblablement bouleversée, et furieuse contre vous. Ne mesurez pas le succès de la discussion au degré de mécontentement de votre interlocuteur[trice]. Il/elle a le droit d'être dans tous ses états, et sa réaction est raisonnable. Mieux vaut vous concentrer sur l'idée de lui transmettre l'information prévue, d'assumer la responsabilité du rôle que vous avez joué dans cette solution (mais pas davantage), de lui montrer que vous prenez ses sentiments en compte, et d'essayer de la soutenir pour aller de l'avant.

Apprendre que vous ne pouvez pas contrôler la réaction de l'autre, et qu'il peut être néfaste d'essayer, risque de vous libérer. Cela donne à votre adversaire un espace pour réagir de la manière qui lui est nécessaire, et cela vous soulage d'un poids énorme. Devant la réaction du camp d'en face, vous apprendrez énormément sur vous-même. Et si vous êtes prêt à vous instruire, vous vous sentirez délivré du besoin désespéré de canaliser sa réaction dans une direction donnée.

Préparez-vous à la réaction de l'autre

Au lieu d'essayer de contrôler la réaction de la partie adverse, *préparez-vous* à l'accueillir. Accordez-vous du temps, à l'avance, pour imaginer la conversation. Au lieu de vous focaliser sur la mauvaise tournure qu'elle peut prendre – ce qui est peut-être une tentation quand vous ressassez toute la nuit la question de savoir si vous devez parler ou non –, concentrez-vous sur ce que vous pouvez apprendre des réactions de l'autre. Va-t-il pleurer ? Bouder et se retirer ? Feindre que tout va bien ? Vous agresser ou vous rejeter ?

Ensuite, demandez-vous si ces réactions touchent certains enjeux identitaires en vous. Si tel est le cas, imaginez que le tiers réagira de la manière la plus pénible pour vous, et demandez-vous : « Qu'est-ce que cette remarque dira de moi, à mon avis ? » Travaillez à l'avance sur ces questions d'identité. « Puis-je supporter de faire pleurer quelqu'un ? » « Comment vais-je réagir ? » « Que se passera-t-il si la partie adverse attaque ma personnalité ou mes motivations ? Comment répondre ? » Plus vous

vous préparez aux réactions de l'autre, moins vous serez surpris. Si vous avez déjà étudié les implications identitaires de ses réactions, vous risquez moins de perdre votre équilibre face à lui.

Imaginez que trois mois ou trois ans ont passé

Il est difficile de prendre des distances avec soi quand le monde vous paraît dévasté et que vous vous sentez perdu, indigne d'amour ou inutile. Parfois, il peut être consolateur de vous projeter dans votre propre avenir en vous persuadant que vous finirez par vous sentir mieux, et qu'un jour tout cela vous paraîtra moins important.

La projection dans l'avenir permet de trouver un élan. Si vous vivez un moment particulièrement douloureux, pensez à ce que vous ressentirez d'ici trente ans en y songeant. Qu'aurez-vous tiré de cette expérience ? Comment jugerez-vous l'avoir gérée ? Pour faire face à ce chagrin, quel avis peut vous donner celui ou celle que vous serez dans trente ans ?

Marquez une pause

Parfois, vous constaterez que vous êtes trop impliqué dans le problème et dépassé par votre séisme identitaire pour vous engager efficacement dans le débat. Vous ne vous trouvez pas en position de recevoir des informations ou de débroussailler vos propres pensées. À certains moments, il est inutile de maintenir l'illusion de votre participation à la discussion.

Demandez un délai pour réfléchir à ce que vous avez entendu. « Je suis surpris par votre réaction et j'aimerais prendre le temps de repenser à ce que vous m'avez dit. » Même dix minutes peuvent suffire. Allez marcher. Prenez l'air. Ayez conscience des distorsions que vous pouvez imprimer à la réalité. Passez quelques minutes de tranquillité à méditer sur la manière dont votre jugement a été remis en cause ou bien dont vos révélations personnelles ont été accueillies avec arrogance. Voyez si vous n'êtes pas dans le déni. En quoi la parole de l'autre est-elle vraie ? Vérifiez s'il n'y a pas d'exagération de sa part. Quel est le pire événement qui puisse survenir ? Et que pourriez-vous faire en ce moment pour renverser la conversation ?

Certaines personnes ont du mal à réclamer une pause. Mais en repoussant la discussion jusqu'au moment où vous aurez retrouvé votre équilibre, vous vous protégerez de nombreux déboires pires que la gêne que vous éprouverez probablement en présentant cette requête.

L'identité de l'autre est aussi impliquée

Quand nous sommes emberlificotés dans nos délibérations identitaires, il peut être difficile de se souvenir que le tiers est sans doute en train de se livrer à un combat similaire. Très certainement, au moment où Walker essaie de parler à Annie Mae de sa maladie, elle se trouve plongée dans un débat identitaire. Le simple fait de se retrouver dans une clinique parce que quelque chose « ne va pas » peut confirmer sa plus grande peur – celle de ne jamais être suffisamment bonne, de ne pas réussir à plaire à son père.

Walker peut aider sa fille en l'entraînant à l'écart de la pensée du tout-ou-rien. Il peut lui permettre de se réconcilier avec elle-même en l'informant que tout le monde a besoin d'aide, un jour ou l'autre. Il peut aussi lui rappeler les idées positives qui la concernent et qui comptent pour lui : « Je suis fier que tu sois capable d'aller chercher de l'aide. » Il peut lui dire qu'il l'aime, non parce qu'elle reçoit des bonnes notes à l'école, mais parce qu'elle est sa fille. Et l'informer que cela ne changera pas, quelles que soient les circonstances.

Posez clairement les questions identitaires

Parfois, vos problèmes d'identité concernent peu la personne à qui vous parlez ou pèsent à peine dans la relation que vous avez avec elle. Vous n'avez pas besoin d'expliquer à votre nouveau collègue qu'il vous rappelle un ancien petit ami avec qui vous avez eu de mauvaises expériences sexuelles. Il est utile que vous en soyez consciente, mais en parler ne fera probablement pas progresser la discussion. Vous pouvez mentalement repérer cet aspect des choses et reconnaître que vous devez y travailler seule.

En d'autres occasions, la description de votre débat identitaire peut vous aider à accéder au cœur du problème : « J'ai l'impression que toute cette discussion tourne autour de la question de savoir si je suis ou non une bonne épouse. Partages-tu cette impression ? » « J'ai toujours regretté de n'avoir rien dit à l'enterrement de papa. Voilà pourquoi c'est si important pour moi de parler aujourd'hui à maman. » « Je suis sensible aux critiques qui portent sur mon style écrit. Je sais que j'ai besoin d'interlocuteurs, mais nous devons en être conscients tous les deux en travaillant sur ces dossiers. »

Vous serez étonné de constater quel nombre effarant de discussions tournent autour de ce qu'elles paraissent révéler sur les participants.

Trouvez le courage de demander de l'aide

Parfois, la vie nous assène des coups si violents que nous ne pouvons nous débrouiller seuls. La nature de ces épreuves diffère pour chacun d'entre nous. Ce peut être quelque chose qui vous mine, comme un viol ou une réalité aussi horrible que la guerre. Ce peut être une maladie physique ou mentale, une dépendance ou un deuil. Ce peut être un événement qui ne dérangerait pas les autres, mais qui vous perturbe énormément.

Nous prêtons parfois du courage à ceux qui souffrent en silence. Mais lorsque le mal se prolonge ou qu'il interfère avec le cours normal de l'existence, il peut devenir plus dangereux que valeureux de le supporter sans mot dire. En tout état de cause, si vous avez lutté pour surmonter l'adversité et que vous n'y parvenez pas, nous vous encourageons à chercher de l'aide.

De vos amis, de vos collègues, de votre famille, de professionnels. De tous ceux qui sont capables de vous tendre la main.

Pour beaucoup d'entre vous, ce n'est pas facile. Vos délibérations intérieures vous disent haut et fort qu'il n'est pas bon de réclamer du secours, que c'est honteux, faible, et que cela pèse sur les épaules d'autrui. Ces pensées sont prépondérantes, mais vous devez vous poser la question suivante : Si quelqu'un que vous aimez – votre fille, votre oncle, un collègue très apprécié – se trouvait dans la situation que vous affrontez, pensez-vous qu'il/elle aurait raison de se faire épauler ? Pourquoi ne devriez-vous pas être taillé dans le même bois que lui/elle ?

Si une part de vous croit qu'elle n'a pas besoin de soutien, il ne sera jamais facile de le solliciter. Lorsque vous le ferez, vous vous rendrez compte que les bénévoles ne se bousculent pas, ce qui sera douloureux. Mais souvent, votre requête ne sera pas rejetée. En faisant suffisamment confiance aux autres pour présenter votre demande, vous leur offrez une occasion extraordinaire de faire quelque chose d'important pour quelqu'un qui ne leur est pas indifférent. Un jour peut-être, vous aurez l'occasion de leur rendre ce qu'ils vous ont donné.

Engagez une discussion didactique

7

Quel est votre objectif? Quand faut-il soulever le problème, quand faut-il lâcher prise ?

Vous ne pouvez pas dresser l'inventaire de toutes vos discussions difficiles. La vie est courte, et la liste serait trop longue. Comment décidez-vous d'entamer ce genre d'échange, pour la première ou la centième fois ? Et comment laisser de côté les aspects que vous voulez négliger ?

Ce sont les questions qui vous tourmentent quand vous cherchez le sommeil en écoutant aboyer le chien du voisin. Nous avons passé la première moitié de ce livre à parler des *sujets* que vous pourriez évoquer. La seconde partie de cet ouvrage sera consacrée à la méthode à suivre. Mais auparavant, faut-il commenter les circonstances de l'échange ?

En parler ou pas, comment décider ?

Nous serions heureux de découvrir qu'il existe des règles fixes sur le moment qui convient pour évoquer les questions difficiles. « Ne parlez jamais de politique à la table familiale », disent les uns. « Quoi que vous fassiez, n'évoquez jamais aucun problème avant huit heures du matin », ou : « Ne contredisez jamais votre employeur. » Ce sont des règles qui ont l'avantage d'être claires. Mais elles sont également absurdes et inutiles.

Au bout du compte, vous êtes la seule personne qui puisse décider s'il faut aborder ou non un point particulier avec votre mari, votre agent ou votre garagiste. Parce que les éléments spécifiques de chaque situation sont différents, il n'existe aucun commandement simple qui puisse vous orienter vers une sage décision. *Cependant*, nous pouvons vous proposer quelques questions et suggestions qui vous aideront à déterminer l'utilité de la discussion, et le moment qui conviendra le mieux pour l'entamer.

Comment savoir si j'ai fait le bon choix ?

Quand nous nous demandons si nous devons soulever un problème, nous pensons souvent : « J'aimerais être capable de me décider plus rapidement. Si j'étais plus malin, ce ne serait pas difficile. » À la vérité, il n'y a pas de « bon choix ». Aucun moyen de savoir à l'avance comment les choses vont tourner. Ne passez pas votre temps à chercher l'unique bonne réponse à une situation donnée. Non seulement cette notion est vaine, mais elle ne fait que vous freiner.

Songez plutôt à *penser clairement* quand vous serez confronté à votre choix. Vous ne pouvez rien faire de plus.

Travaillez sur les trois discussions

Dans tous les cas, explorez au mieux les trois types de discussions. Sachez reconnaître vos sentiments, les questions identitaires cruciales, et les possibles déformations ou lacunes de vos perceptions. Réfléchissez explicitement à ce que vous connaissez intimement (vos sentiments, vos propres expériences et votre histoire, vos enjeux identitaires), et à ce que vous ignorez (les intentions de l'autre, ses perspectives, ses sentiments).

Cette approche vous aidera à analyser le processus de communication et à cerner ce qui complique vos échanges. Parfois, vos conclusions vous permettront de dégager une réponse précise : « Il est important d'en parler, et maintenant, je sais ce que je ferai pour agir différemment », ou : « Je commence à comprendre pourquoi il est inutile d'en parler. »

Trois types de discussions *absurdes*

Au moment où vous vous demandez si vous devez aborder le problème, vous constaterez que certains sujets ne valent pas la peine d'être évoqués. Pour prendre une décision sensée, trois questions clés se posent à vous.

Le véritable conflit est-il en vous?

Parfois, les méandres de la situation ont bien plus à voir avec votre débat intérieur qu'avec la relation qui vous lie à votre interlocuteur[trice]. Dans ce cas, une conversation axée sur l'interaction ne sera ni révélatrice ni productive, en tout cas pas avant que vous n'ayez entamé un long entretien avec vous-même.

C'est par une réflexion sur ses enjeux identitaires que Carmen a pu résoudre un conflit latent avec son mari à propos de ses responsabilités dans la gestion des activités des enfants (séances de natation, visites chez le médecin, et cours de piano).

> En dépit du fait que je travaillais à plein temps pour soutenir financièrement la famille pendant que Tom restait à la maison avec les enfants, j'étais chargée de gérer la plus grande partie des activités extrascolaires et des déplacements qui leur étaient liés. J'avais l'impression que Tom n'assumait pas suffisamment ses responsabilités. Je devais le tarauder sans cesse pour qu'il s'acquitte de sa part du travail. Il fallait que je veille à ce que tout se passe sans heurts.
>
> Mais quand j'ai commencé à réfléchir à mes enjeux identitaires, je me suis rendu compte que je cherchais à *garder le contrôle* sur cet aspect de la vie de mes enfants – probablement par ambivalence, pour compenser le fait que je travaillais à plein temps. J'aime beaucoup mon métier. Je le fais bien, et je gagne décemment ma vie. Mais je suis toujours minée par la culpabilité, et, à certains moments, je suis jalouse du fait que ma fille soumette ses problèmes à Tom avant de me consulter.

Lorsque Carmen a compris que la gestion des horaires de loisirs lui permettait de s'assurer qu'elle était toujours une bonne mère, active et essentielle au bien-être de ses enfants, elle a pu tempérer le ressentiment qui l'envahissait quand les choses débordaient un peu du cadre. « J'ai à la fois confié certaines tâches à Tom et modifié ma façon d'envisager mes responsabilités. Il y a certaines choses que je choisis d'assumer pour me sentir efficace, et je ne prends plus nécessairement le relais pour les activités que mon mari laisse filer. »

Existe-t-il un meilleur moyen de gérer le problème que d'en parler ?

Lorsque vous ferez le tri de vos sentiments ou que vous identifierez votre responsabilité dans une situation donnée, vous en conclurez peut-être que vous n'avez pas besoin d'entamer une discussion à ce sujet, mais que vous souhaitez modifier votre comportement. Parfois, les actes valent mieux que les mots.

Walter avait déjà essuyé une série d'altercations avec sa mère à propos de la ferme familiale, située dans le Nord de l'État du Missouri. Il nous a raconté l'histoire suivante :

> Depuis la mort de papa, mes frères aident ma mère à la ferme. Dès que j'en parle, elle me demande si je vais rentrer pour participer à l'affaire familiale ou au moins prendre la place du vieux Doc Jenny pour devenir le médecin du coin.
>
> J'aime vivre à Saint-Louis, où j'ai un cabinet de pédiatre qui marche très bien. Je pensais donc que la discussion la plus utile était celle qui me permettrait de convaincre ma mère de me laisser tranquille, afin qu'elle accepte de ne pas me voir revenir, en tout cas pas dans l'immédiat.
>
> Mais en réfléchissant aux trois types de discussions, j'ai découvert plusieurs éléments. J'ai compris que je me sentais frustré et amer quand ma mère évoquait ce sujet, mais aussi que j'étais sensible à l'amour qu'elle me témoignait en me faisant cette offre, heureux d'avoir des racines et la possibilité de rentrer. Je ressens aussi un peu de tristesse à l'idée que mes enfants ne puissent bénéficier de la présence rapprochée de leur grand-mère, comme mes nièces, et qu'ils soient privés de la vie à la ferme, dont j'ai gardé un merveilleux souvenir.
>
> J'ai découvert cela en imaginant les perceptions et les sentiments de ma mère. Soudain, il m'est apparu qu'elle souffrait de ne pas savoir comment je vivais, et ne pas pouvoir m'intégrer à la vie de la famille. Elle voulait que je ramène mes enfants au bercail pour qu'elle se sente

> plus proche. Mais quand elle l'exprimait en demandant mon retour, je réagissais habituellement en coupant court à la conversation. Ensuite, je ne l'appelais plus pendant plusieurs semaines, simplement parce que je voulais éviter l'éternel débat. Je finissais donc par contribuer à sa frustration en *m'éloignant* davantage, ce qui la poussait à exprimer sa nostalgie avec encore plus de véhémence, et nous enfermait dans un cercle vicieux.

Après avoir ainsi analysé ses responsabilités et la complexité de ses sentiments, Walter a compris qu'il n'avait pas besoin de discuter avec sa mère de son insistance à le voir revenir. Il fallait d'abord qu'il cesse de contribuer au problème.

> J'ai commencé à lui téléphoner plus souvent, à lui envoyer des petits mots pour la tenir au courant des activités des enfants, et à l'inviter à Saint-Louis pour de courtes périodes de repos sans étiquette précise, au lieu de planifier des vacances ou un événement familial. Lorsqu'elle m'a redit qu'elle souhaitait me voir rentrer, au lieu de briser là, j'ai commencé à lui expliquer à quel point j'étais heureux de travailler dans mon cabinet. J'ai également indiqué que je regrettais de ne pouvoir consacrer plus de temps à la famille. J'espérais que les enfants pourraient séjourner plus souvent chez elle. Ma mère a invité mes filles à passer l'été à la ferme avec leurs cousins. Lentement, les questions sur mon éventuel retour se sont espacées.

Et, logiquement, Walter s'est rapproché de sa mère.

Parfois, la discussion est une simple perte de temps ou bien elle est impossible. Mais il ne faut pas jeter l'éponge. Fran, syndicaliste très active, se trouve confrontée à un brusque changement qui modifie ses conditions de transport vers son lieu de travail. Un nouveau chauffeur de bus a été affecté à la ligne qu'elle emprunte. Fran préfère garder des pièces de vingt-cinq cents pour payer son ticket. Ainsi, elle n'a pas à fouiller son porte-monnaie dans l'obscurité ni à détourner ses yeux de la route pour trouver la bonne somme. Quand le chauffeur lui rend des pièces de cinq et de dix cents, elle demande des pièces de vingt-cinq cents. Généralement, ses interlocuteurs s'en accommodent, mais hier, le nouveau venu a aboyé : « Je me demande pourquoi les gens riches comme vous se croient tout permis ? Il ne vous vient pas à l'esprit que j'ai de bonnes raisons de vous rendre des pièces de dix cents ? » Déconcertée, Fran a répondu : « Certainement, mais il me semble que vous avez moins de difficultés que moi de vous procurer de la monnaie. » Le chauffeur lui a rétorqué, en lui collant deux pièces de vingt-cinq cents dans la main : « Vous n'avez pas la moindre idée de mes conditions de travail. Et cela vous est bien égal ! » Muette et furieuse, Fran est allée s'asseoir.

En réfléchissant à ce dialogue une fois rentrée chez elle, Fran a compris que sa colère provenait largement du déni de vérités qu'elle avait préféré ignorer : effectivement, elle croyait avoir droit à ses pièces de vingt-cinq cents. Elle n'avait *pas* réfléchi aux contraintes auxquelles le chauffeur pouvait être soumis, et, du point de vue de ce dernier, elle avait l'air riche. Toutes ces choses entraient en contradiction avec l'image qu'elle avait d'elle-même. Elle n'aimait pas la manière dont le chauffeur s'était conduit, mais elle pouvait imaginer dans quel état d'esprit il se trouvait après avoir passé une journée entière dans les embouteillages.

Fran a alors constaté qu'elle n'était plus furieuse, et a cessé de chercher un moyen de se défendre de cet homme lorsqu'elle le rencontrerait de nouveau. Elle a également replacé son expérience dans un cadre plus large. Sans doute voulait-elle encore réagir à la situation, mais une approche différente semblait de mise. Aussi a-t-elle écrit à la société de bus une lettre dans laquelle elle a expliqué son désir de recevoir le type de monnaie qu'elle préférait sans pour autant mettre les chauffeurs dans une situation difficile. Elle a demandé que l'on prenne des mesures dans ce sens. À sa surprise, elle a reçu une réponse lui expliquant que les chauffeurs n'avaient droit d'emporter qu'une certaine quantité de monnaie et qu'ils n'étaient autorisés à quitter leur poste qu'à certaines heures. Son interlocuteur la remerciait d'avoir posé ce problème, et indiquait que la société travaillait à mettre en place une solution créative pour accéder à sa demande et faciliter les conditions de travail des chauffeurs.

Vos objectifs sont-ils raisonnables ?

Imaginez que vous interrogiez un responsable de la NASA sur les objectifs d'une mission particulière et que ce dernier vous réponde : « Euh, je ne sais pas. Nous avons pensé envoyer un type dans l'espace avant d'aviser. »

C'est peu vraisemblable. Cependant, nous lançons souvent des débats de cette manière. Nous nous trouvons au milieu de la discussion et personne ne sait exactement de quoi il retourne ni à quoi ressemblerait une sortie honorable.

Souvenez-vous que vous ne pouvez pas faire changer les autres. Dans de nombreuses situations, nous initions un dialogue pour faire changer l'autre partie. Il n'y a là rien de répréhensible. Le besoin de réformer les autres est universel. Nous les voulons plus chaleureux, plus soucieux de reconnaître notre travail, plus généreux, plus ou moins sociables dans les soirées. Nous souhaitons qu'ils approuvent notre choix de carrière ou nos préférences sexuelles. Qu'ils croient en notre Dieu et accréditent notre avis sur les questions les plus brûlantes de l'actualité.

Mais à la vérité, *nous ne pouvons pas obtenir ce résultat*. Nous ne pouvons forcer personne à modifier son opinion. Si nous possédions un tel pouvoir, de nombreuses discussions difficiles disparaîtraient. Nous dirions : « Voici les raisons pour lesquelles tu devrais m'aimer davantage », et l'autre répondrait : « Maintenant que je les connais, je t'aime davantage. »

Mais rien ne tel ne peut arriver, et nous le savons. Les changements d'attitude et de comportement surgissent rarement à la faveur de discussions, de faits et de tentatives de persuasion. *Vous* est-il arrivé fréquemment de changer d'avis, de croyances – ou d'objet d'amour – après avoir entendu un discours ? Et comment cela se pourrait-il, alors que la personne qui essaie de vous convaincre ne semble pas pleinement consciente des raisons pour lesquelles vous ne voyez pas la vie comme elle ?

Nous pouvons influencer les autres, mais en faisant preuve d'une extrême prudence. Paradoxalement, les tentatives de changer les autres se concrétisent rarement. Par contre, les discussions visant l'échange d'enseignements débouchent souvent sur une transformation. Pourquoi ? Lorsque nous cherchons à amender un tiers, nous avons tendance à discuter et à contester son histoire au lieu de l'écouter. Cette approche augmente le risque de susciter une réaction défensive et limite l'accès aux informations nouvelles. L'autre partie est plus susceptible de changer si elle pense que nous la comprenons, si elle se sait entendue et respectée. Elle risque de se transformer davantage si elle sait qu'elle a la liberté *de ne pas le faire.*

Ne visez pas le soulagement à court terme, si cela suppose des coûts à long terme. Une autre erreur courante consiste à agir pour alléger les tensions psychologiques à court terme, au risque de faire empirer la situation à l'avenir.

Janet l'a appris à ses dépens. Nantie de vingt-sept années d'expérience de la gestion financière des associations à but non lucratif, elle n'imaginait pas qu'elle serait un jour déstabilisée, au point d'éclater en sanglots, par un membre du conseil d'administration qui doutait de ses compétences. Mais elle en était là. Finalement, malade de se sentir attaquée chaque fois qu'elle présentait le budget de l'association, elle a décidé d'affronter l'agresseur, une femme appelée Sylvie. Avec un résultat extrêmement négatif.

> Rétrospectivement, même si j'ai dit certaines choses justes – en acceptant la responsabilité de ma participation, etc. –, je crois que je voulais surtout écraser cette femme. Je tenais à ce qu'elle se sente aussi humiliée que moi. Et je souhaitais lui dire qu'elle n'avait pas le droit de me traiter ainsi.
> Oh, je me suis bien défoulée. Et je suis sortie de la réunion la tête haute. Mon exaltation a duré… un quart d'heure. Ensuite, j'ai commencé à regretter certaines de mes paroles, et j'ai compris que j'avais envenimé la situation en nourrissant notre rivalité. À vrai dire, cette femme avait le *droit* de me traiter comme elle l'avait fait, et j'avais simplement fait en sorte qu'elle recommence à l'avenir.

Si votre but est de changer l'autre ou son comportement, de décharger votre colère ou de l'écraser, il est probable que votre conversation produira une grande partie des conséquences néfastes que vous redoutez. Si vous dites « vous êtes insensible/indigne de confiance/incompétent », cela menacera *bel et bien* la relation. Vous blesserez probablement la tierce personne, vous provoquerez une réaction défensive ou vous vous ferez éjecter.

Cela ne revient pas à dire que Janet est condamnée à se faire maltraiter par Sylvie et qu'elle ne dispose d'aucun moyen de se défendre. Janet peut avoir un dialogue constructif si elle est capable de modifier quelque peu ses objectifs. Elle devra s'interroger sur les raisons pour lesquelles son interlocutrice réagit comme elle le fait. Janet peut manifester une certaine curiosité pour l'histoire de Sylvie, lui faire connaître la sienne, avant de voir avec elle comment mieux collaborer à l'avenir. Janet le fait-elle ? Sylvie est-elle consciente de l'impact qu'elle a sur Janet ? A-t-elle glané des résultats positifs par le passé en procédant de cette manière ? Quel conseil Janet peut-elle offrir à Sylvie pour que cette dernière obtienne de meilleures réactions de sa part ?

Si Janet peut se présenter à un rendez-vous avec un peu d'intérêt pour l'histoire de Sylvie, la discussion risque moins de susciter une mauvaise réaction ou d'endommager la relation. Janet pourrait s'investir en essayant de déterminer avec Sylvie pourquoi les choses ont été si difficiles entre elles.

En négociant avec vous-même pour modifier vos objectifs, vous pouvez *faire baisser le seuil de risque* du dialogue et miser sur une issue positive.

Si vous frappez, ne vous enfuyez pas juste après. Souvent, quand nous avons quelque chose d'important à dire, nous le disons immédiatement parce que cela provoque chez nous un sentiment de frustration. La plupart d'entre nous sont assez avisés pour éviter la maladresse insigne qui consiste à mal choisir son moment. Si quelqu'un nous annonce qu'il revient de chez le médecin et qu'il devra se faire opérer, nous sommes généralement assez malins pour ne pas répondre : « Je suis désolé d'entendre ça. Au fait, tu me dois encore 3 000 F. »

Cependant, nous commettons souvent un autre type d'erreur de ce genre lorsque nous portons un coup avant de nous enfuir. Votre employé arrive en retard à son travail, et il y a longtemps que vous vouliez lui en parler. Vous lui lancez : « Encore en retard, ce matin ? » et puis, plus rien. Ou bien vous rendez visite à votre fils pour le week-end, vous remarquez les bouteilles de bière vides dans la poubelle, et vous lâchez : « Je vois que tu bois toujours autant. »

Ces messages sont bien intentionnés. Vous espérez qu'ils feront réagir votre employé ou votre fils. Mais s'ils vous soulagent un peu (« au moins, j'ai dit quelque chose »), ils frustrent l'autre et le mettent sur la défensive, ce qui augure mal du type de changement que vous espérez.

Voici une bonne règle à suivre : Si vous devez parler, parlez. Parlez vraiment. Et pas à la va-vite. Vous devez choisir l'instant adéquat. Réclamez explicitement dix minutes ou une heure pour discuter de ce qui vous tient à cœur. Vous ne pouvez pas mener à son terme une discussion digne de ce nom en trente secondes, et cette confrontation est nécessaire. Si vous ne pouvez faire mieux que de jeter une petite phrase assassine, mieux vaut ne pas parler du tout.

Lâcher prise

Ce livre peut vous aider à obtenir certains résultats étonnants. Vous déterminerez quel est le moment le moins bien choisi pour parler. Vous attendrez d'avoir tiré au clair certaines de vos motivations ou d'avoir cessé de contribuer au problème. Et lorsque vous déciderez de vous lancer, vous apprendrez lentement à ne plus vous mettre de bâtons dans les roues – en repérant et en neutralisant les pièges que vous vous tendez. Au fil du temps, vous vous sentirez moins angoissé et vous approfondirez vos relations les plus importantes avec autrui.

Mais cette approche n'est pas magique. Parfois – en dépit de tous vos efforts – rien n'y fait. Vous ne pouvez forcer l'autre à investir de l'énergie dans votre relation ni à en discuter avec vous. Peu importe le nombre de fois où vous répéterez à votre fils qu'il vous inquiète lorsqu'il n'appelle pas, le téléphone demeurera muet. Votre employeur restera colérique. Votre mère ne comprendra probablement jamais le sentiment d'abandon que vous avez éprouvé quand vous étiez enfant.

Parfois, vous étudiez vos objectifs et certaines stratégies possibles, et vous décidez de ne pas parler. Il devient trop pénible ou trop épuisant d'explorer certains problèmes précis, et vous changez de cap. Vous passez à autre chose.

En d'autres occasions, ce n'est pas si facile. Pour une raison ou une autre, même si vous pensez qu'il vaut mieux rester à l'écart du champ de bataille, vous vous sentez pris à la gorge. Le scénario qui se déroule dans votre tête reste chargé sur le plan affectif; vous êtes livré à un flot d'émotions dès que vous y réfléchissez. Vous avez décidé de passer à autre chose, mais vos affects sont trop fortement ancrés en vous.

Certaines personnes déclarent qu'il faut alors un acte de volonté pour tourner la page. D'autres pensent que cela n'est possible que lorsque les conditions sont réunies, lorsque l'autre a manifesté des regrets (s'il y a lieu), que vous avez trouvé une nouvelle relation ou que *vous* avez été pardonné. Que faut-il pour être vraiment capable de lâcher prise ? Pour ouvrir la paume de ses mains et laisser filer l'amertume ou l'exaspération, la rancœur ou la honte entre ses doigts ?

Nous ne prétendons pas le savoir. Et nous nous méfions de ceux qui affirment détenir une formule facile. Il s'agit probablement de quelque chose de différent pour chacun d'entre nous.

Nous savons cependant qu'il faut du temps pour passer à autre chose, et qu'il s'agit rarement d'un processus simple. Il n'est pas facile de trouver un lieu où vous pouvez laisser libre cours à la douleur ou à la honte liées à vos expériences. Un cadre où vous pouvez abandonner à la fois le rôle de la victime et du bourreau, où vous pouvez accorder à l'autre comme à vous-même des rôles à la fois complexes et libérateurs. Un endroit où vous pouvez reconnaître qui vous êtes et ce que vous avez été.

Si quelqu'un prétend que vous *devriez* avoir surmonté une épreuve au moment où il vous parle, ne le croyez pas. Déclarer qu'il existe une recette pour venir à bout d'un événement équivaut à vous maintenir dans l'ornière. Mais ne croyez pas davantage que rien ne vous permettra de lâcher prise ou que seul le temps pansera vos plaies. Vous pouvez entreprendre énormément de choses pour progresser dans cette voie.

Adoptez des idées libératrices

La discussion identitaire est un bon point de départ. Vous pouvez remettre en question certains présupposés courants qui vous empêchent d'oublier et d'être en paix avec vos choix. Quatre idées libératrices sont présentées ci-dessous :

Il ne m'incombe pas de tout arranger, je dois simplement faire de mon mieux. Karenna s'est libérée en renonçant à forcer le destin :

> J'ai échoué plusieurs fois dans mes relations amoureuses, et je voulais que celle-ci soit réussie. Mais ce désir ne suffisait pas. À un moment, j'ai décidé que cela devait marcher, quelles que soient les circonstances, et qu'il me revenait de faire en sorte que cela arrive. J'ai tout essayé. Peut-être aurais-je dû jeter l'éponge plus tôt avec mon ami. Mais j'avais du mal à renoncer. Paul et moi devions nous en sortir, si seulement je pouvais être mieux ou si je disais ce qu'il fallait, que j'y travaillais plus dur, que sais-je encore ?

Pour surmonter sa culpabilité et sa tristesse, Karenna a dû accepter qu'il existe des limites, et qu'il est parfois impossible d'arranger une situation, de la rendre plus belle, plus intime ou plus durable. Il est seulement possible d'essayer.

Nul n'est parfait. Parfois vous confiez vos sentiments et vos projets à un proche ou vous décrivez l'impact qu'il exerce sur vous. Votre interlocuteur déclare qu'il comprend et vous décidez tous deux de changer de comportement. Cependant, ses moindres initiatives vous énervent et vous songez : « Maintenant, il connaît l'effet qu'une telle attitude peut avoir sur moi. Que se passe-t-il ? Ne suis-je pas assez importante pour lui ? Essaie-t-il de me rendre folle ? Que dois-je en conclure ? »

Vous pouvez notamment en conclure que l'autre est aussi imparfait que vous. Même si vous avez clairement exprimé que vous ne supportiez plus son alcoolisme, il se comporte d'une façon qui vous exaspère ou sa passivité vous accable. Probablement n'est-il pas capable de se montrer différent, en tout cas, pas pour l'instant.

Après avoir été une grande sœur toute sa vie, Alison ne pouvait changer d'attitude du jour au lendemain, même si elle le voulait. Finalement, son jeune frère a trouvé plus facile de l'accepter telle qu'elle était, autoritaire, au lieu de continuer à se battre avec elle. Il a pu réfléchir aux problèmes identitaires qui le rendaient trop sensible à ses attaques, tout en appréciant chez elle certaines qualités dignes d'être admirées.

Ce conflit ne me définit pas en tant que personne. Un obstacle important au « lâcher-prise » surgit quand nous assimilons le problème à l'idée de ce que nous sommes. À nos yeux, nous sommes toujours l'enfant délaissé de la famille, la femme abandonnée, le représentant du groupe opprimé. Nous nous définissons en fonction de nos affrontements avec les autres.

Au cours de ces quatre dernières années, l'équipe dirigeante de l'entreprise de Rob s'est divisée en deux camps défendant des positions stratégiques opposées. Parce qu'il a fait partie du groupe « des perdants », Rob a longtemps investi une féroce énergie pour résister aux idées de la direction. Aujourd'hui, il a changé de position parce que l'entreprise a été rachetée par un concurrent, et sa satisfaction se mêle de gêne. Il n'est plus dans l'opposition, et ne sait plus comment il doit se considérer. Rob s'est peut-être trop identifié à son rôle de combattant.

Ces dynamiques jouent un rôle décisif dans les conflits ethniques. Notre identité communautaire repose trop souvent sur ce que nous ne sommes pas, sur l'identification d'un ennemi, et sur la conscience des épreuves que nous avons traversées.

Tragiquement, nous nous sentons menacés par la perspective de la réconciliation, non seulement parce qu'elle nous prive de notre rôle traditionnel, mais aussi de notre rôle communautaire.

Ce genre de situation est notoirement difficile à gérer parce que nous ne voulons pas abandonner ce que nous sommes, à moins de nous voir offrir un meilleur substitut. Si vous vous trouvez absorbé par un problème, que vous commencez à croire que votre identité y est mêlée, essayez de faire un pas en arrière et de vous souvenir des enjeux de la bataille. Vous luttez pour défendre ce qui est juste et légitime, pas parce que vous avez besoin de cette controverse pour survivre.

Lâcher prise n'est pas synonyme d'indifférence. Souvent, nous sommes incapables de nous détourner d'un problème parce que nous craignons, ce faisant, de donner à croire que nous sommes indifférents. Si vous et votre sœur n'étiez plus en bisbille, comment pourriez-vous lui montrer à quel point vous tenez à elle ou être sûr que vous comptez également dans sa vie ? Est-il possible de tourner la page et d'être encore impliqué ?

David a été confronté avec une violence particulière à cette question.

> Après l'assassinat de mon frère, j'ai pensé que je ne pourrais jamais pardonner à l'homme qui l'avait tué – alors que tout cela était lié à une stupide partie de poker trop arrosée. Et je dois admettre que j'étais également furieux que mon frère se soit trouvé là.
>
> Je n'ai pas assisté au procès. J'en étais incapable. Pendant des années, chaque fois que je pensais à mon frère, j'étais submergé par la fureur et la souffrance. Mentalement, j'engageais des conversations avec lui, où je lui disais à quel point j'étais triste de sa mort, révolté par sa conduite irresponsable, et par le fait qu'il m'ait abandonné.
>
> Ce n'est que récemment que j'ai commencé à mesurer l'intérêt que j'avais à pardonner *à la fois* à mon frère et à son assassin. L'expression de ma rage et de mon indignation ne signifiait pas que je faisais une croix sur mon amour fraternel ni sur mon deuil. Je suis impuissant devant tout cela, et j'ai fini par l'accepter. Je ne me remettrai jamais du

décès de mon frère. Je lui parle toujours. Pourtant nos discussions sont moins âpres. Il me manque terriblement, mais je ne suis plus confronté au même fatras de sentiments.

L'histoire de David nous montre que la renonciation à la colère peut être une preuve de force, et qu'elle ne menace ni l'amour ni les souvenirs. David ne veut ni ne peut oublier ce qui s'est passé. Il a beaucoup appris de cette expérience douloureuse, et peut appliquer ce savoir à ses relations avec autrui, notamment avec ses enfants. En lâchant prise et en pardonnant, il s'est débarrassé d'une partie du fardeau émotionnel qui l'écrasait depuis cette tragédie.

Parfois, dans des situations moins graves que celle-ci, il peut être extrêmement difficile de tourner la page et de démêler les émotions ainsi que les questions identitaires qui s'entortillent dans les discussions difficiles. Celles-ci impliquent notre être le plus intime ; elles interviennent au point précis où nos interlocuteurs et nos principes entrent en collision avec notre image et notre estime de nous-mêmes. Lâcher prise, au bout du compte, c'est *renoncer* à la confrontation avec finesse et élégance.

Bien sûr, mieux vous saurez gérer les discussions difficiles, et plus il vous sera facile de lâcher prise. L'un des secrets du progrès repose sur une solide définition de vos objectifs.

Si vous abordez le problème : trois objectifs efficaces

Nous avons parlé des objectifs qui vous attirent des ennuis. Mais qu'en est-il des visées raisonnables ? Ici, la règle d'or consiste à œuvrer pour la compréhension mutuelle. Il ne s'agira pas nécessairement d'un accord partagé, mais d'une meilleure intelligence de vos deux histoires, qui vous permettra de prendre (seul ou conjointement) des décisions fondées sur la conduite à tenir.

Dès que vous estimez que la discussion présente des dangers, suivez délibérément les trois objectifs suivants.

1. Se renseigner sur l'histoire de l'autre

Pour étudier le point de vue de la partie adverse, vous pouvez vous engager dans l'une des trois discussions. Quelle est l'information qui, selon l'autre, a été négligée ou ignorée de vous ? Quelles expériences passées ont influencé votre interlocuteur ? Comment raisonne-t-il à propos de ce qu'il a fait ? Quelle a été son intention ? Comment vos actions ont-elles été perçues ? En quoi pense-t-il que vous avez contribué au problème ? Quel est son sentiment ? Quel est pour lui le sens de cette situation ? Comment affecte-t-elle son identité ? Quels sont les enjeux ?

2. Exprimer votre opinion et vos émotions

Vous devez vous donner pour but d'exprimer votre opinion et vos sentiments, afin de glaner *votre* propre satisfaction. Vous espérez que l'adversaire comprendra ce que vous dites, et probablement en être touché, mais ce résultat n'est nullement garanti. Ce que vous pouvez faire, c'est expliquer, du mieux possible, ce qui compte à vos yeux, décrire vos idées, vos intentions, vos actions, vos sentiments et vos problèmes identitaires. Vous pouvez partager votre histoire.

3. Résoudre le problème ensemble

Compte tenu de ce que vous et l'autre avez appris, qu'est-ce qui pourrait faire progresser la situation ? Pouvez-vous réfléchir aux moyens créatifs de répondre aux besoins des deux camps ? Sur les points où vos besoins se contredisent, est-il possible de recourir à certaines règles équitables pour trouver une solution équilibrée et appropriée ?

Adapter votre approche à votre objectif

Les trois objectifs que nous venons de citer s'accommodent du fait que vous et votre interlocuteur[trice] avez une vision différente du monde, que vous êtes tous deux très concernés par ce qui se passe, et que votre identité s'y trouve mêlée. En bref, chacun possède sa propre version des faits. Vous avez besoin de définir des priorités qui puissent tenir compte de cette réalité.

Les objectifs surgissent d'un processus d'apprentissage, de la tenue des trois discussions et du passage d'un repli sur vous-même à la curiosité, du passage du débat à l'exploration, de la facilité à la complexité, de « l'un *ou* l'autre » à « l'un *et* l'autre ». Cela peut paraître simple, voire simpliste. Mais les apparences sont trompeuses, car ces concepts, difficiles à appliquer, masquent leur propre force de transformation.

Sans perdre ces cibles de vue, ce livre va maintenant détailler les moyens de mener une discussion didactique, de son entrée en matière jusqu'à son issue positive.

8

L'entrée en matière : commencez par le troisième récit

Le moment le plus pénible d'une discussion difficile coïncide souvent avec son préambule. Dès les premières secondes, nous apprenons peut-être que les nouvelles ne sont pas bonnes pour nous, que l'autre voit les choses autrement, que nous n'obtiendrons vraisemblablement pas ce que nous voulons. L'interlocuteur[trice] manifeste probablement de la colère, de la méfiance ou nous montre qu'il/elle ne veut pas parler.

Mais si ces débuts sont truffés de pièges, ils nous offrent également un tremplin. C'est le moment où vous disposez des meilleurs atouts pour influencer la suite de la discussion. Bien sûr, vous pouvez tout envoyer balader. Nous l'avons tous fait. Mais ce n'est pas une fatalité. Ce que vous dites au départ peut vous mener droit à l'entente et à la solution. Vous pouvez vous initier à certaines techniques qui vous permettront de saisir les perches que vous présente cette entrée en matière, et profiter de principes simples qui expliquent pourquoi les approches habituelles sont si souvent vouées à l'échec.

Comment entamer une discussion ? Parlons d'abord de la manière dont il ne faut *pas* le faire.

Pourquoi nos préambules habituels restent inefficaces

D'une manière ou d'une autre, pour engager une discussion délicate, nous devons commencer par *dire* quelque chose. En nous souvenant peut-être de ce que répétait le professeur de natation, nous fermons les yeux, nous prenons une profonde inspiration, et nous sautons :

> Si tu contestes le testament de papa, tu vas faire éclater la famille.
> Votre fils Nathan se comporte mal en classe. Il m'interrompt sans cesse et conteste mon autorité. Vous m'avez déjà dit que tout se passait bien à la maison, mais quelque chose doit le perturber.

Avant d'avoir eu le temps de nous en rendre compte, nous sommes furieux. L'adversaire se vexe ou se met en colère. Nous nous mettons sur la défensive, les phrases que nous avions préparées passent à la trappe, et nous nous demandons s'il était bien utile d'avoir provoqué cette conversation.

Que s'est-il passé ?

Nous commençons par nous enfermer dans notre version des faits

Quand nous sautons à pieds joints dans les discussions difficiles, nous commençons généralement par nous enfermer dans notre version des faits. Nous décrivons le problème en partant de notre point de vue et, ce faisant, nous déclenchons le genre de réactions que nous voulions éviter. Nous commençons précisément là où l'autre pense que se trouve la source du problème. Si l'adversaire était d'accord avec votre récit, vous n'auriez probablement pas besoin de lancer le débat. Votre histoire lui envoie des flashes qui lui conseillent de se défendre ou de contre-attaquer.

Dès le départ, nous forçons l'autre à s'engager dans un débat identitaire

Invariablement (mais souvent involontairement), notre récit transmet un jugement sur l'interlocuteur[trice] – par l'emploi de qualificatifs – et indique qu'à nos yeux, il/elle est celui qui crée le problème. Une simple phrase d'introduction peut nous trahir. Voyons les exemples qui sont indiqués ci-dessous :

Premières phrases	*Message implicite*
Si tu contestes le testament de papa, tu vas faire éclater la famille.	Tu es égoïste, ingrat, et tu ne te soucies pas de la famille.
J'ai été très choqué par ce que tu as dit devant ton supérieur.	Au pire, tu m'as trahi, au mieux, tu es stupide.
Votre fils Nathan se comporte mal en classe. Il m'interrompt sans cesse et conteste mon autorité. Vous m'avez déjà dit que tout se passait bien à la maison, mais quelque chose doit le perturber.	Votre fils est un fauteur de troubles, probablement parce que vous n'êtes pas un bon père et que vous avez créé un environnement néfaste autour de lui. Qu'est-ce que vous cachez ?

Nous pourrions imaginer de pires entrées en matière, mais il n'est pas difficile de voir pourquoi celles-ci provoquent des réactions de défense. Elles remettent immédiatement en cause l'identité de l'autre, et ne laissent aucune place à sa version des faits. Il est naturel que votre adversaire rejette cette vision et veuille lui substituer la sienne : « Je n'essaie pas de faire éclater la famille, je respecte seulement la volonté de papa. » Ou bien : « Nathan n'est pas un enfant à problèmes. Les gens qui savent comment le prendre le trouvent très gentil. »

En laissant de côté l'autre version des événements, nous établissons implicitement une hiérarchie entre la vision de l'autre et la nôtre, entre nos sentiments et les siens.

La question qui se pose est de savoir par quoi remplacer ce comportement. Ci-dessous, vous trouverez deux conseils essentiels pour orienter le dialogue dans la bonne direction : 1. Commencer par le troisième récit ; 2. Proposer d'explorer conjointement la question.

Étape n° 1. Commencer par le troisième récit

Outre votre histoire et celle de la partie adverse, toute discussion difficile comporte une invisible « troisième version des faits ». Le troisième récit est celui que raconterait un observateur attentif, dont les intérêts ne seraient pas engagés dans votre problème particulier. Par exemple, dans le débat qui oppose les cyclistes et les automobilistes d'une ville, les narrateurs du troisième récit sont les urbanistes, qui comprennent les soucis des deux parties et voient pourquoi chacun des deux groupes est frustré par la position de l'autre. Quand des tensions surgissent au sein d'un couple, le narrateur du troisième récit peut être un conseiller conjugal. Dans une dispute entre amis, ce peut être un ami commun qui tiendra compte des préoccupations des deux camps.

Raisonnez en médiateur

L'urbaniste, le conseiller conjugal et l'ami commun adoptent tous la position de l'observateur neutre ou du médiateur. Les médiateurs sont des tiers qui aident les gens à résoudre leurs problèmes. À la différence des juges ou des arbitres, cependant, ils n'ont pas le pouvoir d'imposer une solution. Ils sont là pour aider les deux parties à communiquer plus efficacement, et pour explorer une possibilité d'évolution.

L'un des outils les plus utiles qui soit détenu par le médiateur est sa capacité à identifier le troisième récit. Pour cela, il décrira le problème d'une manière qui paraisse simultanément acceptable aux deux camps. Il est facile de trouver une version des faits qui convienne à un seul des protagonistes – d'ailleurs, c'est ce que nous faisons tous lorsque nous commençons le récit à l'intérieur de notre propre histoire. Cependant, il est plus fructueux de trouver une version unique à laquelle les deux acteurs puissent souscrire.

Les médiateurs ne possèdent aucune intuition magique. Ils comptent sur une formule (et sur une grande expérience) que chacun d'entre nous peut apprendre. Il n'est pas nécessaire d'être impartial pour connaître le troisième récit. Vous pouvez commencer votre discussion en vous fiant à cette formule : ni tort ni raison, ni bien ni mal – cultivez la différence.

Ni tort ni raison, ni bien ni mal. Cultivez la différence

Le secret consiste à décrire le fossé – ou la différence – entre votre histoire et celle de l'autre. Quoi que vous pensiez, quoi que vous ressentiez, vous pouvez au moins vous accorder à croire que l'autre voit les choses autrement. En voici un exemple.

La version de Jason. Jill, l'étudiante qui partage l'appartement de Jason, laisse la vaisselle s'empiler dans l'évier pendant plusieurs jours d'affilée. Cela exaspère Jason, qui finit par prendre en charge une grande partie du ménage, parce qu'il ne peut supporter cette situation. Par le passé, Jason a soulevé le problème devant Jill en disant : « Est-ce que je dois vraiment tout faire ici ? Tu ne peux pas laisser traîner ainsi la vaisselle sale. C'est une question d'hygiène. »

De toute évidence, Jason part de son propre point de vue. Entendant cela, Jill n'aura pas envie d'entamer une conversation, et réagira probablement en se défendant ou en l'attaquant. Il en irait de même si Jason ouvrait le débat avec un peu plus de tact, en disant quelque chose comme : « Jill, il faut que l'on parle de tes difficultés avec la vaisselle. » Qu'il fasse preuve de tact ou non, Jason ne voit que *son* histoire.

La version de Jill. Si Jill devait poser le problème, elle l'aborderait différemment : « Jason, il faut que nous parlions de ta manière obsessionnelle de traiter la question de la vaisselle. Hier soir, tu as pratiquement débarrassé la table avant que j'aie fini de manger. Il faudrait que tu sois moins à cran. » Bien sûr, cette version des faits convient à Jill, mais pas à Jason.

Le troisième récit. Il supprime tout jugement dans la description du problème, et le décrit plutôt en termes de différence. On pourrait le formuler en ces termes : « Jason et Jill ne s'accordent pas sur le moment le mieux choisi pour faire la vaisselle, et n'ont pas les mêmes critères de jugement sur ce qui constitue la propreté normale ou obsessionnelle. Chacun d'eux est insatisfait de l'approche de l'autre. » Voilà comment un médiateur ou un ami attentif pourraient décrire la situation. Jason et Jill accepteraient cette version.

De toute évidence, la différence existe, et le troisième récit ne désigne aucunement celui ou celle qui a tort ou raison, ni même la vision la plus couramment admise de cette controverse. La troisième version se contente de signaler la différence. Elle permet aux deux parties de s'accorder sur la description du conflit : chacun voit son opinion reconnue comme un élément légitime de la discussion.

Lorsque vous l'avez cerné, vous pouvez vous-même proposer le troisième récit. Jason pourrait dire : « Jill, toi et moi paraissons privilégier des moments différents pour faire la vaisselle et nous n'avons pas les mêmes critères sur le choix du moment. Je me demande si nous ne devrions pas en parler ? » Jason peut s'exprimer ainsi sans renoncer à ses idées (il connaîtra assez tôt l'histoire de Jill, et pourra décrire sa propre version des faits). Jill pourra tolérer ce discours sans se mettre sur la défensive.

Il n'est pas nécessaire, et c'est important, de connaître l'histoire de l'autre pour l'inclure dans la discussion. Tout ce que vous avez à faire, c'est de reconnaître qu'elle existe : qu'il y a probablement beaucoup de choses que vous ne comprenez pas, et que vous engagez notamment le débat pour en apprendre davantage sur le point de vue de votre adversaire. Vous pouvez commencer par le troisième récit en disant : « J'ai l'impression que toi et moi appréhendons cette situation de manière différente. J'aimerais t'expliquer comment je la vois, et me renseigner sur ta conception des choses. »

Premières phrases

VOTRE VERSION. *Si tu contestes le testament de papa, tu vas faire éclater la famille.*
LE TROISIÈME RÉCIT. Je voulais te parler de la succession de papa. Toi et moi interprétons différemment ses intentions et ce qui est juste pour chacun d'entre nous. Je voulais comprendre ton point de vue et te faire part de mes sentiments à ce propos. En outre, je suis inquiet des conséquences que pourrait entraîner un procès pour la famille. Toi aussi sans doute.

VOTRE VERSION. *J'ai été très choqué par ce que tu as dit devant ton supérieur.*
LE TROISIÈME RÉCIT. Je voulais te parler de ce qui s'est passé ce matin en réunion. J'ai été choqué par une de tes paroles. Je voulais t'expliquer ce qui m'a froissé, et entendre ta version de la situation.

VOTRE VERSION : *Votre fils Nathan se comporte mal en classe. Il m'interrompt sans cesse et conteste mon autorité. Vous m'avez déjà dit que tout se passait bien à la maison, mais quelque chose doit le perturber.*
LE TROISIÈME RÉCIT : Je voulais vous dire que je m'inquiétais du comportement de Nathan à l'école, et apprendre de vous quelque chose qui m'aiderait à comprendre ce qui se passe. Au cours d'une précédente conversation, j'ai constaté que nous n'avions pas le même point de vue sur cette question. J'ai l'impression que cet enfant éprouve des difficultés en classe, et que quelque chose le tracasse à la maison. Je sais que vous n'êtes pas du tout de cet avis. Nous pouvons probablement réfléchir ensemble à ce qui embarrasse Nathan et trouver un moyen de l'aider.

La plupart des discussions peuvent être entamées sur la base du troisième récit, afin d'inclure toutes les perspectives et d'encourager la réflexion commune. Voyez les préambules que nous avons étudiés plus haut, et la manière dont ils auraient été modifiés s'ils avaient reposé sur le troisième récit :

La prise de distance avec votre histoire ne vous force pas à abandonner votre point de vue. En engageant la conversation, vous voulez inviter l'autre à étudier le problème avec vous. Au cours de cette exploration, vous passerez du temps à étudier sa perspective, puis vous reviendrez ajuster vos idées sur la base de ce que vous avez appris et partagé.

Après avoir discuté avec votre frère de ce que vous pensez, l'un et l'autre, sur la manière de répartir les biens de votre père au sein de la famille, de l'origine de ses idées et de vos sentiments à propos du conflit en cours, il se peut que vous changiez d'avis à propos de ce qui est juste ou non. L'opinion de votre frère peut également évoluer. Et vous trouverez peut-être un moyen de régler la question qui vous paraîtra mutuellement équitable.

Ou alors, vous resterez tous deux sur vos positions. Vous pensez que l'héritage doit être également réparti entre les trois enfants. Votre frère déclare que votre père voulait le distribuer aux sept petits-enfants. De ce fait, la famille de votre frère, qui compte trois enfants, obtiendrait davantage que la vôtre, qui ne réunit que vous et votre fille unique. Même si vous ne vous accordez pas sur la substance du conflit, vous avez eu l'occasion de dire que vous étiez choqué, attristé et inquiet de cette controverse, et de mieux comprendre les motivations de votre frère. Vous allez probablement trouver un moyen de surmonter vos différences tout en protégeant vos relations familiales des dégâts entraînés par une méchante dispute. Votre ouverture à la communication et aux sentiments d'autrui envoie un message important, qui est celui de l'amour mutuel, malgré les divergences de vues. Il indique que vous restez en contact l'un avec l'autre, même si vous confiez le soin de régler certaines questions à un magistrat. En tout cas, vous serez mieux à même de séparer les conflits et les enjeux de la relation.

Si l'autre entame la discussion, vous pouvez tout de même discerner le troisième récit

Bien sûr, vous n'aurez pas toujours le loisir de réfléchir à la manière dont vous engagerez le débat. Parfois, les discussions difficiles surgissent sans crier gare, dans votre bureau ou sur le seuil de votre maison, que vous soyez prêt ou non.

Vous pouvez trouver le troisième récit même quand vous n'avez pas initié la conversation. Voici ce que vous allez faire. Vous vous servirez de ce qu'a dit l'autre et vous en ferez la moitié de la description qui entrera dans le troisième récit. Étant donné, en effet, que ce récit intègre la version de l'adversaire, vous ne vous trahissez pas en commençant par son avis.

Si Jill vient vers Jason et déclare : « Nous devons parler de la façon dont tu empoisonnes l'ambiance de tous les repas par ton obsession de la vaisselle », Jason aura certainement envie de répondre à partir de sa propre perspective : « Comment ? C'est *toi* qui poses problème. Tu es la plus grande souillon que je connaisse ! » Mais s'il le fait, il conduira la conversation droit dans le mur.

Jason peut au contraire traiter le préambule de Jill comme une partie du troisième récit. Il dira dans ce cas : « J'ai l'impression que ma façon de régler le problème de la vaisselle te rend assez malheureuse. Moi aussi, je suis gêné par ton approche, et je pense que nous avons des préférences et des principes différents sur ce chapitre. Je crois que nous ferions mieux d'en parler… »

Non seulement Jason aura reconnu le récit de Jill comme une partie importante du dialogue, mais il aura également adjoint sa version des événements au processus d'étude du problème. Ce faisant, Jason aura réussi à déplacer le but de la discussion, qui passera de la dispute à la compréhension.

Étape n° 2. Inviter l'autre

Le second volet d'un bon départ consiste à faire une simple invite : j'ai décrit le problème d'une manière acceptable pour les deux parties. Maintenant je propose la compréhension mutuelle et la solution du problème. Voyons si cela peut avoir un sens pour toi, je t'invite à participer à une discussion.

Décrivez vos objectifs

Pour accepter votre invite, l'autre a besoin de savoir à quoi il s'engage. En lui indiquant d'emblée que vous souhaitez, par la discussion, mieux assimiler sa vision des choses, vous contribuez à rendre la discussion moins mystérieuse et moins menaçante. S'il sait que sa perspective tient une véritable place dans l'échange, et qu'il n'est pas confronté à une tentative de manipulation, il acceptera plus facilement votre proposition.

Proposez, n'imposez pas

Il est toujours possible de refuser une invitation. On ne peut forcer quiconque à s'engager dans une conversation. Si vous vous donnez pour tâche de « procéder à *la* description du problème et des buts de l'échange », l'introduction la plus habile suscitera peut-être des résistances, parce que vous assénerez *votre* version du troisième récit. Votre offre doit donc être soumise à l'avis de l'autre.

Proposez plutôt de discuter « d'une description et d'un but possibles ». En d'autres termes, l'inventaire du conflit et la définition des objectifs sont déjà une tâche commune.

Faites de l'autre un allié en devinant sa position

Votre invitation sera facilement acceptée si vous proposez à l'adversaire un rôle séduisant dans la gestion du problème. Il vous faut repousser la tentation de le désigner comme la source du conflit ou de le montrer sous un jour défavorable, car cela aurait pour effet de déclencher chez lui un débat identitaire et mettrait fin au débat. Ainsi, si vous discutez d'un contrat et que la négociation est en panne, vous pouvez déclarer : « Je vois que nous avons une idée différente de la rémunération qui s'impose. » Très bien. Mais si vous ajoutez : « Puisque vous faites vos débuts dans ce métier, je vais vous expliquer comment on procède généralement », vous rejetez votre interlocuteur[trice] dans le camp des débutants, et vous coulez votre navire.

Si le fait d'accepter votre invitation impose à l'autre d'admettre qu'il est naïf, insensible, manipulateur ou incompétent, il restera vraisemblablement sur ses gardes. Si, en revanche, vous dites : « Pouvez-vous m'aider à comprendre... ? », vous offrez le rôle de conseiller. « Voyons comment nous pourrions... » est une phrase qui incite à la collaboration. « Je me demande s'il est possible de... » offre à l'autre le rôle potentiel de héros.

Votre proposition doit être sincère. Mais ne vous laissez pas aller à croire que votre description de départ – qui attribue par exemple le rôle du méchant à l'autre – est en quoi que ce soit plus authentique que les autres étiquettes dont vous pouvez le parer. Il se peut que, pour accorder à la partie adverse des attributs plus séduisants, vous ayez besoin de reconnaître que vous y gagnerez un surcroît d'informations sur la situation, et que vous avez besoin de l'autre pour avancer.

Parfois, la chose la plus sincère que vous puissiez faire consiste à décrire votre débat intérieur pour donner au tiers un rôle plus positif. Vous pouvez dire : « J'ai parfois l'impression que tu ne me marques aucun respect. Je sais que, quelque part, c'est injuste, et j'ai besoin que tu me donnes un coup de main pour remettre les choses à leur place. Je voudrais que tu m'aides à comprendre ce que tu en penses. » C'est une attitude honnête, et, en même temps, cela offre à votre interlocuteur[trice] le rôle de « celui qui peut vous aider à remettre les choses en ordre ».

Persévérez

L'idée de persévérer ne contredit en rien l'invitation, et ne revient pas non plus à imposer son avis. Il faudra probablement un peu d'efforts pour aider le tiers à concevoir ce que vous proposez.

> RUTH : Brian, il me semble que nous avons du mal à nous mettre d'accord à propos de ton rendez-vous avec Alexis.
> BRIAN : Je sais, je sais. Je suis désolé. Nous avons eu un accrochage à l'entrepôt, et ensuite j'ai été coincé par un tas de réunions.
> RUTH : Je conçois que l'on puisse parfois se retrouver coincé. Je pensais, plus généralement, au projet que nous avions mis au point il y a quelques mois, quand il a été décidé que tu passerais une journée avec Alexis. Puis j'ai appris que tu n'y voyais plus une obligation. Tu as cru que tu pouvais t'en passer.
> BRIAN : C'est ce que j'ai fait savoir. Que *si* je pouvais y couper, je préférais ne pas y aller.
> RUTH : Alors que moi j'en étais restée au plan de départ, et il me semblait que nous n'en avions pas changé. Il y a donc un malentendu entre nous. J'aimerais tirer ça au clair, parce que c'est très pénible pour Alexis quand toi et moi envoyons des signaux contradictoires. Pouvons-nous passer un peu de temps à réfléchir à une solution ?
> BRIAN : Bien sûr. Je ne veux pas embêter Alexis.

Notez que Brian n'a ni accepté ni peut-être compris au départ la manière dont Ruth posait les problèmes ou les enjeux. Il s'attendait à se voir reprocher son absence, et a réagi en conséquence. Mais Ruth a su à la fois persévérer et témoigner une grande ouverture d'esprit à l'égard de Brian.

Quelques exemples de discussions

Après vous avoir conseillé d'entamer la discussion en partant du troisième récit, nous pouvons vous donner des instructions plus précises, selon la nature de l'échange attendu.

Annoncer une mauvaise nouvelle

Comme nous l'avons précisé dans le chapitre 2, c'est dans le cadre d'une discussion qu'il faut annoncer les mauvaises nouvelles, et il convient généralement de les poser d'emblée. N'essayez pas, par exemple, de tromper l'autre en lui demandant d'abord : « Que penses-tu de notre relation ? » si vous avez pour objectif de rompre avec lui. Et ne vous étendez pas pendant deux heures sur les « problèmes » de cette relation, si vous souhaitez en arriver à la rupture.

Si vous informez vos parents que vous ne leur rendrez pas visite à Noël avec les enfants, vous pourriez dire : « Nous savons que vous trouvez important de nous faire venir chez vous pour les fêtes, et que c'est difficile à gérer pour nous, à la fois sur le plan financier et émotionnel. J'appelle parce que Juan et moi en avons discuté. Nous avons décidé de ne pas venir cette année. C'était une décision réellement difficile à prendre, et je suis désolée de vous décevoir. J'ai voulu vous prévenir le plus tôt possible, et en parler un peu avec vous pour connaître vos réactions et vos idées. »

Vous n'êtes pas obligé de commencer par les mauvaises nouvelles, surtout si vous en avez de bonnes. Simplement, annoncez clairement la couleur. Vous pourrez demander à votre interlocuteur[trice] ce qu'il/elle veut entendre en premier. À moins qu'il n'existe un ordre logique que vous pouvez justifier.

Solliciter quelque chose

Certaines discussions difficiles tournent autour de notre désir d'obtenir quelque chose. L'exemple le plus courant porte sur la demande d'augmentation. Comment commencer ?

« Je me demandais s'il serait opportun de... » Le conseil le plus simple est le suivant : ne transformez pas votre demande en exigence. Demandez au contraire si votre interlocuteur[trice] estime votre demande fondée, logique. Cela n'équivaut pas à

manquer d'assurance. Il s'agit tout simplement d'une meilleure prise de contact avec la réalité. Votre employeur détient sur vous et vos collègues des informations dont vous ne disposez pas. Cela peut sembler superflu, mais, en fait, vous ne pouvez pas savoir si vous méritez une augmentation jusqu'à ce que vous ayez exploré cette question avec votre supérieur.

Confusément, vous en êtes conscient, et c'est l'une des principales raisons pour lesquelles la demande d'augmentation suscite de l'angoisse. Essayez de remplacer la formule : « Je pense que je mérite une augmentation » par : « J'aimerais savoir si une augmentation pourrait être justifiée. À partir des informations que je possède, je pense que je la mérite (voici comment je raisonne). Je me demande si vous êtes de cet avis ? » Ce changement apparemment mineur dans les préliminaires devrait non seulement contribuer à réduire le stress, mais aussi à placer la conversation sur une base plus égalitaire. Au bout du compte, vous apprendrez probablement que vous ne méritez pas l'augmentation ou que vous en recevrez une plus importante que celle que vous espériez.

Étude de discussions qui ont mal tourné

Parfois, vous savez, à la lumière de vos expériences, que l'autre risque de réagir négativement dès l'instant où vous posez un problème délicat. Votre fils refuse d'évoquer ses notes à l'école, votre femme ne veut pas discuter finances, et si vous abordez la question du racisme sur votre lieu de travail, vos collègues commencent à vous regarder de travers. Pouvez-vous initier un débat plus constructif quand la discussion a déjà mal tourné et que la seule mention du conflit de départ vous porte tort ?

Discutez de la manière d'en parler. Le moyen le plus aisé consiste à évoquer la manière dont vous pouvez en parler. Dites que la difficulté tient à la « tournure que prend la discussion quand nous abordons cette question », et partez du troisième récit : « Je sais bien que j'ai déjà signalé par le passé l'influence des différences ethniques sur la promotion au sein de l'entreprise. À ce moment-là, certaines personnes se sont senties accusées. Je ne cherche à jeter la pierre à personne, ni à susciter la gêne. En même temps, c'est un sujet qui me tient à cœur. Je me demande si nous pouvons discuter de la manière dont nous réagissons tous à cette conversation, et s'il existe un moyen de traiter ces questions plus calmement ? »

Autre scénario. Vous avez une amie qui est si accablée de responsabilités que cela nuit, selon vous, à sa santé. Non seulement elle n'en convient pas, mais quand vous vous aventurez sur ce terrain, elle devient agressive. Si vous voulez parler de la manière dont vous pourriez en discuter, vous pouvez commencer par indiquer : « J'ai l'impression que tu n'aimes pas aborder la question de tes horaires, en tout cas pas selon les modalités qui me viennent spontanément à l'esprit. Mais je me fais du souci et j'aimerais te l'expliquer d'une façon qui puisse être utile. Je crois que je ne sais pas comment le dire, et je me demandais si tu pouvais me conseiller. »

Il est possible que votre amie vous rembarre à nouveau. Ou alors elle répondra : « Tu sais, je suis plus ou moins d'accord avec toi. Mais en ce moment, je suis tellement assaillie de toutes parts que j'ai besoin d'être soutenue sans recevoir de conseils. Contente-toi d'écouter pendant que j'essaie de mettre de l'ordre dans mes pensées et que je décide ce que je dois laisser tomber. Tu vois ce que je veux dire ? »

Les repères nécessaires pour progresser : le troisième récit, le récit de l'autre et le vôtre

En commençant par le troisième récit, vous vous placez en position de sécurité au pied de la montagne. Mais ensuite, il faut grimper. Une fois que vous disposez de la description d'un problème, et que vous avez clairement exposé vos objectifs, il vous faudra prendre le temps d'explorer les trois types de discussions, en adoptant la perspective de chacun. L'autre devra partager votre point de vue et vos sentiments. Vous reviendrez alors à votre histoire et vous la ferez connaître.

Quel sujet aborder : les trois discussions

Au moment où vous explorez les différents récits, chacune des trois discussions vous offre une voie possible. Vous pouvez parler des expériences qui ont conduit votre interlocuteur[trice] et vous à juger la situation sous son angle actuel : « Je pense que je réagis de façon aussi violente parce que, la dernière fois, nous n'avons pas été payés par le client, et que tout est allé de mal en pis... »

	Quels sujets aborder
EXPLOREZ LES ORIGINES DES DEUX RÉCITS	Mes réactions sont sans doute largement liées à mes précédentes expériences professionnelles...
DÉCRIVEZ L'IMPACT QUE L'AUTRE A EXERCÉ SUR VOUS	Je ne sais si tu as agi intentionnellement ou non, mais je me sens très mal à l'aise quand...
ASSUMEZ VOS RESPONSABILITÉS	J'ai fait un certain nombre de choses qui ont contribué à compliquer cette situation...
DÉCRIVEZ VOS SENTIMENTS	Cela m'angoisse d'en parler, mais, en même temps, je trouve très important que nous abordions cette question...
RÉFLÉCHISSEZ À VOS PROBLÈMES IDENTITAIRES	Je pense que je réagis ainsi parce que je n'aime pas l'idée d'être jugé comme quelqu'un qui ...

Vous pouvez vous informer sur les intentions de l'autre, et décrire l'impact de ses actes sur vous : « Je ne sais pas si tu t'en rends vraiment compte, mais je me suis fait un sang d'encre en attendant ton appel qui ne venait pas. » Vous pouvez vous associer à ses émotions. « Si j'étais toi, je serais certainement frustré en ce moment. » Ou expliquer votre débat identitaire : « Je crois que je prends cela très à cœur parce que j'attache beaucoup d'importance à l'idée que je dois faire preuve d'impartialité. Cela me met hors de moi de penser que j'ai pu gérer cette situation d'une façon aussi injuste pour toi. » Au bout du compte, ce que vous choisissez de dire dépendra du contexte, de la relation et de ce qui vous semble adéquat ou utile.

Comment en parler : écoutez l'autre, exprimez-vous et résolvez le problème

Les trois discussions vous offrent de précieux repères pour savoir *de quoi* vous devez parler. Les trois chapitres suivants vous expliquent *comment* en parler.

Pour être capable de vivre *de l'intérieur* l'histoire de l'autre, vous avez besoin de techniques particulières pour vous renseigner, pour écouter et reconnaître le discours de votre interlocuteur[trice]. Afin de raconter votre propre histoire de façon lumineuse et convaincante, vous devez vous sentir autorisé à parler et indiquer clairement que vous le faites seulement en votre nom. Les chapitres 9 et 10 vous indiquent quels sont les défis à relever et vous offrent des conseils visant l'efficacité. Bien sûr, ce ne sera pas aussi simple que de passer du troisième récit à l'histoire de votre interlocuteur[trice] ou à votre version des faits. Une véritable conversation est un processus interactif – au cours duquel vous êtes constamment en train d'écouter, de faire connaître votre point de vue, de poser des questions et de négocier pour remettre la discussion sur les rails quand elle commence à dévier. Le chapitre 11 vous indique comment gérer ce processus interactif et comment progresser vers la résolution des problèmes. Le chapitre 12 revient à l'histoire de Jack et Michael et l'aborde sous un angle pratique pour démonter les rouages de cette discussion.

9

L'apprentissage : comment écouter vraiment

Andrew rend visite à son oncle Doug. Pendant que Doug est au téléphone, Andrew tire sur la jambe de pantalon de son oncle en lui disant :

– Oncle Doug, je veux sortir !

– Pas maintenant, Andrew, je suis au téléphone, répond Doug.

Andrew insiste.

– Si, Oncle Doug, je veux sortir !

– Pas maintenant, Andrew, répète Doug.

Le scénario se répète plusieurs fois. Finalement, Doug appelle Andrew :

– Hé, tu voulais sortir, n'est-ce pas ?

– Oui, répond Andrew.

Puis, sans autre commentaire, il s'éloigne et s'en va jouer tout seul dans son coin. Le petit garçon voulait simplement être sûr que son oncle le comprenait. Il voulait savoir qu'il avait été entendu.

L'histoire d'Andrew souligne une vérité qui nous concerne tous : nous éprouvons le désir profond d'être entendus, de savoir que les autres se soucient assez de nous pour nous écouter.

Certaines personnes se jugent suffisamment attentionnées. D'autres savent qu'elles ne le sont pas, mais n'y attachent guère d'importance. Si vous appartenez à l'une ou l'autre de ces catégories, vous serez peut-être tenté de sauter ce chapitre. Ne le faites pas. L'écoute est l'une des techniques les plus puissantes que vous puissiez mettre en œuvre lors d'une discussion difficile. Elle vous permet de comprendre l'autre. Et, surtout, elle l'aide à vous comprendre.

L'écoute transforme la discussion

Il y a un an, la mère de Greta a appris qu'elle souffrait de diabète et s'est vu prescrire un train de mesures strictes alliant la prise de médicaments, un régime alimentaire et la pratique d'exercices physiques. Greta s'inquiète de voir que sa mère ne respecte pas ce programme, mais, jusqu'ici, elle n'a pas réussi à la convaincre de le suivre. Voici le genre de dialogue dans lequel ces deux femmes s'engagent fréquemment :

> GRETA : Maman, tu dois appliquer ton programme d'exercices. Je m'inquiète que tu ne saisisses pas à quel point c'est important.
> LA MÈRE : Greta, s'il te plaît, cesse de me tourmenter à ce propos. Tu ne comprends pas. Je fais de mon mieux.
> GRETA : Maman, je comprends, crois-moi. Je sais qu'il peut être difficile de faire ces exercices, mais je veux que tu restes en forme. Tu dois être là pour tes petits-enfants.
> LA MÈRE : Greta, je n'ai pas envie d'en parler. Tout cela est très dur pour moi, le régime, les exercices.
> GRETA : Je sais. Les mouvements sont fastidieux, mais au bout d'une semaine ou deux, ils deviennent plus faciles, et tu y prends goût. Nous pouvons trouver pour toi une activité qui te plaira vraiment.
> LA MÈRE (d'une voix étranglée) : Tu ne te rends pas compte… Je suis très stressée. Je ne veux plus qu'on en parle. Voilà tout !

Bien évidemment, ces conversations donnent à Greta un sentiment de frustration, d'impuissance et de profonde tristesse. Elle se demande comment se montrer plus convaincante, comment persuader sa mère de se comporter autrement.

Mais le problème de Greta ne relève pas d'un manque de conviction. Dans l'échange suivant, elle change d'objectif, et passe du désir de persuasion au désir d'apprendre. Pour ce faire, elle se contente d'écouter, de poser des questions et de reconnaître les sentiments de sa mère.

GRETA : Je sais que tu n'aimes pas parler de ton diabète ni du programme d'exercices qui t'est imposé.
LA MÈRE : C'est vrai. Cela me met dans tous mes états.
GRETA : Quand tu dis que cela te met dans tous tes états, que veux-tu dire exactement ? De quelle façon cela te touche-t-il ?
LA MÈRE : Toute cette histoire me perturbe ! Crois-tu que ce soit drôle pour moi ?
GRETA : Non, maman, je sais que c'est très dur. Mais je ne sais pas exactement ce que tu en penses, ce que cela signifie pour toi, ce que tu ressens.
LA MÈRE : Je vais te le dire. Si ton père était encore là, ce serait différent. Il était si gentil quand je tombais malade. Il aurait su m'aider à respecter ces règles compliquées. Il aurait pris tout cela en charge. Quand je suis malade, c'est là qu'il me manque le plus.
GRETA : On dirait que tu te sens très seule sans papa.
LA MÈRE : J'ai des amis, et vous avez été merveilleusement gentils pour moi, mais cela ne se compare pas avec la présence de ton père. Je suppose que je me sens effectivement seule, mais je déteste en parler. Je ne veux pas être un fardeau pour vous, mes enfants.
GRETA : As-tu l'impression que tu serais un fardeau pour nous si tu nous en parlais, et si nous nous faisions du souci ?
LA MÈRE : Je ne veux pas que vous viviez ce que ma mère a vécu. Tu sais que *sa propre mère* est morte du diabète.
GRETA : Non, je l'ignorais. Tu me l'apprends.
LA MÈRE : C'est terrible de savoir que l'on a la maladie qui a emporté sa grand-mère. J'ai du mal à l'accepter. Je sais que les médicaments sont plus efficaces aujourd'hui, ce qui explique pourquoi je dois me plier à toutes ces contraintes, mais cela me donne l'impression d'être une vieille femme impotente.
GRETA : Donc, le fait de respecter le programme te donne l'impression de subir quelque chose que tu n'acceptes pas encore tout à fait ?
LA MÈRE : Je sais que c'est irrationnel. Je ne prétends pas le contraire. [Nerveuse] c'est tout de même très effrayant et je me sens dépassée.
GRETA : Je comprends, maman.
LA MÈRE : Laisse-moi te dire autre chose. Je ne saisis même pas ce que je suis censée faire. À propos du régime, des exercices. L'un affecte l'autre, il ne faut pas perdre le fil. C'est compliqué, et le docteur ne m'explique pas grand-chose, ce qui ne m'aide pas. Je ne sais pas par où commencer. Ton père saurait, lui.
GRETA : Je peux probablement faire quelque chose pour t'aider.
LA MÈRE : Greta, je ne veux pas être une charge pour toi.

GRETA : Je veux t'aider. En fait, si je le faisais, je me sentirais mieux. Moins impuissante.
LA MÈRE : Si tu pouvais m'aider, cela me retirerait un grand poids de l'esprit…

Greta est étonnée et ravie de voir à quel point ses conversations avec sa mère se sont améliorées depuis qu'elle a commencé à l'écouter vraiment. Elle admet mieux son point de vue, et se demande comment l'aider d'une manière qui serait acceptable. Les informations que l'on glane sur l'interlocuteur sont sans doute le plus grand bénéfice de l'écoute : mais il y en a un autre, plus surprenant.

Votre écoute suscite l'attention des autres

Paradoxalement, quand Greta a cessé de chercher à persuader sa mère de faire des exercices et a commencé à écouter et comprendre, elle a fini par atteindre l'objectif qui lui échappait. Il ne s'agit nullement d'un accident. Généralement, les personnes engagées dans des discussions difficiles se plaignent que leurs partenaires ne les écoutent pas. Devant une telle plainte, le conseil qui convient est le suivant : « Passez plus de temps à *les* écouter, *eux*. »

Quand le tiers ne prête pas attention à votre voix, vous pouvez imaginer que cela tient à son entêtement ou à son incapacité à concevoir ce que vous essayez de lui dire (si tel était le cas, il admettrait qu'il doit écouter). De ce fait, vous tentez peut-être de faire une percée en répétant vos paroles, en explorant d'autres moyens de vous exprimer, en parlant plus fort, etc.

Face à cette situation, nous devrions disposer de stratégies adéquates. Or il n'en existe pas. Pourquoi ? Dans la majorité des cas, ce n'est pas par entêtement que l'autre n'écoute pas, mais parce qu'il ne se *sent* pas entendu. En d'autres termes, il ne vous écoute pas, pour la même raison que vous ne l'écoutez pas. À ses yeux, c'est vous qui êtes têtu ou lent à assimiler. Donc, il se répète, trouve d'autres moyens de redire les mêmes choses, parle plus fort, etc.

Si ce blocage provient du fait qu'il ne se sent pas entendu, vous devez l'aider à se sentir entendu, vous pencher vers lui pour lui montrer que vous prêtez attention à ce qu'il dit, et surtout, probablement, démontrer que vous comprenez ce qu'il exprime et ressent.

Si vous n'êtes pas tout à fait convaincu, faites le test. Trouvez la personne la plus entêtée que vous connaissiez, qui semble ne jamais tenir compte de votre parole, qui se répète inlassablement dans toutes ses conversations, et écoutez-la. Surtout, écoutez les sentiments comme la frustration, la fierté ou la peur, et reconnaissez-les. Voyez alors si cette personne ne finit pas par mieux entendre.

La curiosité : comment bien écouter

En quoi Greta a-t-elle clairement modifié son attitude dans la seconde discussion ? Elle a posé des questions. Elle a paraphrasé les paroles de sa mère pour vérifier qu'elle comprenait bien, et pour s'assurer que son interlocutrice s'en rendait compte. Greta a également écouté les sentiments latents dans le discours de sa mère, et les a reconnus lorsqu'elle les a détectés.

Chacune de ces étapes est essentielle à une bonne écoute. Mais aucune n'est suffisante. Le changement le plus spectaculaire qu'ait opéré Greta réside dans le passage de la formule « je comprends » à « aide-moi à comprendre ». Tout s'est ensuite enchaîné.

Oubliez les mots, concentrez-vous sur l'authenticité

Les ateliers ou les livres consacrés à « l'écoute active » vous enseignent ce qu'il convient de faire pour devenir un « bon auditeur ». Leurs conseils sont relativement similaires. Il s'agit de poser des questions, de paraphraser ce qu'a dit l'autre, de reconnaître son point de vue, de prendre un air attentif et de le regarder droit dans les yeux. Tous ces avis sont excellents. Après en avoir pris connaissance, vous partez, plein de bonnes intentions, appliquer ces techniques, et vous vous découragez quand vos amis ou collègues se plaignent que vous avez un air faussement intéressé ou hypocrite. « Ne me fais pas le coup de l'écoute active », vous disent-ils.

Le problème se résume ainsi : on vous a expliqué comment vous asseoir et parler, mais la base d'une bonne écoute est l'authenticité. Les gens « lisent » non seulement vos mots et votre posture, mais aussi ce qui se passe en vous. Si votre attitude n'est pas sincère, les mots restent impuissants. Presque invariablement, l'autre détecte si vous êtes vraiment curieux, et si vous vous souciez vraiment de lui. Dans le cas où vos intentions sont fausses, aucune phrase, aucune posture correcte ne vous aideront. Si vos intentions sont louables, les formules les plus maladroites ne vous porteront pas préjudice.

L'écoute n'est puissante et efficace que si elle repose sur l'authenticité. Celle-ci suppose que vous écoutiez parce que vous êtes curieux et que vous vous souciez de l'autre, pas seulement parce que vous êtes censé le faire. La question qui se pose est donc : « Êtes-vous curieux ? Vous souciez-vous de l'autre ? »

Votre directeur de conscience : prêtez l'oreille à votre voix intérieure

Écoutez-vous pour déterminer ce qui se passe dans votre tête. Vous devez repérer votre voix intérieure et prendre conscience de ce qu'elle vous dit : cette première étape vous permettra de surmonter le principal obstacle à l'écoute. Si vous la négligez, la voix intérieure vous assourdit. Elle revient en force, ce qui vous rend tout juste capable, dans le meilleur des cas, d'entendre la moitié de ce que dit la personne en face de vous.

Prenez le temps de localiser le commentateur qui se trouve dans votre tête. Il vous dit quelque chose comme : « Hmm, cette voix intérieure m'apporte un concept intéressant », ou : « Quelles sornettes ! Je n'ai pas de voix intérieure [justement, c'est *elle* qui parle]. »

Ne la muselez pas, libérez-la

Ne soyez pas surpris : nous vous conseillons de ne pas museler cette voix. D'ailleurs, cela n'est pas en votre pouvoir. Au contraire, nous vous encourageons à la *libérer*, au moins temporairement, et à tenir compte des choses qu'elle vous dit. Bref, écoutez-la. Ce n'est que lorsque vous serez pleinement conscient de vos idées que vous pourrez commencer à les gérer et à vous concentrer sur l'autre.

Pendant votre écoute, vous pouvez être assailli de pensées interminables et de sentiments dont vous connaissez maintenant les rouages : cette voix va se manifester dans chacune des trois discussions. Dans la discussion « circonstancielle », vous penserez par exemple : « J'ai raison », « je n'avais pas l'intention de te blesser » et « ce n'est pas ma faute ». Vous remarquerez aussi toutes sortes d'émotions (« Je n'arrive pas à croire qu'elle me voit comme ça ! Je suis absolument furieux ») et des problèmes identitaires (« Ai-je vraiment été si négligent ? Ce n'est pas possible ! »). Parfois encore, vous rêverez tout éveillé (« Je me demande s'il y aura assez de brioche pour toute la famille ») ou vous préparez votre réaction (« Quand ce sera mon tour de parler, j'insisterai sur quatre points »).

Il n'est guère étonnant que la personne placée en face de vous n'ait pas l'impression d'avoir focalisé toute votre attention.

Gérez votre voix intérieure

Comment pouvez-vous accorder toute votre attention à l'autre et l'écouter avec intérêt si votre voix intérieure interfère sans arrêt ? Vous pouvez tenter deux approches. Tout d'abord, voyez si vous pouvez vous frayer un chemin vers la curiosité. Si vous pouvez transformer votre voix intérieure en outil d'apprentissage. Au cas où cela ne marche pas, comme cela arrive parfois, vous serez peut-être obligé de laisser parler tout haut votre voix intérieure avant d'essayer d'écouter l'autre.

Frayez-vous un chemin vers la curiosité. C'est une erreur de croire que votre voix intérieure ne peut pas changer. Si votre intérêt faiblit, vous pouvez tenter de le stimuler. Souvenez-vous que la tâche d'intégrer l'univers de l'autre est toujours plus ardue qu'il n'y paraît. Rappelez-vous que vous vous trompez si vous croyez déjà saisir ce qu'il pense ou ce qu'il essaie de vous dire. Souvenez-vous de l'époque où vous étiez *sûr* d'avoir raison et du moment où vous avez découvert un petit fait qui a tout changé. Il y a toujours quelque chose à apprendre. Souvenez-vous de la profondeur, de la complexité, des contradictions et des nuances qui caractérisent l'histoire de chacun.

Jocie, six ans, a réveillé sa mère Audrey au milieu de la nuit. Elle a eu peur d'un film qu'elle a vu récemment, où une maman-chien s'est sauvée et n'est jamais revenue auprès de son petit. Audrey a cru que Jocie craignait d'être abandonnée, et elle a dit à sa fille : « Je ne m'en irai jamais, et je ne te laisserai jamais toute seule. »

Mais il s'est avéré que ce n'était pas là le souci de l'enfant. Elle s'inquiétait plutôt pour sa nouvelle tortue. Voyant le film, elle s'était demandée si l'animal pouvait avoir eu un petit. Dans ce cas, le bébé aurait été abandonné. En réalité, la tortue de Jocie n'avait que quelques mois, mais la fillette l'ignorait et souffrait à la fois d'angoisse et de culpabilité. Audrey avait écouté sa voix intérieure au lieu d'écouter celle de sa fille. « Je connais tout cela », pensait-elle, et cela avait mis fin à sa curiosité.

Un autre moyen de réveiller l'attention consiste à rester concentré sur le but que l'on s'est fixé pour la discussion. Si vous avez décidé de persuader ou de pousser l'autre dans une direction donnée, votre voix intérieure s'accordera avec cette priorité, et dira : « Pourquoi est-ce que tu ne ferais pas ça, ce serait de toute évidence la meilleure réaction. » Si, en revanche, vous tenez à votre objectif premier, qui est de comprendre l'autre, votre voix intérieure posera des questions, par exemple : « Que dois-je savoir de plus pour tout assimiler ? » ou : « Je me demande comment fonctionne ce raisonnement. »

N'écoutez pas votre voix intérieure : faites-la parler. Parfois, vous constatez que votre voix intérieure est trop puissante. Vous essayez de vous frayer un chemin vers la curiosité, mais vous n'y parvenez pas. Si vous réprimez une souffrance, un sentiment d'injustice ou de trahison ou à l'inverse, si vous êtes submergé de joie et d'amour, l'écoute est inutile.

Dalila ne peut certainement pas se mettre à l'écoute lorsqu'elle apprend que Heather, qui partage son appartement avec elle depuis six mois, est bisexuelle. Au moment où Heather prend la parole, Dalila se sent troublée, gênée et même un peu fâchée. Dans ce cas, elle ne doit pas feindre d'écouter. Pour rester authentique dans cette discussion, il lui faut d'abord faire preuve d'honnêteté dans ses pensées et ses sentiments : « Je suis heureuse que tu me fasses suffisamment confiance pour me dire cela, et je voudrais vraiment écouter. En même temps, cela me bouleverse. Je me sens gênée, comme si je ne savais pas comment réagir en face de toi, et je suis débordée. »

Dalila et Heather ont beaucoup à se dire. Non seulement elles doivent partager et trier de nombreuses émotions fortes, mais elles ont une vision très différente de la sexualité. Au moment où elles évoqueront leur amitié et la manière de gérer leur mode de vie commun, il est fondamental que chacune puisse écouter l'autre. Parfois, il est important de parler d'abord pour mieux entendre ensuite.

Si vous vous trouvez dans une situation de ce genre, faites savoir à l'autre que vous voulez écouter et que vous attachez de l'importance à ce qu'il a à dire, en ajoutant que vous n'êtes pas en état de le faire tout de suite. Souvent, il suffit de donner un aperçu de ce que vous pensez : « Ton avis me surprend. Je crois que je ne suis pas d'accord, mais je voudrais que tu m'expliques mieux ce que cela signifie pour toi », ou : « Je dois admettre que je suis un peu sur la défensive en ce moment, même si j'ai très envie d'apprendre ce que tu veux dire. » Lorsque vous aurez posé cela, vous pourrez vous remettre à écouter, sachant que vous avez souligné votre différence et que vous reviendrez en temps et heure à votre point de vue.

Dans certains cas, il se peut que vous ne parveniez ni à écouter ni à parler. Parce que vous êtes trop troublé ou perplexe ou simplement parce que vous avez besoin de faire autre chose. Au lieu de n'accorder qu'une attention limitée à l'autre, il vaut mieux annoncer : « Ce que tu dis compte énormément pour moi, je veux trouver un moment pour en parler, mais à l'instant ce n'est pas possible. »

Il n'est pas facile d'apprivoiser sa voix intérieure, surtout dans les premiers temps. Mais toute écoute de qualité en dépend.

Trois techniques : la requête, la paraphrase et la reconnaissance

Puisque vos états d'âme sont les clés d'une écoute de qualité, il existe certaines techniques que nous pouvons vous transmettre, quelques trucs généralement utiles. Ceux qui savent prêter attention se servent de leur curiosité, mais aussi de la requête, de la paraphrase et de la reconnaissance. Vous trouverez ci-dessous quelques conseils relatifs à ce qu'il faut faire et ne pas faire.

Demandez pour être renseigné

Le titre de ce paragraphe vous donne déjà la recette. Il faut demander si vous voulez savoir, et seulement si vous voulez savoir. Vous pouvez déterminer si une question fera progresser la discussion ou si elle lui nuira, au cas où la partie adverse se demanderait pourquoi vous l'avez posée. La seule bonne réponse est « pour savoir ».

Ne déguisez pas vos affirmations en questions

Quand vous étiez petit et que vous suiviez votre famille en voyage, vous avez sûrement demandé un jour : « Est-ce qu'on va bientôt arriver ? » Vous saviez que le voyage n'était pas terminé, et vos parents n'ignoraient pas que vous le saviez. Ils vous répondaient donc avec la même mauvaise foi. En réalité, vous vouliez dire : « J'en ai assez d'attendre », « j'aimerais qu'on fasse autre chose » ou encore, « ce trajet est bien long pour moi ». Chacune de ces remarques aurait attiré une réponse plus positive de la part de vos parents.

Cet exemple illustre une règle importante à propos de la prise de renseignements. Si vous n'avez pas de question à poser, abstenez-vous. Ne déguisez jamais une affirmation en interrogation. Cela suscite de l'équivoque et du ressentiment, parce que ces phrases sont inévitablement reçues comme des sarcasmes ou comme des remarques mal intentionnées. Voici quelques exemples d'affirmations déguisées en questions :

> « Combien de fois faudra-t-il te dire de ne pas laisser la porte du frigo ouverte ? » (dites plutôt « pourrais-tu refermer la porte du frigo ? » ou « je ne supporte pas que tu laisses la porte du frigo ouverte »).

> « Ne pourrais-tu, pour une fois, faire attention à ce que je dis ? » (au lieu de « je me sens ignoré », ou « j'aimerais que tu fasses plus attention à moi »).

> « Es-tu forcé de conduire aussi vite ? » (au lieu de « je me sens nerveuse » ou « j'ai du mal à me relaxer quand je ne suis pas aux commandes »).

Notez que ces exemples d'affirmations déguisées relèvent de sentiments ou d'une demande. Cela ne devrait pas vous surprendre. Souvent, nous avons du mal à exprimer nos émotions et à formuler des requêtes de manière directe. Celles-ci peuvent nous rendre vulnérables. En transformant notre message en attaque – ou en sarcasme – nous avons l'impression d'être plus en sécurité. Mais cette protection est illusoire, et nous avons plus à perdre qu'à gagner. Si vous dites : « J'aimerais que tu fasses plus attention à moi », vous provoquerez plus facilement l'échange que si vous remarquez : « Ne pourrais-tu, pour une fois, écouter ce que je dis ? »

Pourquoi ? Parce qu'au lieu de prendre conscience du sentiment ou de la demande déguisés, l'interlocuteur[trice] se focalise sur la raillerie et l'agression. Au lieu de percevoir que vous vous sentez seul, il/elle entend que vous l'accusez d'être égoïste. Le véritable sens ne passe pas, parce que l'autre est distrait par le besoin de se défendre. Vraisemblablement vous répondra-t-il : « Bien sûr, je peux t'écouter, *pour une fois.* » Ensuite, tout va se détériorer.

Ne cherchez pas à montrer, par vos questions, que vous avez raison

Une seconde erreur gênante consiste à se servir des questions pour miner les arguments de l'autre. Ainsi :

> « Tu sembles penser que c'est ma faute. Mais tu m'accorderas que tu as commis plus d'erreurs que moi, n'est-ce pas ? »

> « S'il est vrai que tu as fait tout ce que tu as pu pour conclure la vente, comment expliques-tu le fait que Kate ait pu la réaliser au moment précis où tu as jeté l'éponge ? »

Ces questions démarrent mal. Elles naissent du désir de persuader l'autre que vous avez raison et ne cherchent à glaner aucune information.

Pour vous servir efficacement des idées contenues dans ces interrogations, repérez les affirmations sur lesquelles elles reposent, et exprimez-les, mais sans les présenter comme des faits. Au lieu de prétendre qu'elles sont vraies, transformez-les en questions ouvertes ou en perceptions, et sollicitez la réaction de l'autre. Plutôt que de considérer qu'il s'agit d'un argument que l'autre a ignoré, estimez qu'il y a *déjà* pensé, et qu'il a des raisons de défendre un autre récit. Vous pourriez dire, par exemple : « Je me rends compte que tu crois avoir fait tout ce qui était en ton pouvoir pour réaliser la vente. Cela me paraît contradictoire avec le fait que Kate ait conclu cette transaction au moment où tu venais d'y renoncer. J'aimerais savoir ce que tu en penses. »

Posez des questions ouvertes

Les questions ouvertes donnent à l'autre une grande latitude pour y répondre. Elles permettent de réagir autrement que par oui ou par non. Au lieu de dire : « Essayais-tu d'aller de A à B ? » demandez : « Qu'as-tu voulu faire ? » Ainsi, vous n'influencez pas la réponse, et vous ne perturbez pas les pensées de l'autre en essayant de mettre de l'ordre dans les vôtres. Vous lui laissez orienter sa réponse vers ce qui compte à ses propres yeux. Les questions ouvertes sont souvent des variations sur le thème : « raconte-moi » ou « aide-moi à comprendre ».

Demandez des informations concrètes

Pour savoir d'où viennent les conclusions de l'autre et pour mieux intégrer comment il/elle envisage de progresser, il faut lui demander d'expliciter son raisonnement et son point de vue. « Qu'est-ce qui te porte à croire ça ? Peux-tu me donner un exemple ? » « À quoi ressemblerait la situation si… » « Comment vois-tu ça ? » « Comment pourrions-nous tester cette hypothèse ? »

Étudiez la situation à laquelle Ross se trouve confronté en face de son supérieur. Ross a reçu un document d'information sur un séminaire professionnel auquel il souhaite participer. Cela l'aiderait dans son travail de chef de produit. Il a cru que la requête qu'il formulerait auprès de son employeur ne serait qu'une formalité. Il avait tort. La conversation s'est déroulée ainsi :

> EMPLOYEUR : Pour que la société prenne en charge les frais de votre séminaire, vous devez donner des signes que vous vous engagez à travailler ici à long terme, et pour l'instant je n'en ai reçu aucun.
> ROSS : Comment ? Je me suis totalement investi dans la vie de l'entreprise. Je vous l'ai dit. C'est pour cela que je veux suivre ce séminaire.
> EMPLOYEUR : Je ne vois pas les choses sous cet angle. J'ai plutôt l'impression que vous voulez vous servir de cet emploi comme d'un tremplin vers autre chose.
> ROSS : Eh bien, je ne vois pas ce que je peux dire, excepté que j'aime cette entreprise et que j'ai l'intention d'y rester. Que le séminaire serait très utile pour le travail que j'accomplis…

Il n'est pas difficile de voir pourquoi cet échange est improductif. Pratiquement aucune information ne circule, en dehors d'affirmations du genre « je suis comme ça » et « vous ne l'êtes pas ». En substance, l'employeur déclare : « Je ne crois pas que vous soyez suffisamment concerné par votre travail, mais je ne vais pas vous dire pourquoi. » Et malheureusement, Ross ne pose pas de questions.

Après y avoir réfléchi, Ross a de nouveau soulevé le problème, en demandant cette fois des renseignements plus complets :

> ROSS : Dites-moi quels sont les critères que vous utilisez pour juger de la fidélité d'un employé à sa société, et ce qui vous donne l'impression que je ne m'investis pas comme il le faudrait.
> EMPLOYEUR : Eh bien, beaucoup d'indices vont dans ce sens. Le premier est que vous ne semblez pas intéressé par la vie sociale de l'entreprise. Selon moi, c'est un assez bon indicateur. Les personnes qui savent qu'elles sont là pour longtemps veillent à établir de bonnes relations avec leurs collègues et participent aux activités culturelles organisées sur place.
> ROSS : Heu... Je suis tout à fait surpris de vous entendre parler ainsi. Il me semblait que vos critères d'engagement reposaient sur les heures supplémentaires le soir et sur notre capacité de mener de nombreux projets à bien.
> EMPLOYEUR : Cela aussi est très important. Mais, parfois, les employés font cela pour être bien notés afin de changer plus facilement de travail. À mes yeux, le côté social est très intimement lié à l'intérêt à long terme pour la vie de l'entreprise...

Au bout du compte, Ross et son employeur ont progressé. À la fin de la conversation, ils ont tous deux compris pourquoi ils avaient tiré des conclusions différentes sur l'engagement de Ross dans la vie de la société, et cette information s'est avérée essentielle pour Ross.

Posez des questions à propos des trois discussions

Chacune des trois discussions peut fournir son lot d'informations.

- Pouvez-vous expliciter votre point de vue ?
- Y a-t-il des informations dont vous disposez et qui peuvent me manquer ?
- En quoi votre opinion diffère-t-elle de la mienne ?
- Quel est l'impact de mes actes sur vous ?
- Pouvez-vous m'expliquer pourquoi vous me rendez responsable ?
- Êtes-vous en train de réagir à l'une de mes actions ?
- Quel est votre sentiment à propos de cette situation ?
- Expliquez-moi pourquoi c'est important pour vous.
- Si cela arrivait, quelle serait votre impression ?

Si les réponses ne sont pas tout à fait claires, continuez à explorer le pourquoi et le comment. Si nécessaire, soulignez ce qui vous paraît obscur ou illogique, et réclamez des explications complémentaires : « D'accord, vous pensez que Kate a conclu la vente parce qu'elle a pu baisser le prix du contrat de maintenance. Je vois maintenant que cela peut faire une différence. Mais je ne comprends toujours pas pourquoi vous n'avez pas pu proposer une offre équivalente ou demander l'autorisation de le faire. Pouvez-vous me l'expliquer ? »

Laissez à l'autre le choix de ne pas répondre

Parfois, l'interrogation la plus habile suscite une réaction de défense. Vous posez une question bien intentionnée, dans un sincère désir de vous renseigner, et l'adversaire se ferme comme une huître, se retranche dans le silence, contre-attaque, vous accuse de mauvaises intentions ou change de sujet.

Vous pouvez répondre que vous essayez d'arranger la situation et qu'il n'est pas nécessaire de se mettre sur la défensive, tout en exerçant des pressions pour obtenir une réponse. Mais l'autre aura probablement l'impression que vous cherchez à le contrôler, ce qui renforcera sa résistance. Il vaut mieux formuler votre question sous la forme d'une invitation plutôt que d'une réquisition, et l'indiquer clairement. À la différence de l'exigence, cette proposition peut être refusée sans conséquences. Cela donne à la partie adverse une plus grande impression de sécurité : si elle refuse et que vous ne réagissez pas mal, cela approfondira sa confiance en vous.

Que vous parliez au directeur de votre société ou à votre fille de huit ans, vous ne ferez qu'augmenter les chances de les voir répondre sincèrement si vous leur donnez le choix. Même s'ils ne s'exécutent pas à l'instant, ils le feront peut-être plus tard, après y avoir réfléchi. La conscience de disposer d'un éventail de solutions souligne votre délicatesse et réduit leur méfiance.

Paraphrasez votre interlocuteur dans un but de clarté

La seconde qualité d'un bon auditeur se manifeste par son talent pour la paraphrase. Il s'agit de dire au tiers, avec vos propres mots, que vous avez compris. La paraphrase présente deux avantages importants.

Vérifiez que vous avez compris

Tout d'abord, la paraphrase vous donne une occasion de vérifier que vous avez bien assimilé les informations données. Les discussions difficiles sont plus compliquées lorsqu'il existe un malentendu, et ceux-ci surgissent plus couramment que nous le croyons. La paraphrase donne à l'autre une occasion de remarquer : « Non, ce n'est pas exactement ce que j'ai voulu dire. En réalité, voici mon idée… »

Montrez que vous avez entendu

En second lieu, la paraphrase permet de faire savoir à l'autre que vous avez entendu. Généralement, la personne qui se répète, au cours d'une conversation, le fait parce qu'elle n'a pas reçu de signe que vous avez intégré ce qu'elle a dit. Si vous remarquez que votre interlocuteur[trice] se répète, considérez qu'il s'agit d'un signal pour vous encourager à paraphraser davantage.

Lorsque votre adversaire se sentira entendu, il *vous* entendra plus facilement. Il ne sera plus obnubilé par sa propre voix intérieure, et pourra se concentrer sur ce que vous avez à lui dire.

Voyez cette conversation entre Rachel et Ron, un couple marié qui se dispute fréquemment sur l'opportunité de respecter strictement le sabbat juif et ses règles traditionnelles qui restreignent les déplacements.

RON : J'ai annoncé à Chris que j'irai le voir demain.
RACHEL : Ron, demain, c'est samedi. Tu sais que tu n'es pas censé conduire pour te rendre chez Chris un jour de sabbat. De plus, nous devons aller à la synagogue le matin.
RON : Je sais, mais j'ai promis à Chris de venir. C'est le seul jour où il est disponible.
RACHEL : En tout cas, il me paraît important d'aller en famille à la synagogue. Pourquoi n'irais-tu pas le voir dimanche ?
RON : Chris ne peut pas se libérer le dimanche. Il va à l'église, et a d'autres obligations.
RACHEL : Ses obligations religieuses sont donc plus importantes que les nôtres ?

Ni Rachel ni Ron ne se sentent entendus dans cette discussion. S'ils veulent rompre le cercle vicieux, l'un des deux doit décider d'écouter et de paraphraser l'autre. Partons du principe que Ron s'attelle à cette tâche :

RON : J'ai annoncé à Chris que j'irai le voir demain.
RACHEL : Ron, demain est un samedi. Tu sais que tu n'es pas censé conduire pour te rendre chez Chris un jour de sabbat. De plus, nous devons aller à la synagogue le matin.
RON : J'ai l'impression que mes projets ne te conviennent pas.
RACHEL : Comment pourraient-ils me convenir ? Je croyais que nous irions nous promener.
RON : Le problème est donc partiellement lié au fait que je fais des projets sans te consulter ?
RACHEL : Non, à vrai dire, je déteste être celle qui doit toujours te rappeler que nous sommes censés aller à la synagogue.
RON : Tu trouves que je te fais endosser notre vie religieuse.
RACHEL : Oui. Je déteste jouer la police du sabbat. Et puis, je m'inquiète du message que cela peut faire passer auprès des enfants.

RON : Donc, tu as peur qu'ils cessent de prendre le sabbat au sérieux, s'ils me voient ne pas le respecter ?
RACHEL : Il y a de cela, mais aussi autre chose. Je n'aime pas aller toute seule à la synagogue. Et je voudrais que tu m'accompagnes parce que tu en as envie, pas parce que je te le demande.
RON : Je comprends pourquoi tu te sens seule dans ce cas. J'ai effectivement envie d'y aller. Je crois que lorsque tu me tarabustes, je résiste parce que je n'aime pas me faire dicter une conduite. D'ailleurs, parfois, j'ai l'impression de respecter l'esprit de la religion par d'autres actes.
RACHEL [sceptique] : D'autres actes ?
RON : Oui, par exemple en aidant Chris. Il est en pleine crise conjugale en ce moment, et j'avais envie de passer un peu de temps avec lui. Cela me donne l'impression d'être solidaire vis-à-vis des membres de notre communauté, un peu comme lorsque je me rends à la synagogue. J'aimerais aussi que les enfants comprennent à quel point cette solidarité est liée à notre idéal. Nous pourrions probablement leur en parler.
RACHEL : Pourquoi pas ?
RON : Mais cela ne nous aidera pas à aller ensemble à la synagogue, comme tu le désires, et cela ne te délivrera pas de ton rôle de surveillante de la famille. Voudrais-tu ajouter quelque chose à ce propos ?

Cette fois, Rachel et Ron commencent à débroussailler une question épineuse et douloureuse. Les paraphrases de Ron indiquent à Rachel qu'il essaie de la comprendre et qu'il tient compte de ses sentiments. Il cesse de se répéter, et elle commence à écouter.

Reconnaissez les sentiments de l'autre

Remarquez qu'en première instance Ron ne paraphrase pas ce que dit Rachel. Il paraphrase ce qu'elle ne dit pas, c'est-à-dire sa frustration. Il s'agit d'une règle fondamentale : il faut reconnaître les sentiments. Comme les radicaux libres, les émotions se promènent sans but au milieu de la conversation, en attente d'être prises en compte. Rien d'autre ne pourrait les satisfaire. Privés de légitimité, ces affects risquent de court-circuiter la discussion, comme un enfant qui réclame désespérément une attention, positive ou négative. Et si vous offrez la reconnaissance, vous donnez à l'autre et à la relation quelque chose de précieux, quelque chose, peut-être, qu'il/elle peut uniquement recevoir de vous.

Répondez aux questions non posées

Pourquoi la reconnaissance est-elle si importante ? Parce que l'expression des sentiments est toujours assortie de questions invisibles : « Mes sentiments sont-ils autorisés ? » « Les comprends-tu ? » « Y attaches-tu de l'importance ? » Ces questions sont fondamentales, et nous avons du mal à progresser dans un dialogue avant d'y fournir des réponses. Si vous prenez le temps de légitimer les émotions de l'autre, vous apportez un « oui » franc et massif à toutes ces interrogations.

Comment reconnaître l'autre

La reconnaissance consiste à montrer que vous essayez d'intégrer le contenu émotionnel des phrases de l'autre. Si votre interlocuteur[trice] vous dit : « Je suis troublé[e] par le fait que tu m'aies menti », vous pouvez répondre de plusieurs manières :

> Eh bien, cela n'arrivera plus.
> Je vais essayer de t'expliquer que je n'ai *pas* menti.
> J'ai l'impression que tu exagères un peu.

Toutes ces réponses sont compréhensibles. Les deux premières portent sur la substance de ce qui a été dit. La troisième juge le sentiment exprimé. Mais aucune des trois ne légitime simplement le sentiment, et ne répond aux questions invisibles. En revanche, les formules suivantes peuvent indiquer une reconnaissance :

> Tu as l'air vraiment bouleversé par tout ça.
> Cela paraît très important pour toi.
> Si j'étais à ta place, je serais probablement troublé, moi aussi.

Aucune de ces phrases n'est parfaite. En fait, il n'est pas toujours nécessaire de parler. Parfois vous pouvez reconnaître l'autre par un hochement de tête ou par un simple regard.

Il est important de procéder par ordre : la reconnaissance avant la solution aux problèmes

Bien sûr, en dernier ressort, nous souhaitons tous que nos préoccupations soient prises en compte. Certaines questions comme « qu'allons-nous faire ? » « pourquoi as-tu agi ainsi ? » ou « comment expliques-tu ce qui s'est passé ? » sont essentielles. Mais il convient de procéder par ordre. Qu'ils le disent ou non, les gens ont besoin que leurs sentiments soient légitimés avant de pouvoir passer au débat « circonstanciel ».

Trop souvent, dans les discussions difficiles, et malgré les meilleures intentions du monde, nous cherchons à résoudre immédiatement les problèmes sans prendre le temps de reconnaître l'autre, et nous en payons le prix. « Tu travailles trop dur », dit votre mari, « je ne te vois plus ». Vous vous rendez compte qu'il a raison, et vous répondez : « Eh bien, le mois prochain, j'allégerai ma charge de travail. Je ferai un effort pour être là à six heures tous les soirs. » Votre mari n'a pas l'air très satisfait, et vous vous demandez ce que vous auriez pu ajouter.

Mais la plainte de votre compagnon ne ressemble pas à un problème mathématique. Vous pensez probablement que vous avez « résolu » la difficulté, mais aucune réponse n'a été apportée aux questions invisibles. Votre mari souhaite que ses sentiments soient reconnus. Vous pourriez remarquer : « Les temps derniers ont été difficiles, n'est-ce pas ? » ou : « J'ai l'impression que tu te sens abandonné. » Il est important de trouver des solutions, mais cela vient en second lieu.

La reconnaissance n'est pas une approbation

Lorsque la question de la reconnaissance est posée, nous nous trouvons le plus souvent confrontés à un souci : que se passera-t-il si je n'approuve pas ce que dit l'autre ? C'est une inquiétude de taille. Il est utile de faire la distinction entre la discussion émotionnelle et la discussion circonstancielle. Même si vous n'êtes pas d'accord avec ce que dit l'autre, vous pouvez légitimer ses sentiments.

Prenons l'exemple de ce contremaître qui a transféré l'un de ses subordonnés dans un autre service. Le subordonné vient se plaindre. Notez que le contremaître reconnaît les sentiments de son interlocuteur sans approuver ses conclusions :

> SUBORDONNÉ : J'ai travaillé très dur pour vous et aujourd'hui vous m'envoyez ailleurs. Ce n'est pas juste. J'ai joué la carte de la loyauté et regardez ce qui m'arrive maintenant.
> CONTREMAÎTRE : On dirait que vous vous sentez vraiment blessé et berné dans cette affaire. Je comprends pourquoi cela peut vous troubler.
> SUBORDONNÉ : Vous êtes donc d'accord pour dire que c'est injuste ?
> CONTREMAÎTRE : Je constate que vous êtes tout à fait bouleversé, et je le regrette. Je pense aussi que je comprends pourquoi vous trouvez ce transfert injuste, et pourquoi vous avez l'impression que votre loyauté a été trahie. À cause de ces facteurs, j'ai eu beaucoup de mal à opter pour cette décision. J'ai bien réfléchi avant d'adopter cette solution. Je suis désolé de voir que cela vous touche ainsi, mais je pense que c'était la bonne mesure à prendre et, globalement, je ne crois pas qu'elle soit injuste. Nous devrions en parler ensemble.

Ces distinctions sont subtiles, mais elles peuvent être immensément fructueuses. Trop souvent, nous partons du principe que nous devons approuver ou désapprouver ce que dit l'autre. En fait, nous pouvons reconnaître la justesse et l'importance de ses sentiments, tout en désapprouvant la substance de ce qui est dit.

Dernière remarque : l'empathie est un voyage, pas une destination

L'empathie est la forme la plus profonde de compréhension de l'autre. Elle suppose de cesser de l'observer à distance pour imaginer ce qu'il ressent de l'intérieur, en tenant compte de ses expériences, de ses origines et en regardant le monde par ses yeux.

Si vous savez bien écouter, vous vous embarquez dans une direction sans connaître la destination. En réalité, vous « n'arriverez » jamais. Vous ne pourrez jamais dire : « Je te comprends vraiment. » Nous sommes trop complexes pour autoriser une telle chose, et nous avons trop de mal à nous glisser dans la peau des autres. Mais d'une certaine façon, c'est là une bonne nouvelle. Les psychologues ont constaté que nous étions tous plus soucieux de savoir que l'autre *essaie* de nous comprendre – c'est-à-dire qu'il veut bien faire l'effort d'assimiler ce que nous sentons – que de savoir s'il y est réellement parvenu. La qualité de l'écoute, comme nous l'avons dit, est profondément contagieuse. Et le message le plus positif réside dans l'effort de compréhension.

10

Votre mode d'expression : parlez haut et fort en votre nom

Le troisième récit vous offre un bon point de départ pour la conversation. Ensuite, il est crucial d'écouter l'histoire de l'autre avec un profond désir d'apprendre ce qu'il pense et ce qu'il ressent. Mais la compréhension est rarement l'objectif final. L'autre doit aussi entendre *votre* histoire. Il est vital que vous vous exprimiez.

Pas besoin de talents d'orateur

Dans une discussion difficile, il n'est pas nécessaire que vous disposiez d'un vocabulaire particulièrement étendu, ni d'être éloquent ou d'avoir le sens de la répartie pour parler clairement. Winston Churchill et Martin Luther King Jr étaient de grands orateurs, mais dans les circonstances qui nous intéressent, il est inutile de posséder leur talent. Ici, votre tâche première ne consiste ni à persuader, ni à impressionner, ni à tromper, ni à briller, ni à convertir, ni même à battre l'autre. Elle consiste à exprimer ce que vous voyez et à expliquer pourquoi, à évoquer ce que vous ressentez et, peut-être, à dire qui vous êtes. La conscience de vous-même et la confiance en votre parole vous aideront beaucoup plus que l'aisance verbale et l'esprit.

Dans la première partie de ce chapitre, nous abordons la question de votre assurance. Pour communiquer clairement et efficacement, vous devez d'abord être fermement convaincu que ce que vous voulez dire est digne d'intérêt, croire que vos idées et vos sentiments comptent autant que ceux des autres. Point. Dans la seconde partie du chapitre, nous verrons comment cerner l'*idée* que vous voulez présenter et la *manière* de l'énoncer au mieux. Nous étudierons certaines erreurs courantes mais gênantes, les moyens de les éviter et les méthodes vous permettant de bien vous exprimer.

Vous (oui, vous !) avez le droit de parler

John, étudiant en seconde année de droit, se prépare à rencontrer un juge fédéral très respecté pour discuter de questions concernant ses débuts au barreau. Ce magistrat a la réputation d'être assez peu commode et John craint de perdre ses moyens lorsqu'il posera le pied dans son bureau. Le professeur favori de John lui a offert ce conseil : « Chaque fois que je me suis senti intimidé ou méprisé par quelqu'un, je me suis dit : “Nous sommes tous égaux aux yeux de Dieu.” »

Ni plus ni moins

Quelle que soit notre orientation spirituelle, nous pouvons tous bénéficier du message suivant : qui que nous soyons, quel que soit le degré d'honneur ou d'indignité que nous nous attribuons, nous méritons tous d'être traités avec respect et décence. Mes idées et mes sentiments sont aussi légitimes, valables et importants que les vôtres, ni plus ni moins. Pour certaines personnes, ce constat paraît absolument évident. Pour d'autres, c'est une nouvelle qui peut tout changer. Dans un essai qui figure dans son livre, *Sister Outsider*, la poétesse et activiste Andre Lorde réfléchit à la question de l'expression et de la légitimité. Elle vient d'apprendre qu'elle est atteinte d'un cancer du sein.

> J'en étais venue à croire… que ce qui comptait pour moi devait être dit, mis en mots et partagé, même au risque d'être rejetée ou mal comprise…

> Soudain forcée de prendre conscience de ma condition mortelle et des buts de ma vie, si courte fût-elle, mes priorités et mes impasses m'apparurent soudain sous une lumière crue. Je regrettai surtout mes silences… Que ma langue se soit déliée ou non, j'allais mourir, tôt sans doute. Mes silences ne m'avaient pas mise à l'abri. Les vôtres ne vous protégeront pas davantage.
> Nous pouvons apprendre à travailler et à parler malgré la peur, tout comme nous avons appris à travailler et à parler malgré la fatigue. Car nous avons été conditionnés : nous respectons mieux la peur que notre besoin de nous exprimer et de nous définir. Et tandis que nous attendons, muets, le privilège de devenir des héros de la dernière heure, le poids du silence nous étouffe.

Lorde considère que nous encourons de grands risques à vouloir nous exprimer. Mais elle reconnaît que le coût du mutisme est plus lourd encore. En nous autorisant à parler, nous pouvons trouver notre voix en face des autres, et le courage de défendre nos opinions quand nous nous sentons terrorisés et impuissants.

Ne sapez pas vos bases

Parfois, nous pouvons nous sentir pris en tenaille entre l'envie d'être fidèles à nous-mêmes et le sentiment larvé que nous ne méritons pas d'être entendus, que nous n'avons pas voix au chapitre. Dans cette situation, notre inconscient peut offrir une solution illusoire. Nous sommes tentés d'essayer de parler, mais mal, de sorte que nous échouons. Nous attendons, pour prendre la parole, qu'il soit trop tard. Nous oublions, fort à propos, nos éléments de réponse. Tout disparaît soudain de notre mémoire. Et le tour est joué ! Nous nous sommes mis en accord avec toutes les parties. Nous pouvons nous féliciter d'avoir essayé, et, en secret, de ne pas avoir réussi. C'est tout l'art de saper ses propres bases. Si cela vous rappelle l'une de vos pratiques courantes, il vous faudra probablement accorder une plus grande attention à votre ambivalence. Quand vous détectez ce sentiment de vague malaise, imaginez un énorme panneau « stop » qui vous forcera à rester sur la bonne voie. Avant tout, vous devez vous lancer dans une discussion identitaire. Pourquoi n'avez-vous pas le droit de parler ? Quelle voix, surgie de votre passé, vous intime de vous taire ? Que faudrait-il pour que vous vous sentiez habilité à vous exprimer ?

Quand vous ne vous exprimez pas, vous restez en dehors de la relation

Les billets du ferry qui relient la terre ferme à l'île de Martha's Vineyard, dans le Massachusetts, indiquent, comme de nombreux autres tickets perforés du même genre, qu'ils ne sont plus valables si le talon est détaché.

Nous nous exposons au même risque au cours des discussions difficiles. Quand nous ne parvenons pas à exprimer ce qui compte pour nous, nous nous éloignons des autres et nous endommageons notre relation avec eux.

La plupart d'entre nous préfèrent avoir affaire à quelqu'un qui dise ce qu'il a sur le cœur. Angela a rompu ses fiançailles parce que son copain était « trop sympa ». Il n'indiquait jamais ses préférences, ne haussait jamais le ton, ne demandait jamais rien. Tout en appréciant sa gentillesse, elle avait l'impression que quelque chose lui manquait.

Si vous êtes parfois solitaire, abattu, et que vous ne partagez pas vos sentiments avec vos proches, vous leur ôtez une occasion de mieux vous connaître. Vous partez du principe qu'ils ne vous respecteront pas, qu'ils ne vous aimeront pas, qu'ils ne vous porteront aucun égard. Mais il est difficile de présenter un tel profil épuré de vous-même. Souvent, pour mieux dissimuler certains pans de votre personnalité, vous finissez par cacher tout ce que vous êtes. Et vous présentez une façade qui paraît froide et distante.

Il peut être difficile et laborieux de parvenir à s'exprimer, mais cela donne à la relation une chance de changer et de se renforcer. Callie, Indienne américaine, ne se sentait pas particulièrement en phase avec les collègues de son centre pour adolescents en difficulté. Cela tenait partiellement au fait qu'ils étaient blancs : elle pensait qu'ils ne la comprenaient pas. Souvent, elle les trouvait indifférents.

Mais un jour, elle a pris un risque et a décidé de raconter son histoire. Enfant, elle avait été en butte aux railleries de ses camarades qui l'affublaient de noms ridicules. Pendant des années, elle avait souhaité devenir « normale ». Ces révélations ont énormément changé sa relation avec ses collègues, qui lui ont alors voué une grande admiration. À leur tour, les collègues ont confié leur sentiment d'abandon et leur manque d'assurance. Si Callie n'avait pas partagé son histoire, elle les aurait privés d'une chance de briser le stéréotype qu'elle contribuait à perpétuer : « Les Blancs sont indifférents. » Et elle ne leur aurait pas donné l'occasion, peut-être pour la première fois, de la comprendre et de l'apprécier.

Une relation grandit et mûrit quand ceux qui la font vivre font preuve d'authenticité et la ressentent. Le contact devient facile à gérer (il est plus commode d'être soi-même) et enrichissant (« mon employeur sait que je suis vulnérable et cela ne l'empêche pas de m'apprécier »).

Sentez que vous avez le droit de parler, sentez-vous soutenu, mais ne vous croyez pas obligé de parler

Vous avez le droit de vous exprimer. Si vous n'en êtes pas intimement convaincu, prenez les moyens de vous en persuader.

Mais le droit n'est pas une obligation. Sinon, cette légitimité se retourne contre vous : « Je devrais dire ce que je pense, mais j'ai trop peur. Je n'arrive à rien de bien ! » Il est souvent très difficile de s'exprimer. En trouver le courage peut prendre une vie entière. Si vous n'êtes pas satisfait de vous-même, vous pouvez décider d'y travailler, mais ne vous en punissez pas.

Parlez sans détours

La première étape vers l'expression consiste à justifier votre droit à la parole. Ensuite, vous devez prendre conscience de ce que vous voulez dire exactement.

Commencez par ce qui compte le plus

En guise de préambule, décrivez le cœur du problème, tel qu'il se présente à vos yeux : « Pour moi, il s'agit avant tout de… je ressens… ce qui compte pour moi, c'est… »

Cela paraît relever du bon sens et, pourtant, nous négligeons souvent de mettre en avant ce qui nous importe le plus. Voyez l'histoire de Charlie, l'aîné de quatre garçons, qui veut améliorer sa relation avec son plus jeune frère Gage, âgé de seize ans. Gage est dyslexique, ce qui pèse particulièrement lourd dans la famille, car ses grands frères ont tous été de bons élèves et ont fait des études supérieures financées par des bourses. Gage a du mal à se faire une place en classe, et se réfugie de plus en plus dans l'alcool.

Charlie veut l'aider en lui offrant ses conseils et les enseignements qu'il a tirés de son expérience : « Tu devrais essayer de faire du sport. Le professeur est génial, et cela t'aidera pour t'inscrire en fac. » « Gage, ne force pas sur la bouteille. Cela peut aller très loin. » Mais quoi que dise Charlie, Gage se sent dénigré, méprisé et se met sur la défensive. De ce fait, une grande distance s'est creusée entre eux.

Quand nous avons demandé à Charlie pourquoi sa relation avec Gage comptait autant, le conflit a pris un tour différent. Charlie admirait la ténacité de Gage. Il se reprochait la façon dont il l'avait traité quand il était enfant. Et Charlie voulait être un grand frère responsable, aimant et apprécié. En racontant cela, Charlie avait les larmes aux yeux.

Ces révélations ont sidéré Gage. Charlie avait *besoin* de lui. Charlie réclamait son aide pour devenir un grand frère digne de ce nom. Tout a changé dans leur relation.

Gage aurait dû être voyant pour percevoir le plus petit signe de ces sentiments dans les premières remarques de Charlie. Le cœur du message était tout simplement passé sous silence. Rien n'était dit non plus sur les énormes enjeux qui s'exprimaient. Un tout autre avis était transmis : « Tu es un raté qui a besoin de mon aide et tu es trop idiot pour me la demander. »

Malheureusement, cela est typique de nombreuses discussions difficiles. Nous disons ce qui compte le moins, parfois nous le répétons à plusieurs reprises, et nous nous demandons pourquoi l'autre ne comprend pas ce que nous pensons et sentons réellement.

Au début de la conversation, demandez-vous : « Ai-je dit ce qui se trouve au cœur du problème pour moi ? » « Ai-je exprimé les enjeux ? » Sinon, demandez-vous pourquoi, et voyez si vous pouvez trouver le courage de le dire.

Dites ce que vous aviez l'intention de dire. Ne forcez pas l'autre à le deviner

Souvent, nous cachons ce qui compte à nos yeux en noyant notre message dans les méandres de la conversation au lieu de l'annoncer simplement.

Ne comptez pas sur le contexte. Repensez aux premières pages de ce livre, où nous avons discuté de l'opportunité de vous engager ou non dans le débat. L'un des moyens les plus courants de gérer ce dilemme, surtout lorsque vous n'êtes pas sûr d'avoir le droit de poser un problème, consiste à communiquer par l'intermédiaire du contexte. Vous essayez de faire passer indirectement votre avis, par le biais de plaisanteries, de questions, d'allusions détournées ou de mimiques.

Cette manière d'exprimer les choses sans les dire semble offrir un compromis idéal entre l'évitement et l'affrontement. C'est une manière de ne pas agir, tout en faisant les deux choses en même temps. Mais en choisissant cette voie, vous n'obtenez aucun bon résultat. Vous finissez par déclencher tous les problèmes que vous vouliez éviter, sans récolter les avantages d'avoir indiqué clairement ce que vous vouliez faire savoir.

Votre mari et vous passez généralement vos samedis à faire une grasse matinée, à vaquer à quelques bricolages dans la maison, à promener le chien ou à faire des courses ensemble. Mais récemment, votre compagnon a découvert le golf et, depuis, il fait régulièrement son parcours de dix-huit trous. Vos habitudes de week-end n'avaient jamais été essentielles, mais elles se mettent soudain à vous manquer. Le reste de la semaine, vous ne passez pas énormément de temps l'un avec l'autre, et, de ce fait, vous vous sentez de plus en plus irritée par ce nouveau passe-temps.

Vous pourriez éviter le conflit en gardant le silence. Cependant, comme nous l'avons vu, votre insatisfaction finira probablement par déborder. Ou vous pouvez essayer de poser indirectement la question : « Mon chéri, il y a beaucoup à faire dans la maison ce week-end. As-tu vraiment besoin de jouer si souvent ? Tu consacres trop de temps au golf. »

Aucun de ces commentaires n'exprime ce que vous ressentez réellement, c'est-à-dire : « Je veux passer plus de temps avec toi. » Étudions ce que signifient le texte et le contexte de vos interventions.

> *« Mon chéri, il y a beaucoup à faire dans la maison ce week-end. »* Ce commentaire est insuffisant sur de nombreux plans. D'abord, vous êtes hors sujet. Le fait de bricoler dans la maison n'est pas directement lié à votre désir de passer du temps avec votre mari. Deuxièmement, même s'il est question de travail, cette phrase a le tort de se présenter comme une « vérité ». Votre mari peut répondre : « Il n'y a pas tant de choses à faire, et nous en reparlerons quand je serai rentré. »
>
> *« As-tu vraiment besoin de jouer si souvent ? »* Voici l'exemple typique d'une affirmation déguisée en question. Il est évident que le sens de ce commentaire est contenu dans le contexte. Ce qui est moins évident, c'est la signification qu'il faut lui attribuer. Votre ton signale la colère ou la frustration. Mais ce qui n'apparaît pas, c'est la cause, ou ce que votre mari est supposé faire pour la calmer. Êtes-vous fâchée qu'il ne vous emmène pas ? Frustrée de ne pas passer davantage de temps avec lui ? Comment pourrait-il le savoir ?

> *« Tu consacres trop de temps au golf, mon chéri. »* Cette affirmation est une opinion présentée comme un fait établi. Votre mari se demandera : « Trop de temps par rapport à quoi ? Quand peut-on décider que l'on consacre trop de temps à quelque chose ? Quelle serait la “quantité” de golf acceptable ? Et, d'ailleurs, qu'y a-t-il de mal à ce que je passe trop de temps à jouer au golf ? » Bien sûr, même s'il connaissait les réponses à ces questions, il ne recevrait pas le message qui lui est destiné. Le fossé qui existe entre « tu consacres trop de temps au golf » et « j'aimerais passer plus de temps avec toi » est simplement trop profond.

Pour faire mieux, vous devez prendre conscience de ce que vous pensez et sentez vraiment, puis dire directement : « J'aimerais passer plus de temps avec toi, et le samedi matin était l'un des rares moments de la semaine où cela paraissait possible. De ce fait, je me sens lésée par ton intérêt pour le golf. »

Parfois, vous regrettez d'avoir à vous montrer aussi explicite. Vous aimeriez que l'autre devine votre problème et veuille bien intervenir pour le régler. Il s'agit d'un fantasme courant et compréhensible, celui du compagnon ou du collègue idéal qui lit dans votre esprit, qui exauce vos souhaits sans que vous ayez à les formuler. Malheureusement, ces gens parfaits n'existent pas. Au fil du temps, nous cernons mieux ce que nous pensons ou ressentons, mais nous n'atteindrons jamais la perfection. En éprouvant du dépit à l'égard de la personne qui ne nous comprend pas à demi-mot, *nous* contribuons au problème.

N'édulcorez pas votre message. Une autre façon, prochc dc la précédente, et souvent destructrice, de communiquer par sous-entendus relève de ce que le Pr Chris Argyris, à la Harvard Business School, appelle l'édulcoration. Vous essayez d'adoucir un message en l'exprimant par des allusions et des questions contenant leurs réponses. On en détecte de fréquents exemples dans les commentaires adressés à un candidat après un examen, par exemple : « Alors, comment trouvez-*vous* votre prestation ? » « Croyez-vous que vous ayez vraiment fait votre possible ? » « J'ai le même problème, mais il aurait probablement été plus judicieux d'agir comme ceci… Ne croyez-vous pas ? »

L'édulcoration fait passer trois messages : « j'ai une opinion », « ce sujet est trop délicat pour que nous l'abordions de front », et « je ne vais pas me montrer franc avec vous ». Bien évidemment, de telles suggestions augmentent l'angoisse et les réactions de défense. Et presque toujours, l'imagination de la partie adverse échafaude un message qui est pire que le vôtre.

Il est plus pertinent de poser clairement le sujet à débattre en exprimant directement vos pensées, tout en indiquant, honnêtement, que vous aimeriez connaître la position de l'autre sur ce sujet : « D'après ce que je sais, il me semble que vous auriez pu en faire davantage. Cependant, vous savez mieux que moi ce qui s'est passé. En quoi est-ce que vous voyez les choses différemment ? » Ensuite, si vous n'êtes pas d'accord, vous pouvez discuter de la manière adéquate de tester une hypothèse, d'accorder vos points de vue différents ou d'en tenir compte.

Ne simplifiez pas votre récit. Dites « moi, je » et ajoutez des éléments d'information

Nous l'avons tous appris : « Ce qui se conçoit bien s'énonce clairement. » Cet axiome paraît juste. Malheureusement, nous avons souvent dans la tête une sorte de magma d'idées, de sentiments, de suppositions et de perceptions complexes. Quand nous essayons d'être simples, nous finissons souvent par être incomplets.

Imaginez que vous receviez de l'un de vos collègues une note qui vous laisse perplexe. Vous pensez : « Cette note de service témoigne d'une formidable créativité, mais, en même temps, elle est si mal structurée que cela la rend délirante. » Pour vous montrer claire, vous répondez : « Ton message est si mal structuré qu'il me rend folle », ou pire : « Ta note de service me rend folle. »

Vous pouvez éviter de trop simplifier en utilisant la formule du « moi, je et puis ». La logique « de conciliation » reconnaît que toutes vos perceptions, vos suppositions et vos sentiments réciproques sont importants et méritent d'être discutés. Cela se vérifie à propos des perceptions de l'autre *et* des vôtres. Cela est également vrai des différentes perceptions, émotions et suppositions qui circulent *en vous*. Dans ce cas, le « et » relie deux facettes de ce que vous ressentez ou pensez. Et, bien que ces facettes soient complexes, elles sont toutes les deux claires et précises. Les formules « moi, je et je » ressemblent à ceci :

> Moi, je pense que tu es brillant et talentueux, et que tu ne travailles pas assez.
> Je suis désolé que tu aies traversé des périodes difficiles, et je m'estime déçu par ton comportement.
> Moi, je m'en veux de ne pas avoir remarqué à quel point tu étais solitaire. Et j'ai aussi eu des problèmes pendant cette période.
> Moi, je suis heureux et soulagé d'avoir réussi à aller jusqu'au bout de mon divorce. C'était la bonne décision à prendre. Et parfois, mon ex-mari me manque.

La formule « moi, je et puis » est également utile pour surmonter un obstacle commun qui empêche d'entamer une discussion difficile : la peur du malentendu. Vous pensez que votre équipe possède toutes les qualités requises pour s'occuper du nouveau client de l'entreprise, mais vous craignez que cette affirmation paraisse arrogante, vous ne voulez pas vous présenter comme un jeune loup aux dents longues. Si telle est votre crainte, exprimez-la dans le cadre de votre plaidoyer : « Moi, j'ai une idée que je voudrais partager, et je dois dire que je suis un peu nerveux, parce que j'ai peur que cela paraisse présomptueux. Donc, si vous entendez dans mes paroles quelque chose qui vous semble illégitime, dites-le et discutons-en. » Ou bien, dans une situation différente : « Cette situation provoque chez moi une forte réaction que j'aimerais partager, et je crains de me sentir embarrassé si je n'arrive pas tout de suite à m'exprimer clairement et avec sang-froid. J'espère que vous ne m'en voudrez pas et que vous m'aiderez à clarifier ma pensée jusqu'à ce que j'y arrive. »

Racontez clairement votre histoire : trois conseils

De toute évidence, la façon dont vous vous exprimez est importante. La manière dont vous ferez passer votre message déterminera partiellement la réaction des autres, et la suite de la discussion. Donc, quand vous choisissez d'énoncer quelque chose d'essentiel, vous souhaitez améliorer vos chances de vous faire comprendre et susciter une réaction positive de la part de vos auditeurs. Ce qui compte, c'est d'être clair.

1. Ne présentez pas vos conclusions comme la vérité

Certains aspects des discussions difficiles resteront pénibles même lorsque vous aurez appris à communiquer avec adresse : l'expression de sentiments de vulnérabilité, l'annonce de mauvaises nouvelles, la découverte douloureuse de jugements négatifs que les autres portent sur vous. Mais en présentant votre histoire comme *la* vérité, vous créez du ressentiment, des réactions défensives, et vous enclenchez des discussions qui vous mènent à la catastrophe.

C'est une erreur très facile à commettre. Elle repose sur une erreur de jugement : nous prenons souvent nos croyances, nos opinions et nos idées pour des faits. Quand vous discutez de votre film favori, de nourriture ou d'un héros sportif, vous pouvez sans inconvénient faire passer votre version des faits pour la vérité. Mais dans les discussions difficiles, c'est impossible. Les faits sont les faits. Tout le reste n'a rien à voir. Et vous devez être scrupuleusement vigilant à propos de cette distinction.

Si vous et votre ami n'êtes pas d'accord sur le principe de donner des fessées aux enfants, vous renforcerez le conflit en disant : « C'est *mal* de donner des fessées aux enfants. » Cette affirmation ne fait qu'ajouter quelques volumes de boue aux eaux déjà troubles de votre dialogue, et votre compagnon y entendra des accents accusatoires ou arrogants. Au lieu de s'engager dans la discussion, votre ami réagira probablement en répondant : « *Qui* es-tu pour proclamer ce qui est bien et ce qui est mal ? »

Il sera beaucoup plus pertinent de remarquer par exemple : « Je crois qu'il est mauvais de donner des fessées aux enfants », ou « j'ai lu plusieurs livres qui disent que les fessées ne leur font pas de bien ». « J'ai reçu des fessées quand j'étais petit, et cela m'attriste et m'effraie quand j'entends parler d'enfants qui ont subi le même sort. » Ou même « je ne sais pas exactement pourquoi je le ressens ainsi, mais j'ai vraiment l'impression qu'il est mauvais de fesser les enfants ». Chacune de ces phrases établit une distinction claire entre votre point de vue ou vos sentiments et la réalité des faits.

Certains mots comme « séduisant », « laid », « bon », « mauvais » transmettent des jugements évidents. Mais prenez garde à d'autres mots comme « incompétent », « tu devrais » ou « professionnel ». Les jugements contenus dans ces mots sont moins visibles, mais ils peuvent tout de même provoquer des réactions du genre : « Qui es-tu pour ? » Si vous voulez faire remarquer que quelque chose est « inadéquat », commencez par une introduction comme « d'après moi » ou, mieux encore, évitez complètement ce mot.

Cela n'équivaut nullement à prétendre que la vérité n'existe pas ou que toutes les opinions se valent. Il s'agit simplement de distinguer l'opinion des faits, et de vous permettre de mener une discussion prudente qui conduit à une meilleure compréhension et à des décisions plus raisonnables, au lieu de susciter des réactions de défense et des conflits inutiles.

2. Dites d'où vous viennent vos conclusions

La première étape vers la clarté consiste donc à partager vos conclusions en les présentant comme *vos* opinions et non comme la vérité. La seconde étape vise à décrire ce qui sous-tend vos conclusions – les informations que vous détenez et votre manière de les interpréter.

Comme nous l'avons vu dans le chapitre 2, vous exprimez souvent vos conclusions sans vous donner la peine d'en indiquer l'origine. Vous possédez sur vous-même des informations auxquelles l'autre n'a pas accès. Ce genre de renseignement peut être important : envisagez de le transmettre. Par ailleurs, vous avez vécu des expériences qui influencent votre pensée et vos émotions. Quand vous racontez ces anecdotes, elles viennent étayer vos points de vue.

Votre femme et vous discutez de l'éventualité d'inscrire votre fille Carol dans une école privée. Votre épouse déclare : « Je pense vraiment que nous devrions le faire cette année. Carol arrive à un âge critique, et je sais que nous pouvons assumer ce projet sur le plan financier. » Vous répondez : « Je crois qu'elle se débrouille très bien dans le système public et il me semble que nous devrions l'y laisser. »

Si vous voulez que la discussion soit productive, vous avez besoin, tous deux, de signaler d'où vous viennent ces conclusions. Quelles informations spécifiques puisez-vous dans votre esprit ? Quelles expériences passées influencent votre pensée ? Vous avez besoin de partager vos expériences passées, relatives aux écoles privées, la peur que vous avez éprouvée au cours des premiers mois, cette impression de ne jamais y trouver votre place. Vous êtes-vous senti coupable que vos parents ne puissent s'acheter une voiture parce qu'ils avaient payé vos frais d'inscription pendant plusieurs années ? Racontez cette histoire en détail, avec toutes les anecdotes qui vous viennent à l'esprit, avant de discuter de la décision à prendre. Ce que vous direz ne peut avoir de sens si votre femme ne connaît pas les expériences qui nourrissent votre avis sur le sujet.

3. N'abusez pas des « jamais » et des « toujours ». Donnez à l'autre la possibilité de changer

Emporté par votre élan, vous pouvez facilement exprimer votre frustration avec un peu d'exagération. « Pourquoi est-ce que tu critiques *toujours* ma façon de m'habiller ? » « Tu ne m'adresses *jamais* une parole d'encouragement. Quand tu me parles, c'est uniquement quand quelque chose ne va pas ! »

« Toujours » et « jamais » savent très bien exprimer la frustration, mais ils présentent deux inconvénients majeurs. D'abord, il est rare que quelqu'un vous critique *« tout le temps »* ou qu'il ne dise *pas la moindre* parole positive. Le recours à ces mots invite à un débat sur la fréquence : « Ce n'est *pas vrai*. Je t'ai dit quelque chose de sympa l'année dernière quand tu as proposé le concours d'excellence entre les filiales de la société. » Cette réponse ne fera probablement qu'augmenter votre exaspération.

« Toujours » et « jamais » empêchent – au lieu d'encourager – l'autre d'envisager un changement de comportement. En fait, « toujours » et « jamais » suggèrent que toute réforme sera difficile, voire impossible. Le message implicite dit : « Il y a quelque chose qui cloche chez toi, puisque tu ne cesses pas de critiquer ma façon de m'habiller », ou même : « De toute évidence, tu es incapable de te comporter comme une personne normale. »

Une meilleure approche consisterait à agir comme si l'autre n'arrivait pas à mesurer l'impact de son comportement sur vous (même si cela est difficile à croire). Comme vous avez affaire à quelqu'un de bien, cette personne souhaitera certainement modifier son attitude dès qu'elle en aura pris conscience. Vous pourriez dire quelque chose comme : « Quand tu me dis que mon tailleur te fait penser à de vieux rideaux froissés, cela me blesse. Je ressens tes critiques vestimentaires comme une remise en cause de mon bon goût, et cela me donne un sentiment d'incompétence. » Vous pouvez également suggérer ce que vous préféreriez entendre : « J'aimerais avoir plus souvent l'impression que tu crois en moi. J'adorerais entendre quelque chose de tout simple comme “je trouve que cette couleur te va bien”. N'importe quoi, aussi longtemps que c'est quelque chose de positif. »

La clé ? Communiquer vos sentiments d'une manière qui invite et encourage le destinataire à envisager d'autres manières de se comporter, au lieu de lui suggérer qu'il est nul et ne pourra même pas s'amender.

Aidez l'autre à vous comprendre

Il n'est pas facile d'entrer dans l'histoire de quelqu'un. Particulièrement quand les questions sont lourdes d'affects ou quand votre point de vue relève d'une différence de génération ou de culture. Vous avez besoin de l'aide de l'autre pour le comprendre. Et il a besoin de vous pour effectuer la même démarche.

Si vous vous sentez terriblement anxieuse à l'idée de laisser vos enfants entre les mains d'une baby-sitter, et que votre mari vous dit « d'apprendre à vous relaxer », vous exprimerez votre angoisse dans des termes qu'il pourra assimiler. « C'est un peu comme ta peur de prendre l'avion. Tu sais bien que, dans ces moments-là, je n'obtiens aucun résultat en t'exhortant à te détendre, et qu'au contraire je récolte l'effet contraire. Eh bien, c'est la même chose pour moi dans ce cas de figure. »

Reconnaissez aussi que des personnes distinctes reçoivent des informations diverses à des vitesses variables et selon des modalités différentes. Par exemple, certaines personnes réagissent en priorité aux impacts visuels. À leur intention, vous utiliserez des images et vous vous référerez à des tableaux ou à des graphiques si vous vous trouvez dans le cadre d'une entreprise. Certains préfèrent appréhender la totalité du problème, et ne peuvent écouter quoi que ce soit avant d'avoir abordé les choses sous cet angle. D'autres aiment d'abord connaître les détails. Prenez conscience de ces différences.

Demandez à l'autre de vous paraphraser

En paraphrasant ce que dit l'autre, vous vérifiez que vous avez bien assimilé son message et vous l'informez que vous l'avez perçu. Vous pouvez lui demander de vous rendre le même service. « Voyons si je me suis bien fait comprendre. Peux-tu me dire ce qui t'apparaît jusqu'ici ? »

Demandez à l'autre d'expliquer en quoi son point de vue diffère du vôtre

Pour être bien compris, vous devez d'abord expliquer clairement votre histoire. Mais n'espérez pas un succès instantané. La véritable compréhension impose souvent quelques aller et retours. Si l'autre personne a l'air perplexe ou n'est pas convaincue par votre récit, interrogez-la sur son avis, au lieu de forcer le trait ou de l'exprimer d'une manière différente. Demandez-lui en particulier *en quoi* elle voit les choses sous un autre angle.

L'une des tendances les plus répandues consiste à réclamer une approbation, peut-être parce que c'est rassurant : « Tu ne trouves pas ça logique ? » « Tu ne penses pas que j'ai raison ? » Mais il est plus utile d'interroger l'autre sur ses divergences. Si vous souhaitez un acquiescement, le tiers hésitera à exprimer ses doutes et ses réserves. Il ne saura pas si vous voulez vraiment les entendre. Il dira : « Oui, je suppose que c'est vrai », mais vous ne saurez pas s'il pense : « Oui, plus ou moins, admettons que ton jugement tordu s'applique dans certains cas particuliers. » Si vous demandez explicitement en quoi son avis diffère, vous aurez plus de chances de découvrir sa véritable réaction. Alors seulement vous pourrez entamer une discussion.

* * *

Pour convaincre, vous devez reconnaître que vous seul exercez finalement de l'autorité sur vous-même. Vous maîtrisez parfaitement votre pensée, vos sentiments et les raisons pour lesquelles vous vous trouvez dans la situation actuelle. Si vous le ressentez, vous avez le droit de l'exprimer, et personne ne peut légitimement vous contredire. Vous ne vous attirerez des ennuis que si vous essayez d'affirmer que vous ne détenez pas l'autorité finale sur ce qui est juste, sur vos intentions, sur ce qui s'est passé. Parlez de toutes vos expériences et vous serez clair. Soyez votre porte-parole et vous vous exprimerez avec force.

11

La résolution des problèmes : prenez l'avantage

Il se peut que la personne à qui vous vous adressez ait lu ce livre et qu'elle comprenne comment s'engager dans une discussion didactique. Mais n'y comptez pas trop.

Plus vraisemblablement, vous parlerez de compréhension mutuelle, et l'adversaire indiquera qui a tort ou raison. Vous évoquerez les responsabilités partagées et l'autre restera focalisé sur la culpabilité. Vous vous pencherez en avant pour l'écouter et vous reconnaîtrez ses sentiments. En retour vous serez attaqué, interrompu et jugé. Vous ferez de votre mieux pour améliorer la communication avec votre interlocuteur[trice], et il/elle s'évertuera à bloquer tout dialogue constructif entre vous. Il se peut que cette personne ait encore peur d'être blâmée ou qu'elle ne comprenne pas la terminologie que vous utilisez. Probablement ne vous fait-elle toujours pas confiance et se détourne-t-elle de votre nouveau comportement, qui après tout diffère énormément du précédent.

Que faut-il faire ?

Les techniques de prise de contrôle de la discussion

Si vous voulez que vos discussions aboutissent, vous serez forcé de prendre l'avantage. Voici une série de « coups » puissants que vous pouvez utiliser – le recadrage, l'écoute et la définition de la dynamique – afin de garder la conversation sur ses rails, que l'autre soit coopératif ou non.

Quand la partie adverse prend une direction destructrice, le *recadrage* permet de redémarrer le dialogue. Il transforme des affirmations inutiles en affirmations utiles. L'*écoute* vous donne accès à l'univers de l'autre. C'est aussi le meilleur outil pour que la discussion reste constructive. Et *la définition de la dynamique* s'applique quand vous voulez aborder un aspect épineux de la discussion. C'est une stratégie particulièrement efficace si la personne d'en face domine la discussion et ne semble pas disposée à vous laisser prendre l'avantage.

Recadrez, recadrez, recadrez

Le recadrage consiste à prendre l'essence ce que dit l'autre et à la « traduire » en concepts plus fructueux – contenus dans les trois types de discussions. Vous vous engagez dans une nouvelle voie, et vous l'invitez à vous rejoindre. Vous éclairez le chemin.

Revenons au cas de Miguel et Sydney, exposé dans le chapitre 4. Vous vous souvenez, Sydney dirige une équipe d'ingénieurs sur un chantier au Brésil. Après avoir résisté à sa tutelle, Miguel est devenu son plus ardent supporter. Malheureusement pour Sydney, l'enthousiasme de Miguel s'est progressivement transformé en véritable penchant. Il s'est mis à la suivre en montrant à quel point il aimait passer du temps avec elle, et l'a invitée à se promener avec lui sur la plage.

Quand Sydney a cessé de se focaliser sur la culpabilité, elle a commencé à décoder les signaux contradictoires qu'elle envoyait à Miguel. En n'exprimant pas clairement sa désapprobation, elle contribuait au problème. Sydney a décidé d'évoquer cette question avec Miguel. Elle sait que pour faire progresser la discussion, elle devra sans cesse recadrer le débat pour passer de l'accusation à la responsabilité partagée. Prenons la conversation en cours :

> SYDNEY : J'aurais dû t'en parler plus tôt, et c'est pourquoi je trouve très important d'aborder ce sujet maintenant…

MIGUEL : Je comprends que tu veuilles en parler si tu ne te sens pas à l'aise, et pour cause ! Un chef d'équipe devrait savoir se débrouiller mieux que ça dans ce genre de situation.
SYDNEY : J'imagine en effet que je ne me suis pas bien débrouillée. J'ai l'impression que j'ai compliqué le problème en n'intervenant pas plus tôt. Au lieu de rejeter la faute sur l'un d'entre nous, j'essaie de réfléchir à ce qui nous a amenés là. Je crois que, l'un comme l'autre, nous avons contribué, par nos actions ou notre passivité, à faire empirer les choses.
MIGUEL : Il me semble que tout vient du fait que tu es américaine. Les femmes américaines sont trop sensibles à ce genre de questions, et elles voient des problèmes là où il n'y en a pas.
SYDNEY : Nous pourrions probablement discuter toute la journée pour savoir si les femmes américaines sont trop sensibles ou pas. Ce qui compte, c'est que toi et moi ayons des repères culturels différents. J'ai donc trouvé tes commentaires suggestifs et déplacés. De ton côté, tu semblais penser qu'un rapprochement entre nous n'était pas incompatible avec une relation de travail. Est-ce juste ?
MIGUEL : C'est vrai. Pour moi, tout ça, c'était normal et ça ne valait pas la peine qu'on en parle.
SYDNEY : Quand tu dis « normal », tu veux dire normal pour deux personnes qui travaillent ensemble ? Ou est-ce que tu trouves normal que deux collègues puissent choisir de faire évoluer leur relation ?
MIGUEL : L'un et l'autre. Nous pouvons plaisanter ensemble. Je peux te dire que je t'aime bien. Si tu n'es pas intéressée, il te suffit de l'ignorer. Si tu l'es, tu peux répondre par la pareille. Le problème, c'est que tu réagis de manière exagérée, et que tu aurais dû en parler plus tôt.
SYDNEY : Comme je l'ai dit au début, je reconnais que si j'avais évoqué cette question avant, nous aurions pu éviter ces désagréments. Je pense que je me sens frustrée d'avoir *essayé* d'ignorer tes avances, et d'avoir vu que cela ne te décourageait pas. Comme au moment où je refusais toutes tes invitations d'aller au bar ou de me promener avec toi sur la plage.
MIGUEL : Tu sais, à certains moments, j'aurais pu me rendre compte que quelque chose clochait. Je suppose que j'aurais pu te demander si tu avais un problème ou si je t'avais blessée d'une manière ou d'une autre. Et peut-être aurions-nous dû parler franchement de ce que nous voulions l'un et l'autre…

En prononçant cette dernière phrase, Miguel commence à distinguer la contribution et le blâme, et se sent assez à l'aise pour commencer à reconnaître sa participation. Mais pour arriver à ce point, Sydney a dû faire preuve de patience et l'éloigner à plusieurs reprises de la culpabilité.

Vous pouvez tout recadrer

Le recadrage fonctionne sur tous les fronts. Vous pouvez recadrer tout ce que dit l'autre pour l'entraîner vers une discussion didactique. Voyez les exemples qui suivent :

> ILS DISENT : J'ai raison, c'est certain.
> VOUS RECADREZ : Je veux m'assurer que je comprends ton point de vue. De toute évidence, cela te tient à cœur. J'aimerais aussi faire connaître mon opinion sur la question.
>
> ILS DISENT : Tu l'as fait exprès !
> VOUS RECADREZ : Je vois que ce que j'ai fait te rend vraiment furieux, et je le regrette. Ce n'était pas mon intention. Peux-tu décrire ce que tu ressens ?
>
> ILS DISENT : Tout cela est ta faute !
> VOUS RECADREZ : Je suis sûr que j'ai participé au problème. Je pense que nous y avons contribué tous les deux. Au lieu de chercher à savoir à qui revient la faute, j'aimerais que nous voyions comment nous en sommes arrivés là, comment nous avons tous deux concouru à cette situation.
>
> ILS DISENT : Je n'ai jamais rencontré quelqu'un d'aussi mauvaise foi.
> VOUS RECADREZ : Tu as l'air vraiment hors de toi.
>
> ILS DISENT : Je ne suis pas un mauvais voisin !
> VOUS RECADREZ : Je n'ai jamais rien prétendu de tel. Et j'espère que vous n'avez pas non plus cette idée-là de moi. Je pense que nous ne sommes pas d'accord sur la manière de régler le problème, et cela me semble assez normal entre bons voisins. La question est de savoir si nous voulons collaborer pour voir comment respecter vos soucis et les miens.

Bien sûr, une seule phrase ne réglera pas tout, mais ces exemples vous donnent une idée de la marche à suivre. Comme Sydney, vous devez persévérer, et vous attendre à devoir recadrer constamment la discussion pour la garder à flot.

Vous pouvez recadrer

Vérité	➤ Histoires différentes
Accusations	➤ Intentions et impact
Blâme	➤ Responsabilités partagées
Jugements, généralisations	➤ Sentiments
Qu'est-ce qui ne va pas chez toi ?	➤ Qu'est-ce qui se passe pour toi ?

Le « toi, moi et »

Vous pouvez effectuer un second recadrage en passant de l'alternative à la conciliation. Si l'autre déclare qu'il convient de choisir entre votre version et la sienne, entre ce que vous ressentez et ce qu'il éprouve, vous avez le droit de rejeter cette alternative en passant à « l'attitude de conciliation ».

Dans le chapitre précédent, nous avons évoqué la formule « moi, je et je ». Pour gérer la discussion interactive, c'est le « toi, moi, et » qui est essentiel. Il faut passer du « et moi » au « et toi ». Il ne s'agit pas du « et » qui est *en nous*, mais de celui qui est *entre nous*. De celui qui dit : « Je peux écouter et comprendre ce que vous voulez dire, *et* vous pouvez écouter et comprendre ce que j'ai à dire. »

Stacy a trouvé le « toi, moi et » utile lorsqu'elle a cherché sa mère biologique. Joyce, sa mère adoptive, faisait valoir que cette quête serait probablement douloureuse et inutile. Stacy a évité de s'engager dans une discussion sur la véracité de cette affirmation en se servant de la formule « et » pour relier les deux récits. « Tu as probablement raison. Il se peut que tous mes efforts restent sans effet, et que je sois déçue même si je la trouve. Après tout, cette femme n'a peut-être aucune envie de me voir. *Et* il est tout de même important pour moi de la chercher. Voilà pourquoi… »

Quand Joyce a déclaré : « Nous t'avons élevée. Après tout ce que nous avons fait pour toi, comment peux-tu avoir besoin de ce que ta mère biologique pourrait t'apporter ? » Stacy a répondu par quelques phrases relevant du « moi, je et je » *et* du « toi, moi et ». Si cela vous paraît complexe, ne vous inquiétez pas, ça l'est. Voilà pourquoi la réaction de Stacy a été si constructive et efficace. « J'ai l'impression que ma démarche est très dure pour toi. Tu es la meilleure mère du monde, et la seule que j'aurai jamais. Cela ne va pas changer. C'est difficile pour moi aussi, parce que je n'aime pas te voir souffrir – parfois je me trouve terriblement égoïste et ingrate. Et pourtant il y a des questions auxquelles je dois vraiment trouver une réponse. J'espère que nous pouvons continuer à discuter de ce que cette quête signifiera pour nous deux au moment où je l'entamerai. » Stacy a pu s'affirmer sans minorer la force et l'importance des soucis de sa mère.

Il est toujours temps d'écouter

Quels que soient vos talents pour le recadrage, la règle essentielle pour maintenir l'interaction est la suivante : *vous ne pouvez pas engager la discussion dans une direction positive avant que l'autre ne se sente compris et reconnu.* Et cela n'arrivera pas avant que vous n'ayez écouté. Quand l'autre s'engage sur le terrain des émotions, soyez attentif et comprenez. Quand il dit que sa version de l'histoire est la seule qui ait un sens, paraphrasez ce que vous entendez et posez-lui des questions sur les raisons qui motivent cette position. S'il dirige des accusations contre vous, essayez d'assimiler son point de vue avant de vous défendre.

Chaque fois que vous vous sentez déstabilisé ou indécis quant à la manière de procéder, souvenez-vous qu'il est *toujours* temps d'écouter.

Persévérez dans votre écoute

Nous supposons souvent que celui qui écoute reste passif, mais ce n'est pas nécessairement vrai. Vous pouvez vous servir de votre écoute pour diriger le dialogue.

Voyez cette conversation téléphonique entre Harpreet et sa femme Monisha. Monisha est déléguée médicale pour une grande société pharmaceutique et passe beaucoup de temps sur la route. La distance souligne la dimension douloureuse de leur relation.

> MONISHA : Bon, je ferais mieux d'aller me coucher. Je dois faire une présentation importante demain matin tôt.
> HARPREET : Alors je te verrai jeudi ?
> MONISHA : Oui, jeudi soir. Je devrais être rentrée vers sept heures.
> HARPREET : OK. Dors bien… [silence] Je t'aime.
> MONISHA : Bonne nuit. À jeudi.

Harpreet raccroche, blessé et frustré. « Elle ne me dit jamais qu'elle m'aime », se plaint-il. « Quand je pose la question, elle répond quelque chose du genre : "Tu le sais bien, alors pourquoi devrais-je le répéter tout le temps ?" »

De toute évidence, cette question compte énormément aux yeux de Harpreet. Et, pour cette raison, il doit revenir à la charge auprès de Monisha. Beaucoup de gens pensent que pour insister sur un point, il suffit de le répéter. Mais cela ne marche pas.

Il faut trouver un moyen de persévérer tout en se souvenant que la discussion doit rester un échange. Au cours d'une discussion difficile, persévérer signifie rester à l'écoute de l'autre, tout en affirmant votre opinion.

En réfléchissant aux trois types de discussions, Harpreet a commencé à s'intéresser aux raisons pour lesquelles Monisha réagissait ainsi. Au cours de leur dialogue suivant, il a décidé d'écouter, de poser des questions, et d'essayer de comprendre comment Monisha ressentait ce problème.

> HARPREET : Quand je te dis que je t'aime, qu'est-ce que tu ressens ?
> MONISHA : Je me dis : « Voilà, il attend que je lui dise la même chose. » Alors, justement, cela m'empêche de parler parce que je me sens soumise à une pression. D'ailleurs, tu sais bien que je t'aime.
> HARPREET : Il m'arrive d'avoir vraiment la certitude que tu m'aimes. Mais parfois, j'en suis moins sûr. Quand tu dis que je le sais, d'où est-ce que je devrais tirer cette certitude ?
> MONISHA : Eh bien, je suis toujours avec toi, non ?
> HARPREET : C'est une base assez restreinte ! En outre, mes parents sont restés ensemble plusieurs années après avoir cessé de s'aimer, et c'est probablement pour ça que cette situation me rend nerveux.

MONISHA : Hmm. J'ai plutôt connu une expérience opposée. Mes parents s'adoraient et se faisaient sans arrêt des déclarations devant nous. Je trouvais ça embarrassant. Il me semble que si l'on s'aime vraiment, on n'a pas besoin de se le dire tout le temps. Il est possible de le montrer, tout simplement.
HARPREET : De le montrer comment ?
MONISHA : Je ne sais pas, en étant gentil l'un avec l'autre, par exemple. Comme le jour où j'ai tout laissé tomber et où j'ai pris l'avion pour Phœnix, quand ta mère est tombée malade. Je l'ai fait parce que je savais que c'était dur pour toi, et je voulais être là pour t'aider...

Harpreet et Monisha ont encore du chemin à parcourir. Mais en écoutant ainsi, au-delà des arguments, les émotions et les expériences de sa femme, Harpreet a engagé un débat beaucoup plus intéressant et constructif sur un sujet délicat pour son couple.

Analysez la dynamique : explicitez le problème

L'écoute et le recadrage permettent d'orienter la conversation dans la direction que vous voulez lui voir prendre. Ces outils sont puissants, et la plupart de vos discussions y feront simultanément appel. Mais quelquefois, ces instruments ne suffisent pas. Quelle que soit la qualité de votre écoute, quelle que soit votre persévérance à recadrer, l'autre continue à interrompre, à vous attaquer ou à vous congédier. Chaque fois que vous arrivez quelque part, il trouve un moyen de *nier le problème* ou de le déplacer. Ou bien il manifeste son mécontentement, et quand vous l'interrogez, déclare : « Non, je ne suis pas fâché du tout. »

Dans des moments comme ceux-là, il peut être pertinent d'analyser la dynamique de l'échange. Vous posez sur la table un sujet de discussion que vous voyez se profiler dans la discussion. En un sens, vous agissez comme « docteur en discussion », vous diagnostiquez le mal et vous prescrivez un remède. Ce genre de diagnostics ou de suggestions peut se présenter ainsi :

Je remarque que tu n'as jamais le temps de parler quand nous abordons ce sujet. Peut-être devrions-nous nous fixer une heure pour en discuter.

J'ai essayé de dire trois fois de suite ce que je pensais et, chaque fois, tu m'as coupé la parole. Je ne sais pas si tu te rends compte de ce qui se passe, mais je trouve ça frustrant. S'il y a quelque chose d'important que je ne comprends pas, explique-le-moi. Ensuite, je voudrais pouvoir finir ce que j'étais en train de dire.

Je remarque que lorsque je te demande si tu es blessé par mes paroles, tu réponds : « Non, non, pas du tout. Je ne suis pas comme ça. » Mais ensuite tu continues à agir avec moi comme quelqu'un qui est vexé ou furieux. Du moins c'est ainsi que je le ressens. Il me semble que la meilleure chose à faire consiste à trouver ce que je fais qui te dérange. Sinon, je crois que nous n'aboutirons nulle part.

Attends une seconde. Plusieurs fois de suite, quand j'ai dit ce qui comptait vraiment pour moi, tu t'es fâchée au point que je me suis senti menacé. Je ne sais pas ce qui déclenche ta réaction. Si tu es furieuse, j'aimerais savoir pourquoi. Si tu essaies de m'intimider pour que je change d'avis, cela ne marchera pas. Je voudrais vraiment comprendre ce qui te met dans cet état, *et* je souhaite trouver un moyen d'en parler qui ne soit pas intimidant pour moi.

Pour clarifier la situation, il peut être extrêmement utile d'analyser la dynamique qui existe entre votre interlocuteur[trice] et vous. Cette pratique permet de faire ressortir ce que vous pensez et ressentez l'un et l'autre, ce que vous ne mettez pas honnêtement sur la table pour en discuter. Et elle peut mettre fin à de nombreux échanges infructueux. Souvent, l'adversaire n'est pas conscient qu'il fait quelque chose qui vous dérange. Cependant, par ce biais, la discussion se trouve détournée de son sujet premier, et parfois, cela peut amener à une escalade des tensions. L'analyse de la dynamique d'échange doit donc être réservée aux cas où rien d'autre n'a marché.

Et maintenant ? Commencez à résoudre le problème

Souvent, le tri entre les trois types de discussions et la mise en lumière des motivations profondes de chaque participant lève le malentendu entre vous. Mais pas toujours. Vous avez fait beaucoup de chemin pour intégrer vos récits respectifs, et pour démêler ce qui était arrivé. Vous maîtrisez mieux les sentiments qui sont en cause. Mais au bout du compte, vous devez encore décider de la manière de progresser ensemble, et vous ne vous accordez probablement pas sur les modalités à suivre.

Le moment est venu de résoudre le problème. Fondamentalement, la résolution consiste à collecter des informations et à tester vos perceptions, à créer des options qui conviendraient aux principaux soucis des deux personnes engagées dans le débat, et, si possible, à trouver des moyens justes d'apaiser le différend.

Il faut être deux pour se mettre d'accord

Les discussions difficiles imposent une certaine dose de compromis et d'acceptation des besoins de l'autre. Si vous trouvez qu'il est difficile et angoissant de chercher des solutions aux problèmes, c'est parfois parce que vous avez trop envie de persuader la personne qui vous fait face. Ceux qui tombent dans ce piège luttent comme un poisson pris à l'hameçon, essaient désespérément de satisfaire les exigences apparemment insatiables de l'autre pour arriver à une discussion équitable sur les moyens de progresser. Ce n'est pas étonnant. Ce scénario donne à l'autre le contrôle total, et jusqu'à ce qu'il soit satisfait, vous devrez continuer à vous battre.

Il suffit de décrire ce scénario pour en découvrir la faille : deux individus sont en cause, et aucune solution ne verra le jour avant qu'ils ne s'entendent. Vous essayez de convaincre l'adversaire, mais il a également besoin de vous convaincre. De ce fait, vous avez toujours le recours de renvoyer la balle, de l'inviter à vous persuader et d'insister pour qu'il le fasse. Tant que vous êtes prêt à entendre ses arguments, et, si c'est absolument nécessaire, à vivre sans obtenir d'accord, vous pouvez vous montrer aussi ferme que vous le souhaitez : « Je vois que tu es déterminé à faire en sorte que je revoie ton article cette semaine, et je ne suis toujours pas convaincu que je devrais passer mes vacances à le faire. »

L'idée de ne pas être forcé d'acquiescer apporte généralement une sensation de soulagement, de libération et de puissance.

Collectez des informations et testez vos perceptions

Henry avait projeté, il y a plusieurs mois, de passer ce week-end à voyager avec des amis. Il a fait des heures supplémentaires toute la semaine pour installer la nouvelle collection dans les vitrines et revoir le planning. Vendredi matin, Rosario, la gérante, vient le voir dans la réserve.

« Henry, j'ai de gros problèmes avec l'un de nos fournisseurs. Il faut que nous y réfléchissions ce week-end de sorte que nous ayons un stock correct pour la période des vacances, qui est toujours critique. Je suis tout à fait désolée, car je sais que vous aviez des projets pour le week-end. Mais j'ai besoin que vous restiez. Vous pouvez certainement repousser ce voyage avec vos amis, n'est-ce pas ? »

Proposez un test. Au lieu d'exploser ou de se lancer dans une discussion, Henry a décidé de se renseigner sur les préoccupations de Rosario. En explorant chacun leur récit, Rosario et Henry ont découvert qu'ils analysaient différemment la relation de leur entreprise avec le fournisseur. Henry pense que les problèmes actuels n'empêcheront pas ce fournisseur de travailler avec eux et de leur envoyer les articles en un temps minimum. Rosario a eu trop de mauvaises expériences, au fil des années, et ne croit pas qu'il suffira de redresser la barre pour obtenir une livraison dans les délais.

Les opinions divergentes reposent souvent sur une ou plusieurs hypothèses conflictuelles. S'il est possible de les identifier, vous discuterez d'un moyen éventuel de les tester empiriquement ou de déterminer jusqu'à quel point elles sont justes. Henry suggère d'appeler le fournisseur pour l'interroger sur la disponibilité du stock en question, et pour savoir si quelqu'un voudra bien intervenir au cas où certaines difficultés surgiraient au cours des semaines suivantes. Rosario veut poser une série de questions sur le modèle « que se passera-t-il si... », et établir une relation personnelle avec un employé, chez le fournisseur, qui veillera à ce que tout fonctionne sans heurts. Pour être concluant, bien sûr, un tel test doit satisfaire les deux parties d'une manière juste et appropriée.

Dites ce qui manque. En analysant ses perceptions et ses conclusions conflictuelles, chacun de vous doit indiquer clairement à quel moment le récit de l'autre ne lui convient plus. Pendant que vous suivez *son* raisonnement, sur quoi achoppez-vous ? Henry pourrait dire : « Je crois comprendre maintenant pourquoi nous avons perdu de l'argent l'an dernier à cause de problèmes de stock. Il semble en effet que nous ayons besoin de clarifier ce problème au plus tôt. Et pourtant, nous avons un mois pour l'affronter, aussi je ne comprends pas pourquoi cela fera une différence de le régler ce week-end ou dans deux jours. »

Dites ce qui vous persuaderait, vous. Il est très efficace de montrer que vous êtes prêt à vous laisser persuader. Cela vous permet d'être honnête et ferme à propos de vos opinions actuelles, et d'écouter celles de l'autre. « J'ai l'impression que mon assistant, Bill, est assez qualifié pour faire l'inventaire ce week-end, ce qui me donnerait de bonnes bases pour analyser le problème la semaine prochaine. Voyez-vous un inconvénient à ce qu'il me remplace ? Vous avez peut-être à propos de Bill des réserves dont vous voudriez me faire part ? »

Demandez à l'autre ce qui le persuaderait (s'il peut l'être). « J'ai avancé un certain nombre de raisons qui me paraissent bonnes pour justifier ma réticence à renoncer à mes projets de week-end. Et pourtant, vous restez inflexible sur ce point. Y a-t-il un argument que je n'ai pas entendu ? Sinon, je me demande ce que je devrais dire pour vous convaincre. Quel serait l'argument qui pourrait vous faire fléchir ? »

Demandez-lui son avis. « Aidez-moi à comprendre comment vous analyseriez la situation si vous étiez à ma place. Que feriez-vous ? Pourquoi ? Pouvez-vous imaginer un moyen d'éviter qu'une telle situation se reproduise ? »

Selon notre expérience, les personnes qui comprennent que la persuasion repose sur deux individus se mettent rarement dans des situations comme celle-ci. Parce qu'elles mènent leurs négociations avec modération, leur réputation les précède et les profiteurs éventuels savent qu'ils n'auront pas de prise sur elles.

Inventez des options

Revenons à vos voisins et à leur chien bruyant. Quand vous finissez par évoquer le problème, vous apprenez qu'ils trouvent important, pour des raisons de sécurité, de le laisser aboyer, et qu'ils le laissent exprès dehors, la nuit, parce qu'ils craignent de le voir blesser par accident leur enfant en bas âge. Cela vous paraît logique, *et* vous parvenez malgré tout à leur expliquer à quel point cela vous épuise et vous énerve de rester éveillé la nuit. Au moment de trancher, vous pourriez vous retrouver coincé. Votre solution (se débarrasser du chien) ne les tente pas, et leur réponse (acheter des boules Quiès ou fermer la fenêtre) vous semble ridicule.

De nombreuses situations difficiles peuvent déboucher sur des solutions créatives qui conviennent à tous, mais qui ne paraissent pas évidentes ou imposent des efforts d'imagination. Elles requièrent une séance commune de remue-méninges. « Je me demande si nous pourrions trouver un moyen créatif de respecter nos intérêts mutuels. Qu'en pensez-vous ? Voulez-vous essayer ? » Votre persévérance sera probablement payante.

La séance de remue-méninges peut permettre de trouver des idées utiles. Par exemple, votre fils pourrait passer du temps avec le chien du voisin pour qu'il prenne davantage d'exercice et reçoive plus d'attention pendant la période où l'on s'occupe beaucoup du bébé. Ceci pourrait être utile à votre enfant, qui ne cesse de vous réclamer un animal. À moins que vos voisins ne choisissent d'acquérir un second chien qui tienne compagnie au premier ou qu'ils ne décident de le faire rentrer après vingt-deux heures, en fermant la porte de la chambre du petit. Ou bien il peuvent vous prier de les appeler quand les aboiements vous dérangent, de sorte qu'ils puissent régler immédiatement le problème, et vous laisser dormir.

Le plus important, c'est de reconnaître que vous devez tous continuer à cohabiter, et coopérer pour trouver une solution viable pour vous, eux, et le chien.

Informez-vous des règles à suivre

Généralement, la meilleure manière de gérer un conflit sans dommage pour la relation consiste à s'accorder sur les règles ou les principes équilibrés qui peuvent guider une solution, au lieu de marchander avec l'autre ou de l'intimider. Si vous ne pouvez trouver un moyen créatif de faire disparaître le problème, demandez quelles sont les règles à appliquer, et pourquoi. Il peut exister une législation locale sur le bruit ou une méthode que les propriétaires de chiens utilisent dans le voisinage pour les réduire au silence. Les pratiques locales, les nouveaux produits, les précédents légaux et les principes éthiques offrent des recours utiles pour régler l'affaire sans que personne ne perde la face.

Bien sûr, toutes les règles ne sont pas également convaincantes. Certaines paraîtront plus ou moins directes, plus ou moins acceptables ou plus ou moins adaptées au lieu et au contexte. Ce sera là un sujet supplémentaire de discussion, et vous explorerez le degré de pertinence des différents principes.

Le principe de respect mutuel. À ce stade de la discussion difficile, il ne faudra pas oublier que nous avons tous tendance à privilégier notre manière de faire. Ceci peut nous conduire à assigner une solution qui ne sera pas en accord avec la personnalité de l'autre, à suggérer une idée qui dirait implicitement : « Si seulement tu voulais changer, tout serait facile. »

Votre contrariété est compréhensible, mais l'argument n'est pas convaincant. Le défi à relever et le sel de la relation se nourrissent justement des différences entre les gens. La frustration occasionnelle est le prix à payer pour être reconnu. Et comme nous l'avons noté, aucune relation ne peut durer si l'une des parties cède toujours à l'autre. Une bonne résolution du problème impose souvent un compromis qui tienne compte des différences de chacun ou peut-être une réciprocité, une façon de céder sur certains points pour en préserver d'autres. Ceci est le principe du respect mutuel.

Si vous n'êtes toujours pas d'accord, envisagez une alternative

Tous les conflits ne peuvent être résolus par un accord mutuel. Parfois, même après l'application de techniques de communication très sophistiquées, vous ne parvenez pas à trouver avec l'autre une option qui vous satisfasse tous deux. Vous êtes alors confronté à une décision : devez-vous diminuer le niveau de vos exigences ou accepter les conséquences d'un conflit prolongé ?

Revenons au cas d'Henry et Rosario. Rosario est le chef. Henry un employé de valeur. S'ils ne parviennent pas à décider si Henry doit ou non travailler le week-end, ils sont tous deux confrontés à certains choix. Chacun doit réfléchir à la procédure à suivre si aucune solution n'est envisageable.

Si vous devez vous séparer sans parvenir à une entente, deux aspects doivent être clarifiés. Tout d'abord, vous devez expliquer pourquoi vous jetez l'éponge. Quels sont les éléments qui ne sont pas pris en compte dans les solutions dont vous avez discuté ? Imaginons qu'Henry décide de prendre son week-end en dépit de l'insistance de Rosario. Au lieu de s'en aller sans commentaires, il devra dire clairement ce qu'il ressent, parler de ses préoccupations et de ses choix : « Rosario, je suis vraiment désolé. Je souhaite être un employé modèle, et vous venir en aide quand je le peux. Normalement, je serais heureux de travailler les soirs et les week-ends, et j'espère que vous l'avez remarqué par le passé. Il suffit que je sois prévenu à temps. Je regrette de vous laisser en plan, mais ces projets comptent énormément à mes yeux, je vous en ai parlé il y a longtemps et j'ai travaillé dur toute la semaine pour être en mesure de partir. Je n'aime pas être confronté à ce choix, mais puisque je l'ai, je prends ce week-end. »

Maintenant, Henry doit également accepter les conséquences de son acte. Peut-être rentrera-t-il lundi et apprendra-t-il qu'il a perdu son emploi. S'il parvient à l'assumer ou même s'il préfère cette solution, il est logique qu'il parte avec ses amis. Plus vraisemblablement, il retrouvera Rosario embarrassée et plus respectueuse à son égard. Il se peut même qu'elle lui fasse des excuses ou lui demande de discuter des moyens d'éviter de telles situations à l'avenir.

Si Henry n'envisage pas de perdre son poste, il aura tout intérêt à accepter de travailler ce week-end. Il se sentira dépité de ne pas avoir passé du temps avec ses amis, mais il saura qu'il a bien géré la discussion et finalement pris une sage décision.

Laissez du temps au temps

La plupart des discussions difficiles sont composées d'une série d'échanges et d'explorations qui se cristallisent au fil du temps. Même si Henry et Rosario résolvent ce conflit précis, d'autres problèmes surgiront. Les exigences professionnelles resteront élevées, et ils devront continuer à travailler ensemble tout en tenant compte des projets personnels d'Henry. Michael et Jack, qui, au chapitre 1, se disputaient à propos d'une brochure, devront trouver des moyens de réparer leur relation, et de collaborer à l'avenir. Vous et vos voisins devrez appliquer plusieurs solutions, comme de confier le chien à votre fils, de rentrer l'animal pour la nuit, et voir comment ces mesures fonctionnent. Et quelles que soient les circonstances, vous devrez provoquer d'autres discussions qui vous permettront de suivre l'affaire et, le cas échéant, de chercher d'autres portes de sortie.

12

Mise en perspective

Jack voudrait faire une nouvelle tentative auprès de Michael. « Je croyais que si le problème de la brochure était réglé, tout rentrerait dans l'ordre entre nous », avance-t-il. Mais quelques mois se sont écoulés, Michael reste distant, et une certaine gêne s'est installée. Jack sait qu'il devrait parler à Michael, mais sous quel prétexte ? Jack croit pouvoir tirer une conclusion : Michael est un imbécile.

Étape n° 1. Préparez-vous en explorant les trois discussions

Jack a réfléchi aux trois types de discussions, prenant mentalement note du point de vue de Michael, et de la manière dont tous deux ont contribué au problème (il a repris en compte les principaux éléments qu'il avait indiqués à la page 29. Ce faisant, Jack a fait quelques découvertes. Il a compris que Michael ignorait probablement les sacrifices consentis à ce travail, et les heures de travail nocturne qu'il y avait consacrées. Jack ne sait pas si Michael a cherché à l'intimider. Il voit comment il a participé au problème en n'exprimant pas ses sentiments au départ ou juste après le conflit.

Cela ne fait que renforcer sa détermination à modifier la donne et à exprimer ses sentiments. « Il m'a suffi de réfléchir à la manière dont je voyais la situation initiale pour remettre en question l'idée que le problème venait de Michael », déclare Jack. « Sans doute ai-je surtout réalisé que je ne voyais pas du tout les choses comme lui. Je veux bien essayer maintenant. »

Notes de Jack

QUE S'EST-IL PASSÉ ?

RÉCITS MULTIPLES	IMPACT/INTENTIONS	NOS CONTRIBUTIONS AU PROBLÈME
Quelle est ma version ? J'ai interrompu un travail important pour rendre service à un ami, qui a monté en épingle une erreur insignifiante et a voulu me contraindre à tout recommencer. Je n'ai même pas été remercié de mes efforts, et M. n'a pas voulu justifier son refus du document. *Quelle est sa version ?* Michael comptait sur moi pour rectifier le tir, et je l'ai laissé tomber. Ensuite, j'ai contesté l'erreur au lieu de la corriger. *Hmm. Ce n'est probablement pas entièrement faux.*	*Mes intentions.* Aider un ami. Faire du bon travail. Persuader M. que l'erreur n'avait pas d'importance (!). *Impact sur moi.* Je me suis senti manipulé. Méprisé. Frustré. *Intentions de M. ?* Obtenir rapidement la brochure. Vérifier sa conformité ? M'intimider ? *Impact sur M. ?* Frustration ? Déception ? Difficultés avec les clients ?	*Comment ai-je contribué au problème ?* Sur le moment, je n'ai pas dit à Michael que j'étais fâché, et je m'en suis également abstenu après. J'ai bel et bien commis une erreur. Je n'ai pas demandé à M. plus de détails sur les problèmes que cela lui posait. *Comment a-t-il contribué au problème ?* Michael n'a pas non plus repéré l'erreur sur le moment. Il n'a pas passé sa commande en temps et heure, et j'ai dû faire le travail dans l'urgence. Il n'a fait que demander : « Vas-tu, oui ou non, refaire le travail ? » ce qui m'a donné l'impression qu'il cherchait à me persécuter.

Sentiments	**Questions identitaires**
Quels sont les sentiments sous-jacents à mes idées et aux jugements que j'ai portés ? *Colère* *Frustration* *Déception* à l'idée que tout ne se soit pas déroulé correctement, et que Michael ait fait appel à quelqu'un d'autre. *Vexation* *Culpabilité.* J'aurais voulu gérer autrement cette histoire. *Embarras/honte.* Quelle erreur stupide ! *Gratitude* à la pensée que Michael m'ait aidé par le passé. *Tristesse* de voir que notre amitié s'en ressent.	Les événements ont-ils menacé mon identité ? Bien sûr ! Je suis certainement menacé dans mon identité, car j'ai tendance à me considérer comme un perfectionniste. J'ai du mal à accepter d'avoir laissé passer une erreur aussi idiote. De plus, je regrette de ne pas avoir mieux géré cette conversation. Généralement, je me débrouille bien dans la gestion des conflits avec les clients. Maintenant, je suis puni sur deux plans : je n'ai pas été fidèle à moi-même et j'ai à la fois perdu un ami et un client.

Il peut sembler bizarre de se préparer à une discussion en se remettant en cause. Mais, ce faisant, Jack est mieux disposé à entendre ce que Michael veut dire, plus curieux d'apprendre ce qu'il ignore (sur les intentions de Michael ou sur la manière dont il pense que Jack a contribué au problème). Et d'un certain point de vue, tout à fait déterminant, Jack a *une meilleure confiance en lui*. En acceptant sa participation au problème, il a trouvé un équilibre plus solide. Même s'il n'est plus sûr d'avoir « raison » et de donner « tort » à Michael, il est absolument certain que les deux versions entrent en ligne de compte.

Étape n° 2. Vérifiez vos objectifs et voyez si vous devez soulever le problème

Avant tout, Jack est sûr désormais qu'il vaut mieux poser le problème, *quelles que soient* les réactions de Jack. « Tout d'abord, quand j'ai envisagé d'en reparler, j'ai pensé : "Si Michael se désintéressait de la question, s'il refusait même d'en discuter, j'aurais le sentiment d'avoir été ridicule ou d'avoir échoué." J'ai envisagé d'enterrer l'affaire, mais cela équivaut à fuir mes responsabilités, et non à lâcher prise de façon déterminée. »

« Donc, je voulais reposer la question, mais cela me rendait nerveux. Alors je me suis souvenu qu'il valait mieux ne pas essayer de contrôler la réaction de l'autre. Je soulève de nouveau le problème parce que *je* crois que c'est important, et je ferai de mon mieux. Et si Michael n'a pas envie d'en parler, s'il n'est pas ouvert, j'aurai au moins essayé, et je serai satisfait d'avoir été fidèle à moi-même. »

Ci-dessous, nous présentons des extraits de la conversation qui est intervenue entre Jack et Michael. Pour mieux faire ressortir les moments où Jack s'en tirait plus ou moins bien, nous lui avons adjoint un conseiller qui n'a pas hésité à l'interrompre en cas de nécessité. Nous avons également donné à Jack une chance de s'arrêter et de rectifier le tir en cas de dérive.

Étape n° 3. Commencez par le troisième récit

Ci-dessous, voici le premier essai de Jack, et son résultat.

JACK : Écoute, Michael, tu diras ce que tu voudras, mais dans cette histoire de brochure, tu m'as mal traité, après tout le travail que j'avais abattu, et tu le sais.
MICHAEL : Ce qu'il y a, c'est que j'ai été assez mal inspiré pour te confier ce travail. Je ne referai pas cette erreur, crois-moi !

JACK : Stop. C'est mal parti.
CONSEILLER : Qu'est-ce qui a mal tourné ?
JACK : Je ne sais pas. Il n'a pas très bien réagi.
CONSEILLER : Remarquez que vous avez commencé la discussion en partant de votre propre version des événements.
JACK : J'aurais dû commencer par le troisième récit. C'est juste. Je recommence.

JACK : Michael, j'ai beaucoup repensé à ce qui s'est passé entre nous à propos de la brochure. J'ai trouvé cette expérience traumatisante, et j'ai l'impression que tu l'as également vécue ainsi. Ce qui me soucie le plus, c'est que cela a affecté notre amitié. Je me demande si nous pourrions en parler ? J'aimerais mieux comprendre comment tu vois les choses, et comment tu as vécu cette expérience de travail, et je voudrais aussi t'expliquer ce qui m'a choqué.
MICHAEL : À vrai dire, Jack, le problème, c'est ta négligence. Après coup, tu n'arrives pas à admettre que tu as commis une erreur. J'ai vraiment été furieux quand tu as commencé à t'excuser.

JACK : Voilà. Il m'attaque. Je croyais que si je débutais par le troisième récit, il se comporterait mieux.
CONSEILLER : En tout cas, la réaction de Michael n'a pas été aussi agressive qu'après votre premier essai. En fait, c'est un bon début. Vous avez très bien commencé par le troisième récit. Souvenez-vous, il faut persévérer. Michael ne va pas comprendre tout de suite que vous essayez d'engager une discussion didactique. Vous devez vous préparer à ses réactions de défense.
JACK : Et que dois-je dire, s'il m'attaque ?
CONSEILLER : Il est déjà dans son récit. La meilleure chose à faire, c'est

d'écouter, en manifestant une réelle curiosité, de poser des questions, et d'accorder une attention toute particulière aux sentiments qui s'expriment derrière les mots.

Étape n° 4. Explorez l'histoire de l'autre et la vôtre

JACK : As-tu eu l'impression que je m'excusais ? Donne-moi des détails.
MICHAEL : À la vérité, Jack, tu n'aurais pas dû discuter avec moi de ce tableau. Tu aurais dû refaire la brochure.
JACK : Tu penses donc que j'aurais dû corriger et réimprimer la brochure, parce que le tableau comportait une erreur. J'ai l'impression que tout cela a été frustrant pour toi, d'après ta réaction à ma question.
MICHAEL : Absolument. C'était frustrant. J'avais la cliente sur le dos, et elle était déjà mécontente de nous.
JACK : Pourquoi ?
MICHAEL : Elle pensait que nous avions mal choisi la photographie d'un autre dépliant. Elle avait tort, mais je ne pouvais pas le lui dire. Voilà ce qui était tellement pénible pour moi, Jack. Tu n'as pas l'air de comprendre que le client a toujours raison.
JACK : Donc, la cliente cherchait déjà la petite bête.
MICHAEL : En tout cas, je l'ai vraiment ressenti comme ça. Et pour nous coincer, elle allait sûrement contrôler d'abord le tableau des bénéfices. Ses investisseurs lui ont reproché certaines de ses décisions récentes. Le tableau ne comportait qu'une minuscule erreur, et nous ne vérifions pas toujours au centime, mais dans ce cas, à cause de la situation, nous ne pouvions pas nous permettre le moindre accroc.
JACK : Je comprends mieux le contexte. J'ai l'impression que tu as été soumis à une grosse pression pendant cette période.

JACK : Pouce.
CONSEILLER : Vous vous débrouillez très bien !
JACK : Oui, peut-être. En fait, tout cela est utile. Je commence à comprendre sa manière de voir les choses. Mais il ne tolère pas la mienne. Quand pourrai-je donner ma version ?
CONSEILLER : Vous avez bien écouté. Michael pourrait être mieux disposé à vous écouter.

JACK : De mon point de vue, Michael, je t'avais fait une fleur, et tu m'as mal traité. Tu as mal agi envers moi.

CONSEILLER : Coupez ! Oui, vous voulez passer à votre version, mais vous avez d'abord besoin d'une phrase de transition, de quelque chose qui indique que vous commencez à assimiler sa perspective, mais que vous voulez indiquer la vôtre. Ensuite, exprimez vos sentiments. Mais ce que vous venez de dire est un jugement relatif à Michael, ce qui est rarement productif. Dites plutôt comment vous vous sentez.

JACK : Je commence à comprendre comment tu vois les choses, et cela m'est utile. Je voudrais aussi pouvoir te dire comment j'ai vécu ce qui s'est passé, et ce que j'ai éprouvé.
MICHAEL : D'accord.
JACK : Hmm. Je ne sais pas toujours parler de ce que je ressens, mais je vais essayer. Je me suis senti blessé par certaines de tes remarques, et...
MICHAEL : Jack, je n'ai pas voulu te blesser, j'avais seulement besoin d'une brochure parfaite ! Parfois je te trouve trop susceptible.

JACK : Bon. Après toute l'écoute que j'ai assurée, il m'interrompt au premier mot. Je n'ai même pas une chance de terminer ma phrase. Voilà comment il est. Michael interrompt tout le temps, et je ne peux jamais dire ce que je pense.
CONSEILLER : C'est là qu'il faut faire preuve de ténacité, et amener votre histoire de façon un peu plus affirmative. Vous pouvez l'interrompre aussi, afin de créer un espace pour votre parole. Vous devez redire explicitement que vous expliquez votre point de vue, et que vous voudriez qu'il écoute.

JACK : Attends une seconde. Avant de passer à ce que tu ressens, je voudrais t'en dire un peu plus sur mon point de vue.
MICHAEL : Très bien, mais je dis seulement que tu prends nos relations professionnelles trop à cœur sur le plan personnel.

JACK : Il recommence. Vous voyez ? Il fait ça sans arrêt.
CONSEILLER : En effet, il sait vous couper la parole. Comment vous sentez-vous à ce point de l'échange ?
JACK : Je me sens très frustré.
CONSEILLER : Vous avez donc plusieurs choix maintenant. Vous pouvez abandonner la partie, mais je pense qu'il est beaucoup trop tôt pour cela. Vous pourriez reprendre l'écoute, ce qui est toujours une bonne idée. Mais disons que vous ne voulez pas le faire en ce moment. Vous allez plutôt essayer deux autres choses. Premièrement, vous pourriez simplement réaffirmer que vous voulez apporter votre point de vue, et

je pense que cela finira par marcher. Ou alors, exprimer votre frustration d'être interrompu.
JACK : Si je le fais, il m'interrompra pour me dire que je ne dois pas être frustré. Je crois que je vais essayer encore une fois d'affirmer ma volonté d'expression.

JACK : Michael, je comprends que, selon toi, je prends les choses trop à cœur. Nous pourrons en parler. Avant, je veux t'expliquer où j'en suis.

CONSEILLER : Bravo ! Vous avez commencé par manifester votre écoute, et par paraphraser ce qu'il vous a dit, à savoir que vous prenez les choses trop à cœur. Cela annule son besoin de le redire. Et maintenant, vous êtes en bonne posture pour continuer votre récit.
JACK : J'y viens.

JACK : Alors, accorde-moi quelques minutes. Voilà, euh. Quand tu as appelé, j'ai pensé : « Allons bon. J'ai plein de boulot. Je dois rendre la commande d'Anders demain matin, et j'ai promis à Charlotte d'aller dîner avec elle ce soir. » Ensuite je me suis dit : « Je vais téléphoner à Anders pour lui demander un délai, et annuler le dîner. » Tout ça parce que tu avais l'air d'avoir une urgence, et que je voulais vraiment t'aider.
MICHAEL : Et j'ai apprécié, je dois admettre.
JACK : Mais tu ne l'as jamais dit. De mon point de vue, après avoir consenti ces sacrifices, le seul retour que j'ai eu a été : « Jack, on peut dire que tu t'es bien planté ! » Est-ce que tu comprends pourquoi j'ai pu me vexer ?
MICHAEL : Je n'aurais pas dû dire ça. J'ai songé à te remercier. J'imagine que j'étais trop préoccupé par mes propres frustrations à ce moment-là. C'est intéressant. Je ne pensais pas que tu me faisais une fleur, pour être honnête, et je m'en rends compte maintenant. J'ai cru, et je crois encore, que *je* te faisais aussi une fleur. Tu sais, en te donnant le boulot. J'aurais pu appeler d'autres gens, mais j'ai pensé que tu serais content.
JACK : Et c'était le cas. De mon côté, je me suis tellement concentré sur l'idée de finir que je n'ai pas eu l'impression de recevoir un cadeau. Mais de toute évidence, j'apprécie que tu m'aies confié le travail.

JACK : Ça devient presque sympa.
CONSEILLER : Vous vous débrouillez superbement. Continuez.

MICHAEL : Jack, je voudrais te dire autre chose. Si nous posons toutes les cartes sur table, ça me met dans tous mes états quand tu refuses d'admettre que tu as fait une erreur. Tu sais, tu as dit que le tableau était juste, alors qu'il ne l'était pas.

JACK : Là, ça redevient moins sympa.
CONSEILLER : Voilà justement de quoi sont faites les discussions difficiles. Elles sont en montagnes russes. Il faut poursuivre vos efforts.

JACK : Michael, je n'ai pas nié l'évidence. Il n'y avait pas de problème !

CONSEILLER : Doucement, doucement ! Vous vous trouvez à un moment délicat, et votre échange peut soit dégénérer en dispute, soit remettre les pendules à l'heure.
JACK : Je vous crois, mais je ne vois rien venir.
CONSEILLER : Réfléchissez à ce que Michael vient de dire. Il dit qu'il est généralement furieux de voir que vous essayez de nier ce que vous avez mal fait. Il commet une grosse erreur dans le domaine de l'impact et des intentions, et vous en commettez une autre. Dans sa phrase, Michael fait comme s'il connaissait vos intentions.
JACK : Alors qu'il les ignore.
CONSEILLER : Exact. Donc, il se trompe en croyant qu'il connaît vos intentions alors qu'il ne les connaît pas. Quand nous faisons cela au cours d'une discussion, il arrive ce qui vient de se passer. L'autre personne se défend, et vous entrez dans une discussion inutile.
JACK : Comment faire pour ne pas se défendre ?
CONSEILLER : Se défendre n'est pas le meilleur moyen de gérer la confusion entre l'impact et les intentions. D'abord, vous devez reconnaître les sentiments de l'autre, et ensuite seulement, essayer de clarifier vos motivations.

JACK : Je vois que ma réaction t'a énervé.
MICHAEL : Effectivement. Je ne cherche pas à jouer les affreux. J'essaie seulement d'obtenir du bon boulot.
JACK : Laisse-moi essayer de t'expliquer. Je n'essayais pas de prétendre que tout était parfait, ni même de t'attribuer les torts. J'avais vraiment l'impression que le tableau était correct, tel quel. Au moment où nous en avons parlé, je me rends compte que ma réaction ne tenait pas compte de toutes les informations. Je ne sais pas exactement ce que je pense aujourd'hui de ce tableau. Ce que je sais, c'est que si j'avais cru bon de le refaire, j'aurais été le premier à l'admettre.
MICHAEL : Je n'en suis pas si sûr. J'ai l'impression que tu ne reconnais pas facilement tes erreurs.
JACK : Ce n'est pas vrai.

CONSEILLER : Vous avez très bien démêlé la question des intentions. Ce n'est pas facile. Maintenant, vous entrez dans une autre zone dangereuse. Est-il exact, très honnêtement, que vous reconnaissez facilement vos erreurs ?
JACK : Bien sûr que non ! Je déteste commettre des erreurs. Je ne le supporte pas. Quand je fais une bourde, surtout si elle est aussi stupide que celle-là, ça me rend malade.
CONSEILLER : Alors, pourquoi avez-vous dit que vous n'aviez aucun problème à reconnaître vos erreurs ?
JACK : J'imagine que je n'arrive pas à admettre que cela m'est en effet difficile.
CONSEILLER : Nous y voilà. Michael sent, pour une raison ou une autre, que vous avez du mal à reconnaître vos erreurs. Vous feriez mieux de partager un peu votre débat intérieur avec lui. C'est un risque, mais, dans ce cas, il est minime, puisque votre interlocuteur semble être déjà au courant.

JACK : En y repensant, à vrai dire, j'ai effectivement un peu de mal, parfois, à reconnaître mes erreurs. Et ça m'écorche la bouche, rien que de devoir le dire.
MICHAEL : J'apprécie que tu le reconnaisses. Je préfère que tu admettes tes erreurs et qu'on puisse faire en sorte de les corriger.
JACK : En même temps, je ne veux pas que l'on confonde deux problèmes. J'ai effectivement commis une erreur sur le tableau, *et* j'ai vraiment eu l'impression, au moins au moment où nous en avons parlé, que ce problème était si léger qu'il n'y avait pas besoin d'intervenir.

CONSEILLER : Parfait. Vous avez affronté une question importante pour vous, et vous avez très bien utilisé « l'attitude de conciliation » pour expliquer que votre jugement était juste.
JACK : Que reste-t-il à faire maintenant ? Est-ce que nous touchons au but ?
CONSEILLER : Vous y arrivez. Qu'y a-t-il d'autre que vous vouliez dire ? Quel est l'autre élément important que vous devez connaître ?
JACK : Nous avons parlé de ce que j'avais mal fait sur la brochure, mais nous n'avons pas du tout parlé de ce que Michael a mal fait. Après tout, il l'avait vue et il m'avait donné le feu vert.
CONSEILLER : C'est un point important. Voyez si vous pouvez l'évoquer comme un problème auquel vous avez tous deux contribué, au lieu de l'aborder sous l'angle de la culpabilité.

JACK : Je voudrais aussi soulever un autre point. J'ai l'impression que tu m'as attribué toute la responsabilité de ce problème sur la brochure.
MICHAEL : Ne revenons pas là-dessus. Je n'essaie pas de charger ta barque. Je comprends que tu as travaillé dur, et j'apprécie.
JACK : Je sais. Je voudrais seulement que l'on n'aborde pas seulement cette question sous l'angle des maladresses commises. Tu as réagi en pensant que, puisque j'avais fait le travail, j'étais responsable de l'erreur sur le tableau. Et au départ, j'ai aussi pensé que c'était ta faute, puisque tu l'avais vérifié et que tu m'avais donné le feu vert.
MICHAEL : Non, je n'ai jamais dit que je l'avais vérifié. C'était à toi de le faire. J'ai seulement indiqué que *dans la mesure* où tout était juste, tu pouvais l'imprimer.
JACK : Justement, c'est là que je veux en venir. Je pense que nous avons tous les deux contribué au problème. Il y a eu un malentendu. Je ne désigne pas de coupable. Si nous nous étions mieux compris, l'un et l'autre, nous ne nous serions probablement pas mis dans cette situation difficile.
MICHAEL : C'est certainement vrai. Mais ça nous mène où ?
JACK : Je crois que nous risquons moins d'être confrontés à ce genre de problème à l'avenir si nous veillons à mieux communiquer. J'aurais dû te demander clairement si tu avais relu soigneusement la brochure, et tu aurais pu dire sans équivoque que tu ne l'avais pas fait. L'une ou l'autre de ces informations aurait été précieuse, et serait utile la prochaine fois.
MICHAEL : Cela paraît raisonnable.

JACK : Génial. J'ai trouvé beaucoup plus facile à discuter sans désigner le coupable, et beaucoup plus efficace.
CONSEILLER : Et remarquez que le fait d'évoquer les responsabilités partagées permet de se concentrer naturellement sur la solution. Travaillons un peu sur ce point. Vous avez tous deux une opinion sur la nécessité ou non de refaire la brochure. Essayez d'en parler.

Étape n° 5. Résolvez le problème

JACK : Michael, réfléchissons à la manière dont nous devrions gérer nos différences d'opinion si une telle situation se représente. Par exemple, pour déterminer s'il faut ou non refaire la brochure.

MICHAEL : Dans une situation de ce genre, je pense la même chose que le client, et il faut faire ce que je dis. Je ne vois pas comment nous pourrions prendre une décision conjointe.
JACK : Je suis d'accord pour ce qui est de la décision finale. Dans un cas comme celui-là, c'est ton point de vue qui l'emporte. Je pense plutôt à la manière dont je pourrais te faire connaître mon avis avant que tu prennes cette décision. Je peux imaginer qu'à certains moments tu peux avoir une idée, et en changer si nous parlons ensemble.
MICHAEL : C'est vrai. Alors peut-être si nous cernons mieux le but de la discussion, au lieu de penser que tu essaies de prendre la décision finale, je saurai que tu m'indiques seulement ton opinion.
JACK : Cela paraît raisonnable.
MICHAEL : Mais parfois je n'ai pas le temps d'en discuter longuement.
JACK : Je comprends. Cela m'aiderait si tu me le disais. Sinon je ne saurai pas pourquoi tu perds patience avec moi.
MICHAEL : Je pourrai donc dire seulement quelque chose comme : « Je n'ai pas le temps d'en parler ? »
JACK : Oui, et tu pourras me dire pourquoi. Que tu as besoin du boulot pour midi, et que ce problème de tableau est délicat ou que nous en rediscuterons plus tard. Cela ne te prendra que quelques secondes et cela m'empêchera d'être frustré si tu n'écoutes pas.
MICHAEL : Je me rends compte que ça peut être frustrant.

CONSEILLER : Jack, vous êtes en bonne voie avec Michael. Bien joué.
JACK : Tant que je suis lancé, je voudrais aborder avec Michael le point qui me paraît le plus épineux, qui est celui de notre amitié. Je veux m'assurer que tout cela ne l'a pas affectée.
CONSEILLER : Vérifiez vos objectifs à propos de cette question. « S'assurer que tout cela n'a pas affecté votre amitié » sonne comme si vous vouliez parler à sa place. C'est un peu dominateur. Si vous posez une question, veillez à ce qu'elle soit ouverte. Demandez-lui seulement où il en est à propos de votre amitié. Si le problème a effectivement nui à votre amitié, vous voulez qu'il puisse le dire ouvertement.

JACK : Je suis content que nous ayons avancé sur ce point. Je pense que c'est difficile de travailler avec les amis. Je me demande si tu crois que cela a affecté notre amitié.
MICHAEL : Eh bien, qu'est-ce que tu dirais, toi ?
JACK : Honnêtement ? Maintenant que nous avons réglé cette histoire je me sens beaucoup mieux. Avant d'en parler avec toi, j'étais assez furieux. Et probablement un peu blessé aussi. Si nous n'en avions pas

discuté à un moment ou à un autre, j'aurais eu l'impression que nous n'allions pas rester amis.
MICHAEL : Cela me surprend. Toi et moi avons vraiment des réactions différentes. Je n'étais pas content de notre relation de travail, mais je pensais que notre amitié ne s'en était pas ressentie. Je considère que ce sont deux domaines séparés. Mais puisque, de toute évidence, tu ne vois pas les choses du même œil, je suis content que nous ayons parlé.

JACK : On dirait que nous sommes redevenus amis !
CONSEILLER : Vous avez bien géré cette affaire.
JACK : Merci. Je crois que nous n'aurons plus ce genre de problème à l'avenir.
CONSEILLER : Seul l'avenir le dira. En fait, je crois que vous feriez mieux de penser que ce cas peut se représenter. Seulement, maintenant, vous savez qu'il n'est pas défendu d'en parler. Le malentendu ne sera probablement pas aussi épuisant sur le plan émotionnel et il risquera moins de menacer votre amitié. Mais est-ce la dernière discussion difficile que vous aurez avec Michael ? J'en doute.

« L'histoire bégaie », comme on le dit souvent. Et c'est souvent vrai. Maintenant, vous êtes armé pour y faire face.

Liste récapitulative pour les discussions difficiles

ÉTAPE N° 1. PRÉPAREZ-VOUS EN EXPLORANT LES TROIS TYPES DE DISCUSSIONS

1. Vérifiez *ce qui s'est passé.*
   - D'où vient votre histoire (informations, expériences passées, règles) ? D'où vient celle de l'autre ?
   - Quel impact cette situation a-t-elle sur vous ? Quelles ont pu être les intentions de l'autre ?
   - Comment avez-vous chacun contribué au problème ?
2. Comprenez *vos émotions.*
   - Explorez votre empreinte émotionnelle, et les sentiments mêlés que vous ressentez.
3. Ancrez *votre identité.*
   - Quels sont les enjeux *pour vous* ? Que devez-vous accepter pour trouver un meilleur équilibre ?

ÉTAPE N° 2. VÉRIFIEZ VOS OBJECTIFS ET DÉCIDEZ SI VOUS DEVEZ SOULEVER LE PROBLÈME

- *Objectifs.* Qu'espérez-vous accomplir par cette discussion ? Adaptez votre attitude pour favoriser l'obtention et le partage d'informations, ainsi que la solution au problème.
- *Décision.* Est-ce la meilleure manière de traiter le problème et de concrétiser vos objectifs ? La question est-elle véritablement ancrée dans votre débat identitaire ? Pouvez-vous agir sur le problème en changeant d'attitude ? Si vous décidez de ne pas provoquer un débat, que pouvez-vous faire pour vous aider à lâcher prise ?

ÉTAPE N° 3. COMMENCER PAR LE TROISIÈME RÉCIT

1. Décrivez le problème sous la forme d'une *différence* existant entre votre histoire et celle de l'autre. Accordez aux deux points de vue une valeur égale dans la discussion.
2. Faites part de vos *objectifs.*
3. *Invitez* l'autre à devenir votre *partenaire* dans l'analyse de la situation.

ÉTAPE N° 4. EXPLOREZ VOTRE RÉCIT ET CELUI DE L'AUTRE

- *Écoutez afin de comprendre* le récit de l'autre. Posez des questions. Reconnaissez les sentiments qui se profilent derrière les arguments et les accusations. Paraphrasez pour vérifier si vous avez bien compris. Essayez de démêler ce qui vous a tous deux conduits à cette situation.
- *Faites part de votre point de vue,* de vos expériences passées, de vos intentions, de vos sentiments.
- *Recadrez, recadrez, recadrez* pour rester en bonne voie, pour passer de la vérité à la perception, de la culpabilisation à la participation, des accusations aux sentiments, etc.

ÉTAPE N° 5. LA SOLUTION AU PROBLÈME

- Inventez des *options* qui respecteront les priorités et les soucis de chacun.
- Cherchez des *règles* pour la suite. N'oubliez pas le respect mutuel, les relations qui ne privilégient qu'une personne sont rarement durables.
- Évoquez les moyens de maintenir la circulation des *informations* à l'avenir.

Table

LA DISCUSSION IDENTITAIRE

Engagez une discussion didactique

Liste d'organismes associés

Le Harvard Negotiation Project (HNP)

Ce programme de recherche a été fondé en 1981 à l'université Harvard, afin de proposer et de diffuser les meilleures méthodes de gestion des conflits. Le Harvard Negotiation Project fait partie du Negotiation Program de la Harvard Law School, consortium interuniversitaire qui applique une approche multidisciplinaire de la théorie et de la pratique de négociation et de résolution des conflits. Le HNP privilégie les actions sur le terrain, l'élaboration de théories, l'enseignement et la formation, ainsi que la publication.

Actions sur le terrain. Le HNP offre ses conseils pour résoudre des difficultés dans la vie quotidienne, pour tirer profit des expériences acquises, et pour développer de nouvelles théories. Il est notamment intervenu lors de la prise d'otages américains par les Iraniens en 1980, a contribué à améliorer les relations entre les États-Unis et l'Union soviétique, a participé aux négociations et au processus de paix en Amérique centrale et en Afrique du Sud.

Élaboration de théories. Le HNP a élaboré des idées comme la procédure à texte unique, régulièrement utilisée par les États-Unis lors des négociations de paix au Moyen-Orient depuis le sommet de Camp David en 1978. Citons également la méthode de la « négociation raisonnée » ou « négociation sur le fond », ainsi que l'analyse de la discussion efficace qui est résumée dans le présent ouvrage.

Enseignement et formation. Le HNP organise, à la Harvard Law School, les séminaires du Negotiation Workshop qui ont influencé de nombreux éducateurs internationaux. En juin et novembre de chaque année, le Project propose aux juristes et au grand public des cours intensifs d'une semaine sur la négociation et les discussions difficiles, dans le cadre du Program of Instruction for Lawyers de la Harvard Law School. Pour obtenir de plus amples renseignements, contactez le PIL au (617) 495-3587, ou sur le web : *www.law.harvard.edu/programs/PIL/.*

Publications. Le HNP a édité de nombreuses publications, telles que *International Mediation : A Working Guide, Comment réussir une négociation, Comment négocier avec les gens difficiles, D'une bonne relation à une négociation réussie, Getting Ready to Negotiate, Beyond Machiavelli, Coping with International Conflict, Getting It Done : How to Lead When You're Not in Charge*, ainsi que le présent ouvrage. Citons également divers articles, des guides d'enseignement, des aide-mémoire et des exercices de négociation. Pour obtenir des renseignements sur le matériel didactique, contactez le HNP à la Negotiation Clearinghouse au (617) 495-1684 ou par mél à l'adresse suivante : *chouse@pon.law.harvard.edu*. Au même numéro, vous serez informé des dernières nouveautés dans ce domaine, si vous vous abonnez au *Negotiation Journal* du HNP.

Le Conflict Management Group

Le Conflict Management Group (CMG) est une association à but non lucratif qui s'est donné pour tâche d'aider tout un chacun à gérer constructivement ses différences. Le CMG offre une formation, des conseils, cherche à promouvoir auprès des groupes du secteur public et privé la paix et la résolution des conflits dans le monde entier, en mettant l'accent sur trois points :
L'assistance stratégique, sous forme d'interventions non officielles permettant aux parties en présence de trouver de nouvelles solutions à certains problèmes sociaux. Le CMG a aidé les dirigeants de l'ancienne Union soviétique à gérer divers conflits ethniques, a entraîné des équipes de négociateurs officiels en Afrique du Sud et au Salvador, a aidé l'Équateur et le Pérou à régler un conflit de frontières.
L'optimisation des compétences, qui permet aux organisations internationales et aux communautés de gérer collectivement les conflits et de résoudre leurs problèmes. Le CMG travaille en coopération avec l'Organisation de l'Unité africaine, assiste les Chypriotes grecs et turcs, aide les communautés américaines à juguler la délinquance juvénile et à apaiser les tensions raciales.
L'interaction théorie-pratique est l'outil que le CMG met à la disposition des négociateurs pour formuler de nouveaux concepts issus de la pratique. Le CMG a été fondé par les membres du Harvard Negotiation Project. Pour obtenir de plus amples renseignements, contactez le CMG au (617) 354-5444 ou sur le site *www.cmgroup.org*.

Vantage Partners, LLC

Vantage Partners LLC est une société de consultants internationaux située à Cambridge, dans le Massachusetts. Elle permet aux organisations internationales d'améliorer leurs méthodes de négociation ou de gestion des relations entre leurs différentes antennes et leurs partenaires extérieurs, leurs clients et leurs fournisseurs. Fondé par les anciens et les nouveaux membres du Harvard Negotiation Project, Vantage Partners encourage ses clients à cultiver les compétences comportementales, les outils, les méthodes, les structures formelles et les représentations culturelles requises pour renforcer les relations humaines, améliorer le résultat des négociations, encourager l'innovation et la compétitivité. Vantage propose de soutenir la gestion des alliances, de tirer parti des leçons de conflits internes (au sein des équipes dirigeantes, entre les différents services ou dans l'ensemble de l'organisation), et d'améliorer les « acquis de la négociation » avec les clients et les fournisseurs. Vantage offre également une formation sur mesure et l'application de concepts encourageant l'analyse de la négociation, la gestion des relations, des conflits, et la maîtrise de soi lors de discussions difficiles. Pour obtenir de plus amples renseignements, contactez Vantage Partners LLC au (617) 354-6090 ou sur le site *www.vantagepartners.com.*

Difficult Conversations, Inc.

Difficult Conversations, Inc. (DCI) est une société de consultants visant à aider les personnes, les organisations, les entreprises et les communautés à gérer les conflits et les discussions avec clarté, probité et intégrité, par des moyens qui enrichissent les relations et encouragent une résolution efficace des problèmes. Les consultants se spécialisent dans la médiation de conflits qui mettent en jeu certaines valeurs morales et suscitent une forte tension affective, notamment autour des questions raciales ou des rapports entre hommes et femmes, des problèmes touchant à la culture des entreprises ou des communautés. DCI offre également des conseils en négociation stratégique, et forme les cadres des entreprises, au cas par cas. En ce moment, DCI intervient au Citadel Military College, en Caroline du Sud, pour régler certains problèmes de formation, aider les médecins, les internes et les patients à trouver les moyens d'améliorer leurs relations. DCI a été fondé par les membres du Harvard Negotiation Project et du Conflict Management Group. Pour obtenir de plus amples renseignements, contactez Difficult Conversations, Inc. au (617) 547-1728 ou consultez notre page web sur le site *www.difcon.com.*

*

Pour être au fait des dernières nouvelles relatives au livre *Comment mener les discussions difficiles*, consultez notre page web sur le site *www.difficultconversations.com.*

RÉALISATION : CURSIVES À PARIS
IMPRESSION : NORMANDIE ROTO IMPRESSION S.A. À LONRAI (61250)
DÉPÔT LÉGAL : FÉVRIER 2001. N° 39952 (010069)